ФАБЕРЖЕ

FABERGÉ

СОКРОВИЩА

TREASURES

РОССИЙСКОЙ

OF IMPERIAL

ИМПЕРИИ

RUSSIA

ФАБЕРЖЕ

Сокровища Российской Империи
Fabergé: Treasures of Imperial Russia

Автор: Геза фон Габсбург
Written by Géza von Habsburg

Издано культурно-историческим фондом
«Связь Времён»
Published by The Link of Times Foundation

УДК 739.2(47+57).03+929 Фаберже
ББК 85.125
Ф12

ФАБЕРЖЕ:
Сокровища Российской Империи

Автор:
Геза фон Габсбург

Издано культурно-историческим
фондом «Связь Времён»

Редакция:
А. Ружников, О.А. Миллер

Перевод:
Г. Корнева, Т. Чебоксарова
Н. Павлова и Г. Капелян

Художественная дирекция:
Сандра Бёрч, Гарольд Бёрч

Дизайн:
Тирсо Монтан, Гарольд Бёрч

Фотографии:
Джерри Фетцер

Верстка:
Тирсо Монтан, Кристина Фресс

Ответственные за выпуск:
Луп Алварес, Бен Фрейкер,
Джон Макнайт, Карли Крам,
Дебби Моршел, Мариуш Морил,
Карина Гукасян

FABERGÉ:
Treasures of Imperial Russia

Written by
Géza von Habsburg

Published by
The Link of Times Foundation

Edited by
André Ruzhnikov and Olga Miller

Translated by
Galina Korneva, Tatiana Tcheboxarova,
Natalia Pavlova and Greg Kapelyan

Art Direction:
Sandra Burch and Harold Burch

Design:
Tirso Montan and Harold Burch

Photography:
Jerry Fetzer

Layout:
Tirso Montan and Christina Freyss

Production:
Lupe Alvarez, Ben Fraker,
John McKnight, Carly Krum,
Debbie Moerschell, Mariusz Moryl
and Karina Gukasian

ISBN 5-9900284-1-5

Фаберже Сокровища Российской Империи
Fabergé Treasures from Imperial Russia

ФАБЕРЖЕ
Сокровища Российской Империи
Fabergé: Treasures of Imperial Russia

Автор: Геза фон Габсбург
Written by Géza von Habsburg

Издано культурно-историческим фондом
«Связь Времён»
Published by The Link of Times Foundation

Оглавление
TABLE OF CONTENTS

1

2

3

Яйцо «Курочка»
(Первое императорское пасхальное яйцо)
The Hen Egg: The First Imperial Egg 1

Яйцо «Ренессанс»
The Renaissance Egg 2

Яйцо «Воскресение Христово»
The Resurrection Egg 3

Яйцо «Бутон розы»
The Rosebud Egg 4

Рамка-Сюрприз
The Heart Surprise Frame 5

Яйцо «Коронационное»
The Coronation Egg 6

Яйцо «Ландыши»
The Lilies of the Valley Egg 7

Яйцо «Петушок»
The Cockerel Egg 8

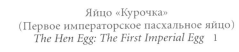

4

5

6

7

8

9

10

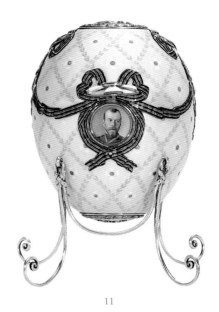

11

12

13

14

16

15

ПРЕДИСЛОВИЕ

На протяжении многих десятилетий нам говорили, что «искусство принадлежит народу». Тем временем миллионы шедевров живописи, скульптуры, декоративно-прикладного и ювелирного искусства покидали Россию. Многие из них становились "жемчужинами" крупнейших музеев мира, след других терялся в иностранных частных хранилищах. Никто не мог этому помешать и люди утешали себя лишь тем, что подлинное искусство принадлежит истории и культуре всего человечества. Однако в душе прекрасно понимали, что на самом деле принадлежит оно, прежде всего, своей родине, – земле, на которой оно создавалось.

Времена, к счастью, изменились. Сегодняшняя Россия больше не распродает и не раздаривает свое культурное наследие. Она учится им дорожить и беречь его. Более того, казавшиеся безвозвратно утраченными за рубежом сокровища российского искусства начинают возвращаться домой. Еще 10 лет назад я не допускал и мысли о том, что всемирно известная коллекция произведений великого российского ювелира Карла Петера Фаберже, которую на протяжении полувека по крупицам собирал американский предприниматель Малькольм Форбс, будет продаваться. И уж тем более я не мог тогда подумать, что сам выступлю ее покупателем. Тем не менее, невозможное стало возможным – крупнейшее в мире собрание работ Фаберже и, прежде всего, 9 императорских пасхальных яиц, вернулись в Россию.

Мне хочется, чтобы эти уникальные произведения ювелирного гения Карла Фаберже увидели как можно больше россиян. Именно поэтому созданный мной культурно-исторический фонд "Связь времен" организует экспозицию коллекции не только в Москве и Санкт-Петербурге, но и в других российских городах - Екатеринбурге, Иркутске, Тюмени.

Книга, которую вы держите в руках, это не каталог всей приобретенной коллекции. Это книга о жизни и творчестве Карла Фаберже и созданных им уникальных пасхальных яйцах, которые обессмертили его имя.

Думаю, что на коллекции изделий Фаберже мы не остановимся. Фонд «Связь времен» будет заниматься поиском, приобретением и возвращением на родину исторически значимых российских произведений искусства, находящихся за рубежом. Как когда-то писал Пушкин, Петр Великий «прорубил окно в Европу». Увы, на протяжении почти 75 лет это было окно, через которое шедевры нашей культуры уходили за рубеж. Настало время их вернуть...

Председатель Попечительского совета
Культурно-исторического фонда «Связь времен»
Виктор Вексельберг

PREFACE

For many decades, Russians have been told that "art belongs to the people." Yet at the same time, millions of exceptional works of art and sculpture, applied and decorative art and pieces of jeweled art were leaving Russia. Many of these works are now the most valuable pieces in top museums throughout the world, while others are in the hands of foreign private collectors. There was no way to prevent the art from leaving Russia. We were consoled only by the knowledge that true art belongs to the history and culture of humanity. Deep inside, however, we believed that ultimately Russian art belongs to the homeland, to the land where it was created.

Fortunately, times have changed. Russia no longer sells off or gives away its cultural heritage; it is learning how to cherish it and to take better care of it. Furthermore, the Russian art treasures that appeared to be irretrievably lost to the West have begun to return home. Some ten years ago I could not have even imagined that the world-famous collection by the great Russian jeweler Carl Fabergé would be sold at auction. (The American industrialist Malcolm Forbes amassed the Fabergé works during half a century of collecting.) And I certainly could not have dreamed that I would be the person to acquire this magnificent collection. Nevertheless, the impossible became possible when the largest collection of Fabergé works, among them nine Imperial Easter eggs, returned to Russia.

I would like the works of the jewelry genius Fabergé to be seen by as many Russian people as possible. This is the reason why I founded a cultural-historical Foundation called The Link of Times. The foundation is planning to organize exhibitions of the collection not only in Moscow and Saint Petersburg, but also in other Russian cities such as Ekaterinburg, Irkutsk and Tyumen.

This book is not a catalogue of the purchased collection. It is dedicated to Carl Fabergé's life and creative work, and to the unique Easter eggs that immortalized his name.

Much work lies ahead. The goal of the Link of Times Foundation is to search for, acquire and bring back home to Russia historically significant works of art. Alexander Pushkin wrote that Peter the Great "opened a window to Europe." Sadly, for 75 years it was a window through which masterpieces of our culture left for the West. The time has come to retrieve them...

Viktor Vekselberg
Chairman of the Board of Trustees
The Link of Times Cultural-Historical Foundation

ВЕЧНЫЕ ЦЕННОСТИ В НОВОЙ РОССИИ

Весной 2004 года счастливым образом закончилась драматическая история уникальной коллекции ювелирных изделий, принадлежавших Российскому Императорскому Дому. Без малого целый век выдающиеся художественные ценности, в том числе подлинные жемчужины мирового искусства – знаменитые пасхальные яйца Фаберже, провели в зарубежных странствиях. Теперь они вернулись домой, в Россию.

Первый заказ на пасхальное яйцо от императорского двора Карл Фаберже получил в 1885 году, когда Александр III собирался сделать оригинальный подарок своей супруге императрице Марии Федоровне. Это первое яйцо – «Курочка» – и положило начало одной из самых красивых российских исторических традиций: к каждому празднику Пасхи, а впоследствии и к другим значимым датам и событиям, знаменитый ювелир поставлял императорской семье уникальные по красоте и оригинальности ювелирные шедевры. Как правило, они являлись напоминанием о выдающихся исторических достижениях России или дарились императором самым близким членам семьи. Самое знаменитое пасхальное яйцо – «Коронационное» – было подарено последним российским императором Николаем II его августейшей супруге Александре Федоровне в 1897 году. В коллекции есть и последнее императорское пасхальное яйцо – «Орден Святого Георгия», подаренное Николаем II матери Марии Федоровне в 1916.

Необычайно редкое сочетание государственного величия, исторической драмы и искренних человеческих чувств, запечатленное в этих совершенных творениях, ставит работы Фаберже в ряд мировых художественных шедевров высшего ранга.

К сожалению, никакие «высокие материи» не помогли сохранению реликвий. В 1918 году, когда коллекции императорской семьи были перевезены из Петрограда в Москву, в них было 42 императорских яйца. Все они за исключением 10, оставшихся в Оружейной палате Кремля и нескольких бесследно пропавших, были проданы заграницу в 20-30-х годах. Понадобились десятилетия, чтобы осознать величину этой утраты и сделать возможным их возвращение.

Сегодня у предпринимателей, которые чувствуют свою социальную ответственность перед обществом, есть реальная возможность продолжить традиции меценатства, заложенные Третьяковым и Мамонтовым, Морозовым и Тредиаковским. Виктор Вексельберг, учредитель культурно-исторического фонда «Связь времен», уверен, что совместные и согласованные действия государственных музеев, Русской Православной церкви и российской деловой элиты позволят вернуть на Родину многие утраченные шедевры русского искусства.

Художественные ценности, составляющие славу и величие нашей страны, символизирующие ее великие культурные и духовные традиции, должны стать доступными людям современной России.

Владимир Воронченко,
Председатель правления Фонда «СВЯЗЬ ВРЕМЕН»

TIMELESS ART TREASURES RETURN TO NEW RUSSIA

In the spring of 2004, the dramatic story which had surrounded the Russian Imperial House's most famous jewelry collection came to a spectacular denouement. For just under a century, the famous Fabergé Easter eggs had been outside Russia, in the hands of foreign owners and museums. But now, incredibly, they are back home in Russia.

The jeweler Carl Fabergé received the first order for an Easter egg from the Imperial Court in 1885 when Alexander III commissioned the first Imperial Easter Egg, The Hen Egg, as a gift for his wife, Empress Maria Feodorovna. Thus began the lovely tradition of giving exquisitely beautiful and original Faberge jeweled masterpieces for Easter and other special days and events in the life of the Imperial family. The eggs were usually created as a remembrance of significant Russian achievements, and the Emperor gave them as gifts to close family members. The most famous egg, the "Coronation Egg," was given by the last Russian Emperor Nicholas II to his wife, Alexandra Feodorovna, in 1897. The Order of St. George Egg, the last Imperial egg, given by Nicholas II to his mother Maria Feodorovna, is also in The Link of Times Fabergé collection

The exceptionally rare combination of state grandeur, historic and personal drama and sincere human feelings, which is embedded in these exquisite works, ranks the Fabergé eggs as some of the most prized international artistic masterpieces.

Unfortunately, these "lofty matters" did not help keep the eggs in Russia. In 1918 when the collections of the Imperial family were moved to Moscow from St. Petersburg, they comprised forty-two eggs. All of them, with the exception of ten, which remained in the Kremlin's Armory Museum and several others that disappeared, were sold abroad in the 1920's and 1930's.

It took decades to recognize the magnitude of the loss of this national treasure and make its return possible.

Today Russian businessmen who have a sense of social responsibility have the opportunity to continue the philanthropic tradition of Tretyakov and Mamontov, Savva Morozov and Vasilii Trediakovskii. Viktor Vekselberg, the founder of the The Link of Times Cultural and Historical Foundation, believes that through the strength and determination of state museums, the Russian Orthodox Church and the Russian business elite, lost masterpieces of Russian art will be found and returned to the homeland.

The artistic treasures that are the glory and grandeur of Russia and which symbolize its great cultural and spiritual traditions must be accessible to modern Russia.

Vladimir Voronchenko
Chairman of the Board
of The Link of Times Foundation

СЛОВА БЛАГОДАРНОСТИ

Мои слова благодарности предназначены всем тем, кто участвовал в издании этой замечательной книги.

Владимиру Воронченко, председателю правления Фонда «Связь времен», под чьим руководством шли переговоры по приобретению коллекции пасхальных яиц Фаберже у семьи Форбс и длительная творческая работа над книгой.

Ольге Миллер, координатору проекта в представительстве компании «Ренова» в Нью-Йорке, направлявшей все аспекты выпуска в свет этого издания, а также множество других вопросов, связанных с приобретением коллекции Фаберже.

Андрею Ружникову, одному из ведущих в мире специалистов по Фаберже, выступавшему в роли консультанта Фонда на этапах технической экспертизы и оценки. Его глубокие знания в области полиграфии позволили достичь высокого уровня качества выпущенной книги.

Доктору Гезе фон Габсбургу, автору, соавтору и редактору десяти книг об искусстве Фаберже, куратору пяти основных выставок изделий Фаберже и постоянному лектору Музея искусств Метрополитан в Нью-Йорке, составившему высоко компетентные комментарии к каждому предмету данной коллекции и представившему огромное количество иллюстраций из собственного архива.

Джерарду Хиллу, директору Русского отдела аукционного дома «Сотбис» и автору основополагающей работы по Фаберже, представившему описания предметов коллекции, а также выверившему подробный провенанс, библиографию и перечень выставок, на которых экспонировался каждый из предметов коллекции. Сюзан Хантер всячески помогала ему в процессе работы.

Многие сотрудники аукционного дома «Сотбис» приняли участие в подготовке этой книги. Среди них – Ричард Бакли, директор Северо-Американского отдела, представлявшего аукционный дом на каждом ключевом заседании; Дэвид Редден, заместитель председателя правления дома «Сотбис» и руководитель отдела книг и рукописей; Сандра Бёрч, директор творческого отдела, и сотрудники ее великолепной группы дизайна и выпуска книг; а также Карли Крам и Дебби Моршел, руководители проекта «Фаберже» в аукционном доме «Сотбис».

Особая благодарность переводчикам этой книги Галине Корневой и Татьяне Чебоксаровой, которые перевели основной текст книги; Наталье Павловой и Грегу Капеляну, которые перевели описания предметов с английского на русский, а также фотографам Джерри Фишеру, Гленн Штайглеман и Бонни Моррисон, работы которых позволят читателям оценить красоту этих изысканных произведений Фаберже.

Председатель Попечительского совета
Культурно-исторического фонда «Связь времен»
Виктор Вексельберг

ACKNOWLEDGEMENTS

A word of thanks is in order to all of those involved with the production of this magnificent book.

Mr. Vladimir Voronchenko, Chairman of the Board of Directors of *The Link of Times Foundation,* oversaw the negotiations of the acquisition of the Forbes Collection and supervised the lengthy creative process of this catalogue.

Ms. Olga Miller of Renova, New York, coordinated all the intricacies of the catalogue production and many other matters connected with the Fabergé project.

One of the world's leading Fabergé specialists, Mr. André Ruzhnikov, acted as an advisor to the Foundation in his capacity as a technical expert and appraiser. His knowledge of the technicalities of printing and reproductions helped determine the quality of the final product.

Dr. Géza von Habsburg, author, co-author and editor of ten books on Fabergé, curator of five major Fabergé exhibitions, and regular lecturer at the Metropolitan Museum of Art, New York, wrote the scholarly commentaries for each entry and supplied numerous illustrations from his archives.

Mr. Gerard Hill, director of Sotheby's Russian department and author of an authoritative book on Fabergé, wrote all the descriptive texts of this book and transcribed all lengthy provenances, the bibliography and the exhibition history of each piece. He was ably assisted by Ms. Susan Hunter.

Numerous members of Sotheby's were involved with the production of this book. The long list includes Mr. Richard Buckley, Managing Director, North American Regional Division, who represented the auction house at every crucial meeting; Mr. David Redden, Vice Chairman, Books Division Management; Ms. Sandra Burch, Creative Director, with her excellent production and design team; as well as Ms. Carly Krum and Ms. Debbie Moerschell, Sotheby's Fabergé Project Managers.

Special thanks to the translators of this book, Ms. Galina Korneva and Ms. Tatyana Tcheboxarova, who translated the narrative text, and to Natalia Pavlova and Greg Kapelyan who translated the descriptive parts from English into Russian as well as to the photographer Jerry Fetzer, who made it possible for the readers to appreciate the beauty of these exquisite Fabergé pieces.

Viktor Vekselberg
Chairman of the Board of Trustees
The Link of Times Cultural-Historical Foundation

Мастерская Фаберже.
Архивная фотография около 1903 г.

Fabergé workshop.
Archival photograph circa 1903

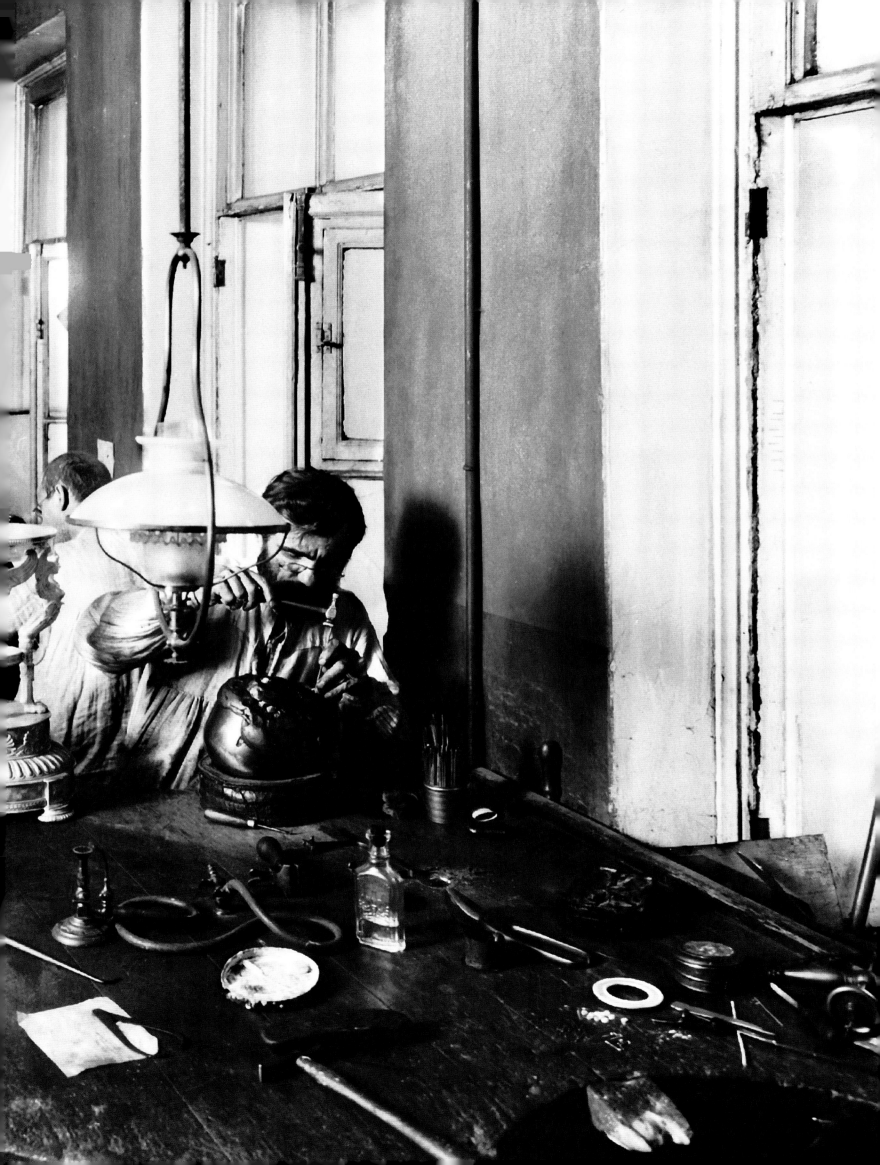

ВВЕДЕНИЕ

Геза фон Габсбург

урочка»

гини Мальборо

е Христово»

гон розы»

дионное»

юрприз

ши» «Петушок»

Д О М

ФАБЕРЖЕ

Ювелирный дом Фаберже был практически неизвестен широкой российской публике до 80-х годов XX века. В начале 20-х годов советское правительство отдало распоряжение Государственному хранилищу ценностей СССР (Гохран) собрать и переплавить все серебряные изделия конца XIX – начала XX столетия, национализированные властями после Октябрьской революции 1917 года[1]. Из полученного серебра были изготовлены слитки и отчеканены рубли, которые пошли на оплату промышленного оборудования, закупленного на Западе. Все дворцовые сервизы, в том числе и изготовленные в мастерских Фаберже, были переплавлены в печах на Монетном дворе в Петропавловской крепости в Санкт-Петербурге. Тогда же было превращено в лом огромное количество ювелирных изделий дореволюционного периода, в одночасье ставшего ненавистным. Пользовавшиеся доверием правительства комиссары доставили вынутые из ювелирных изделий драгоценные камни на продажу в Париж, Амстердам и Лондон; оправы же были переплавлены в слитки. Доход от продаж не принес ни малейшей пользы России – деньги бесследно исчезли, как и килограммы ценных ювелирных изделий, снятых с убитых членов царской семьи. Советское правительство продало большую часть изделий Фаберже через свои официальные организации «Торгсин» и «Антиквариат». В связи с этим большая часть работ Фаберже, находившихся ранее в императорских дворцах, коллекциях русской аристократии и у владельцев «тугих кошельков», попала в частные коллекции и музеи Запада. В России сохранилась лишь незначительное количество произведений знаменитого ювелирного дома.

Хранители Оружейной палаты Кремля с риском для жизни спасли от распродажи десять императорских пасхальных яиц. Они остались в Оружейной палате, однако были помещены в неприметную настенную витрину в дальнем зале. В последние десять лет Россия изменила отношение к своему недавнему прошлому. Времена правления Александра III и Николая II, ранее вычеркнутые из учебников истории, предстали как важные, захватывающие страницы знаменательного периода России. Трагический конец семьи Романовых, причисление их к лику святых русской православной церковью, обнаружение останков семьи в окрестностях Екатеринбурга и перезахоронение их в Петропавловской крепости – все эти события оказались в центре внимания россиян. Россия также заново открыла для себя искусство того периода. Первое, что теперь встречает посетителей верхних залов Оружейной палаты

Кремля – это большая витрина, значительная часть которой отведена под творения Фаберже. Из всех экспонатов Оружейной палаты пасхальные яйца Фаберже пользуются наибольшим интересом у организаторов зарубежных выставок. Эти выдающиеся произведения искусства стали своего рода «посланцами» русской культуры за рубежом.

В последние годы на аукционных продажах русского искусства в Лондоне и Нью-Йорке русский язык звучит не реже английского. За картины Айвазовского, Маковского, Кустодиева и Репина назначаются цены, превышающие миллион долларов. Изысканные работы Фаберже, история которых тесно связана с судьбой семьи Романовых, сейчас воспринимаются как ярчайшее воплощение изящества, характерного для ушедшей эпохи. Головокружительный рост цен на императорские пасхальные яйца Фаберже начался в 1979 году, когда Малькольм Форбс заплатил по 1 миллиону долларов за яйца «Коронационное» (с. 156) и «Ландыши» (с. 180). Тогда подобный поступок казался пределом экстравагантности, а уплаченная сумма чрезмерной. При подготовке к продаже коллекции Форбса в 2004 году предаукционные оценки этих же двух яиц составляли 18-24 и 15-18 миллионов долларов соответственно.

Заслуживший признание своих современников в России, Петер Карл Фаберже в наши дни прославился как самый известный в мире ювелир и художник прикладного искусства. Он, возможно, стал теперь даже более известен, чем достойный того золотых дел мастер XVI века Бенвенуто Челлини. Нескончаемым потоком выпускаются книги, каталоги и статьи о Фаберже на английском языке. Существуют также публикации о нем на немецком, французском и итальянском языках. (см. Библиографию публикаций о Фаберже[2]). О Фаберже снято три фильма: два – в Америке и один – в Японии. В 1989 и в 1990 годах в Сан-Диего, Калифорния, была устроена первая выставка, посвященная исключительно коллекции императорских пасхальных яиц Фаберже. Эта же выставка была затем показана в Московском Кремле (3). Оружейная палата Кремля и Малькольм Форбс представили для нее по 8 императорских яиц из своих коллекций. В последнее время в России вышло несколько каталогов выставок Фаберже, проводившихся в Санкт-Петербурге (1989, 1992, 1993) и Москве (1990, 1992 и каталог 2000 года).

ИСТОРИЯ ДОМА ФАБЕРЖЕ
ГОДЫ СТАНОВЛЕНИЯ
(1866-1885)

Карл Фаберже родился в 1846 году в Санкт-Петербурге в семье покинувших Францию гугенотов, родом из местечка Ла-Бутей на севере страны[4]. В конце XVIII века его предок Жан Фаври, который занимался выращиванием табака, обосновался в городе Шведт-на-Одере к северо-востоку от Берлина. Дед Фаберже, Петер Фаври Фаберже, перебрался в город Пярну в Ливонии, сегодняшней Эстонии. Густав Фаберже, отец Карла, родился в 1814 году. В конце 20-х годов XIX века в Петербурге он начал учиться ювелирному мастерству и в 1841 году получил квалификацию мастера-ювелира. У отца Карла Фаберже была небольшая, но доходная ювелирная фирма в доме Жако по адресу Большая Морская улица 12 (в настоящее время 11). В те времена Большая Морская улица и Невский проспект были самыми модными торговыми улицами Санкт-Петербурга. В 1860 году, по неизвестным причинам, семья переехала в Дрезден, где Карл Фаберже получил коммерческое образование. Приблизительно в 1863 году отец отправил его в путешествие по Европе, и Карл некоторое время жил во Франкфурте, Флоренции и Париже. В 1864 году молодой Фаберже вернулся в Санкт-Петербург и начал учиться ювелирному делу у Хискиаса Пендина, Августа Хольмстрема и Вильгельма Раймера – известных ювелиров в мастерских своего отца. В 1868 году финский ювелир Эрик Коллин поступил на работу к Фаберже, а в 1872 году, когда Карл Фаберже возглавил ювелирную фирму отца, он назначил

Петер Карл Фаберже отбирает камни. Архивная фотография Гюго Оберга около 1900 года
Peter Carl Fabergé sorting stones. Archival photograph by Hugo Oeberg, c. 1900.

Коллина ведущим мастером. В первые годы фирма выпускала только традиционные ювелирные изделия, которые мало отличались от работ французских ювелиров. Главный дизайнер фирмы Франц Бирбаум позднее писал:
«Большим спросом пользовались в то время оправы резных крупных сердоликов и других пород агатов в виде брошек, колье и т.д. Оправы эти делались из матового высокопробного золота в виде ободков из мелких бус, шнурков, перемежающихся с резным или филигранным орнаментом.»[5]

В альбоме с эскизами ювелирных изделий Фаберже, выполненных в последние три десятилетия XIX века, можно увидеть ранние работы фирмы. Украшенные бриллиантами веточки с цветами, иногда покрытые эмалью, колоски пшеницы и вьющиеся веточки плюща напоминают стиль работы известных парижских ювелиров Октава Лейара и Оскара Массена 1860-70 годов[6]. На смену изделиям подобного типа пришли бриллиантовые броши-подвески на лентах, ожерелья с искусно завязанными бантами, ажурные браслеты с бриллиантами и рубинами, шатлены в стиле Людовика XV и ожерелья с подвесками, характерные для работы французских ювелиров 1880-90-х годов[7]. Ни одна из работ Фаберже того периода не предвещала творческого взлета гения. Фирма Фаберже производила для царского двора множество традиционных ювелирных украшений во французском стиле *joaillerie*, которые воспроизведены на фотографиях и картинах того времени. Это массивные диадемы, корсажные броши и ожерелья в стиле, о котором позже Фаберже отзывался пренебрежительно: *«Меня мало интересует дорогая вещь, если ее цена только в том, что насажено много бриллиантов или жемчугов».* Младший брат Карла Агафон, который родился в Дрездене в 1862 году и начал работать в фирме в 1885 году, создавал яркие акварельные эскизы этих роскошных ювелирных изделий. На них изображены диадемы, усыпанные бриллиантами и изумрудами, и ряд эффектных ожерелий в стиле Шоме и Бушерона[8]. Бирбаум писал:
«То была лучшая пора бриллиантовых работ. Изделия этого периода отличались сочным рисунком, ясно читаемым даже на расстоянии. В моде были крупные диадемы, эгретки, колье в виде ошейников, пластроны для корсажа, пряжки и крупные банты.»[9]

ЮВЕЛИРНЫЕ ИЗДЕЛИЯ

Из ювелирных изделий Фаберже во французском стиле в России практически ничего не сохранилось. В 1918 году они были конфискованы большевиками из дворцов и банковских сейфов; драгоценные камни, извлеченные из изделий, в 20-е годы были проданы на Запад, а оправы переплавлены в слитки. По этой причине о великих придворных ювелирах дореволюционного времени Болине, Никольсе-Юинге, Кехли и Гане – известно очень немного. Они создавали великолепные, усыпанные драгоценными камнями комплекты ювелирных украшений – парюры для царского двора, знакомые нам лишь

Император Александр III. Архивная фотография с подписью «Саша - Фреденсборг». Фреденсборг был летней резиденцией датской королевской семьи.
Emperor Alexander III, Archival photograph signed "Sacha – Fredensborg." Fredensborg was the country residence of the Danish royal family.

по рисункам, сохранившимся в Государственном Эрмитаже[10], по каталогам частных ювелирных коллекций, а также по живописи и фотографиям того периода. Эти украшения также описаны в учетных книгах кабинета его императорского величества, который неофициально называли императорским кабинетом. императорский кабинет заведовал покупками и заказами для высочайшего двора. Судя по записям учетных книг и счетам кабинета, на долю фирмы Фаберже приходилась лишь скромная часть императорских заказов. Однако со временем эта доля неуклонно росла. Наиболее серьезным конкурентом Фаберже был «Дом Болина». В 1883 году в императорских бухгалтерских книгах фирма Фаберже упоминается только 7 раз, в 1888 году – уже 17. С 1866 по 1885 год императорский кабинет купил у фирмы Фаберже ювелирных изделий на общую сумму всего лишь 47 249 рублей. За этот же период продажи фирмы Эдуарда Болина императорской семье в три раза превысили сумму приобретений у Фаберже. Торговый оборот московского отделения фирмы Болина в 1896 году составил более 500 тысяч рублей.

Постепенно Фаберже добился более существенной доли заказов высочайшего двора: с 1883 по 1894 год он продал импе-раторской семье ювелирных изделий на 352 937 рублей. Следует отметить, что 166 500 рублей из этой суммы, то есть почти половину, составила стоимость роскошного жемчужного

Семейство в Ливадии, 1891.
На заднем плане стоят: король Дании Кристиан IX, императрица Мария Федоровна, принцесса Уэльская Александра, королева Дании Луиза, великая княгиня Ольга.
Во втором ряду сидят: великий князь Георгий, княжна Мод, великая княжна Ксения, император Александр III, великий князь Михаил, принцесса Виктория.
На переднем плане сидят: цесаревич Николай, великий князь Александр Михайлович.
Надпись по-французски: «милой Аликс [Александре, принцессе Уэльской] от Саши [императора Александра III], Ливадия, 17 ноября 1891 г.» Архивная фотография

Family gathering in Livadia, 1891.
Standing in the back: King Christian IX of Denmark, Empress Maria Feodorovna of Russia, Alexandra Princess of Wales, Queen Louise of Denmark, Grand Duchess Olga. Seated in the second row: Grand Duke Georgi, Princess Maud, Grand Duchess Xenia, Tsar Alexander III, Grand Duke Michael, Princess Victoria.
Seated in the front: Tsarevich Nicholas, Grand Duke Alexander Mikhailovich.
Inscribed in French: "to dear Alix [Alexandra Princess of Wales] from Sacha [Tsar Alexander III], Livadia, 17 Nov. 1891". Archival photograph

le 17 Nov: 1891.

Агафон Фаберже. Архивная фотография, около 1890 г.
Agathon Fabergé. Archival photograph, circa 1890

в Музее изобразительных искусств Нового Орлеана, и миниатюрные копии императорских регалий, хранящиеся в Государственном Эрмитаже, в Санкт-Петербурге[13]. Все эти предметы были созданы в мастерской старейшины и главного ювелира фирмы Фаберже, Августа Хольмстрема. В то время его произведения ценились очень высоко. Вот как писали о ней члены жюри Всемирной выставки в Париже 1900 года:

«...эти вещи находятся на пределе совершенства, там, где ювелирное изделие превращается в настоящее произведение искусства. Совершенное исполнение и безукоризненная композиция отличают все работы Дома Фаберже, будь это крохотная императорская корона с 4000 камней или эмалевые цветы, сделанные с такой тщательностью, что выглядят как живые, или многочисленные objects of fantasy, детально рассмотренные жюри.»[14]

К числу самых ранних документированных работ братьев Фаберже относятся копии хранившихся в Эрмитаже великолепных золотых ювелирных украшений керченского клада, датируемого IV веком до н.э. Эти копии выполнил в 1885 году главный ювелир фирмы Эрик Коллин. Украшения керченского клада были отреставрированы фирмой Фаберже по заказу президента Императорского археологического общества, графа Сергея Строганова[15]. Об этих ювелирных изделиях, выставленных на Всероссийской промышленно-художественной выставке 1882 года в Москве, писали:

«Работа отличается такой тонкостью, что ее надо рассматривать в лупу, и тогда только выступают все ее достоинства. Изготовление только одного прекрасного шейного украшения потребовало работы семи мастеров в течение 120 дней, из чего видно, что одному мастеру пришлось бы трудиться не менее 2 лет и почти 4 месяца. ...Как видим, г. Фаберже открывает новую эру в ювелирном деле... Будем надеяться, что отныне, благодаря нашему известному ювелиру, главное достоинство произведений этой отрасли будет заключаться не в одних драгоценных камнях, не в одном богатстве, но в художественной форме их.»[16]

В годы работы Коллина в качестве главного мастера фирма выпускала изделия в старинном стиле, следуя антикварным образцам. В первое десятилетие существования фирмы были созданы чаши и другие предметы в стиле эпохи Возрождения. В мастерских Фаберже также изготавливались ковши, миниатюрные золотые пивные кружки и броши, инкрустированные золотыми рублевыми монетами, оправленные золотом блюда из поделочного камня и миниатюрные глобусы на украшенных подставках в стиле нео-рококо. При Коллине Дом Фаберже не производил ни покрытых гильошированной эмалью предметов, ни императорских пасхальных яиц.

ожерелья для принцессы Аликс Гессен-Дармштадтской – подарка по случаю ее обручения с цесаревичем Николаем Александровичем в 1894 году. Это скромная сумма, если сравнить ее с более чем 4 миллионами рублей, которые императорский кабинет потратил на 9401 подарок во времена царствования Александра III (1881-1894). Для сравнения также можно привести такие данные: во времена правления Николая II (1894-1917) каждый год приобреталось около 2000 подарков, причем средняя стоимость каждого подарка составляла 250 рублей. В качестве примера особенно ценных приобретений императорского двора у других ювелиров назовем рубиновую парюру, часть которой была выполнена Болином для молодой императрицы Александры Федоровны в 1894 году. За нее заплатили 190 295 рублей. К свадьбе великой княгини Ксении императорский кабинет также заказал ювелирные украшения на сумму 229 685 рублей, в которую входила и стоимость изумрудной парюры работы Никольса-Юинга[11] в 100 000 рублей, преподнесенной императорской четой.

Лишь несколько из сохранившихся ювелирных украшений типа *joaillerie*, выполненные фирмой Фаберже, могут свидетельствовать о качестве ее ювелирных работ – пять диадем, пять ожерелий и несколько брошей. Они уцелели благодаря тому, что были вывезены из России до революции 1917 года. Получили широкую известность и еще две работы этого периода – «Корзина ландышей» (1896), которая находится

УНИКАЛЬНЫЙ ДАР МИХАИЛА ПЕРХИНА

(работал с 1884 по 1903 гг.)

OBJETS D'ART

В 1885 году двадцатитрехлетний Агафон Фаберже переехал в Петербург и начал работать в фирме брата. Сотрудничество братьев длилось лишь десять лет, однако было чрезвычайно плодотворным. За всю историю Дома Фаберже совершенство изготовленных в тот период ювелирных изделий осталось непревзойденным. Тонкое чувство классического стиля, свойственное Карлу, уникальный творческий потенциал Агафона и блистательный талант пришедшего на должность ведущего мастера фирмы Михаила Перхина позволили Фаберже создать в середине 1880-х годов прославленные *objets d'art*. Большинство из получивших широкую известность работ Фаберже – императорские пасхальные яйца, фигурки животных, цветочные композиции и *objects de vertu*, выполненные из полудрагоценных камней, золота и серебра, – впервые появились именно в этот яркий период. Бирбаум в своих мемуарах высказывает предположение, что Агафон Фаберже был более смелым творцом, нежели его брат:

«Карл Густавович, убежденный поклонник классических стилей (таким он остался и до настоящего времени), уделял им все свое внимание. Агафон Густавович, по своей натуре более живой и впечатлительный, искал вдохновения всюду, в произведениях старины, в восточных стилях, еще мало изученных в то время, и в окружающей природе. Сохранившиеся его рисунки говорят о

Михаил Перхин. Архивная фотография, около 1895 г.
Michael Perchin. Archival photograph, circa 1895

постоянной работе, о непрерывных исканиях. Часто на одном месте мы находим по десяти и более вариантов на один и тот же мотив.»[17]

В отличие от роскошных подарочных ювелирных предметов, изготовленных прежними поколениями ювелиров, Фаберже стремился создавать высокохудожественные изделия как можно более доступные по цене. Российский мастер с гордостью сообщал своим клиентам в прейскуранте 1899 года: *«Мы стараемся изготавливать наши товары таким образом, чтобы ценность приобретенного предмета вполне соответствовала затраченной сумме, иначе говоря, мы продаем наши изделия настолько дешево, насколько это допускается добросовестным выполнением работы.»*[18]

Вероятно, именно по этой причине фирма Фаберже пользовалась столь большим успехом в семье молодого склонного к бережливости императора. В среднем на каждый царский подарок в годы правления Александра III тратилось 425 рублей, в то время как в годы царствования пришедшего ему на смену Николая II эта цифра уменьшилась почти вдвое; возможно, это произошло благодаря влиянию Фаберже.

Обладая талантом предпринимателя, Фаберже ввел правило предлагать на продажу только новинки и следил за тем, чтобы ассортимент постоянно обновлялся. Позже он писал, что раз в год фирма собирала и уничтожала все устаревшие изделия. Ежегодно около 300 мастеров-ювелиров фирмы Фаберже, работавших в петербургском отделении, создавали тысячи предметов. На основании анализа инвентарных номеров специалисты подсчитали, что с 1872 по 1917 гг. фирма изготовила свыше 150 000 художественных предметов и ювелирных изделий из серебра. Большинство из них были произведены в единственном экземпляре. Основная часть продукции была выпущена фирмой после 1900 года. Это стало возможным благодаря тому, что члены семьи Фаберже, художники и мастера фирмы постоянно находили новые источники вдохновения. Карл Фаберже воочию познакомился с западным искусством во время путешествий в Дрезден, Франкфурт, Флоренцию и Париж. Существовал и еще один богатый источник творческого вдохновения, к которому, будучи поставщиком императорского двора, фирма Фаберже имела беспрепятственный доступ:

«Эрмитаж с его галереей драгоценностей стали школой для ювелиров Фаберже. После керченской коллекции они изучали все представленные там эпохи и особенно век Елизаветы и Екатерины II. Многие из ювелирных и золотых произведений были скопированы с большой точностью и затем были исполнены новые композиции, пользуясь этими образцами как руководством. Лучшим доказательством совершенства, достигнутого в этих работах, служат неоднократные предложения некоторых заграничных антикваров исполнить ряд работ, но без наложения пробирных клейм и имени фирмы.

Фасад дома Фаберже по адресу Большая
Морская, 24, Санкт-Петербург.
Архивная фотография, ок. 1903 г.

*Exterior of the House of Fabergé located
at 24 Bolshaya Morskaya, St. Petersburg.
Archival photograph c. 1903*

Разумеется, предложения эти были отвергнуты. Композиции хранили стиль прошлых веков, но прилагались они к современным предметам. Вместо табакерок изготовлялись папиросницы и туалетные несессеры, вместо безделушек без определенного назначения – настольные часы, чернильницы, пепельницы, электрические кнопки и т. д. ...Изделия XVIII века в коллекциях Эрмитажа побудили применять сквозящую эмаль на гравированном или гильошированном золоте и серебре.»[19]

Фирма быстро разрасталась. Филиалы были открыты в Москве (1887), Одессе (1890), Лондоне (1903) и Киеве (1905). В те годы изделия Фаберже получили целый ряд наград, как российских, так и зарубежных: к примеру, золотую медаль на Нюрнбергской выставке 1885 года и специальный диплом на Северной выставке 1888 года в Копенгагене. В 1897 году Карлу Фаберже было присвоено звание Придворного ювелира королевского двора Норвегии и Швеции. На Всемирной выставке 1900 года в Париже Карл Фаберже входил в состав жюри, выставлял свои работы вне конкурса и был награжден Золотой медалью и Орденом Почетного Легиона.[20]

В 1900 году большинство специализированных мастерских, ранее разбросанных по всему Санкт-Петербургу, были собраны под одной крышей, в престижном новом доме Фаберже на Большой Морской 24. В доме находились квартиры самого Карла Фаберже с семьей, а также главного мастера Михаила Перхина. В правом крыле, на втором этаже справа, располагалась основная мастерская Перхина; там же были мастерские золотых дел мастера Августа Хольминга и Ялмара Армфельдта – ювелира, наделенного яркой индивидуальностью, выполнявшего рамки и серебряные оправы для ваз и накладки для мебели. Мастерская необычайно одаренного главного ювелира Августа Хольмстрема располагалась на третьем этаже. Первый этаж занимал торговый зал с окнами, выходившими на улицу. Над ним были устроены конторские помещения и большая библиотека. На самом верху, под крышей, находилась художественная студия, в которой разрабатывались эскизы изделий. Под началом главного мастера работало около 60 человек; в художественной студии – приблизительно 20.[21] Фирма Фаберже была на удивление современным предприятием: Карл Фаберже предоставлял своим работникам мастерские, инструменты, материалы и эскизы. Он гарантировал им продажу изготовленных изделий, что освобождало мастеров от повседневных забот. Руководители мастерских работали под общим началом Фаберже и главного мастера фирмы и были достаточно независимы. Сложная технология изготовления многих изделий чаще всего требовала поэтапного прохождения через руки нескольких мастеров. Карл Фаберже, особенно гордившийся уникальностью каждого выпущенного фирмой изделия, был всегда открыт для новых идей. Так, например, Фаберже воспользовался определенными преимуществами технологии массового производства, применяя такие типовые детали, как обрамления рамок и

часов, а также накладные орнаментальные бордюры. При этом Фаберже гарантировал то превосходное качество изделий, которого заказчики ожидали от фирмы. Несколько изделий из серебра изготавливались поточным способом, однако мастера вручную выполняли оригинал каждой модели и заканчивали обработку его копий. Подобное сочетание элементов массового производства и индивидуальной окончательной отделки каждого изделия позволило фирме значительно снизить цены на свои изделия.

ЭМАЛИ

Главный мастер Михаил Перхин, самостоятельно освоивший ювелирное дело, работал в фирме с 1884 по 1903 год. Во второй половине 1880-х годов он разработал технологию применения французской гильошированной эмали, при которой механически обработанная поверхность покрывалась цветной просвечивающей эмалью, украшенной либо алмазами огранки «роза», либо сапфирами, либо рубинами-кабошонами. Вдохновившись предметами *galanterie* XVIII века, он изготовлял *objets de fantaisie*, которые пользовались необычайным успехом в Санкт-Петербурге, в связи с чем фирма Фаберже произвела большое количество этих элегантных изделий. На протяжении нескольких лет фирма разработала 145 различных оттенков эмали. Безупречное качество ее наложения вызывало восхищение как иностранных, так и российских специалистов. Первые изделия с округлыми поверхностями *en ronde bosse*, покрытые эмалью, фирма Фаберже начала выпускать в конце 1880-х годов. По-видимому, Перхин заново открыл наложения опалесцирующих эмалей, которые придавали драгоценным предметам полупрозрачное нежно-розовое или бледно-голубое сияние, напоминающее внутреннюю поверхность устричной раковины. Подлинными шедеврами стали миниатюрные живописные картинки, покрытые опалесцирующими эмалями, в монохромной сепиевой гамме или гамме лилового гризайля *camaieu mauve*. Изделия Фаберже, покрытые гильошированной эмалью, признавались верхом совершенства; особенно, если принять во внимание ограниченные технические возможности того времени – печи топились дровами или углем, и температуру нагрева в них можно было определить лишь приблизительно. При изготовлении таких изделий на округлые поверхности, обработанные на станках, накладывались один за другим слои эмали. Количество слоев могло достигать шести. Каждый слой подвергался обжигу, затем охлаждался и полировался. Температура обжига каждого последующего слоя снижалась. Самый верхний слой, называемый «фондон», бережно шлифовали на деревянном колесе и полировали замшей. В результате этого кропотливого процесса появлялся неповторимый глянец или сияние эмалевых поверхностей изделий. Вместе с Перхиным над эмалями работало еще несколько мастеров-эмальеров — В.В. Бойцов (1890-1905 гг.), А.Ф. Петров (1895-1904 гг.) и Н.А. Петров (1895-1917 гг.). Самым знаменитым из этих мастеров был Н.А. Петров.

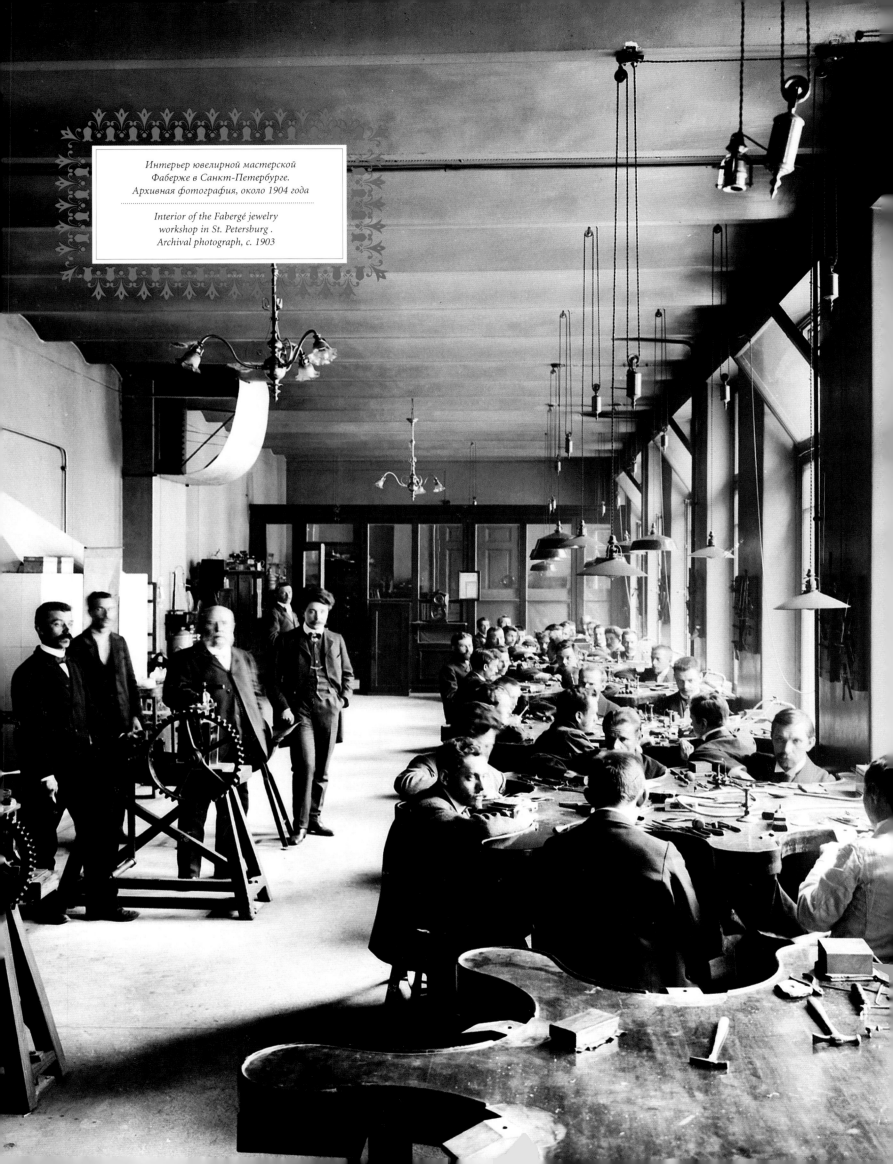

Интерьер ювелирной мастерской
Фаберже в Санкт-Петербурге.
Архивная фотография, около 1904 года

Interior of the Fabergé jewelry
workshop in St. Petersburg .
Archival photograph, c. 1903

У каждого из шести описанных в данном каталоге императорских пасхальных яиц свой, отличный от других, цвет эмалевой поверхности. Матово белый – у яйца «Курочка» (с. 74) (первого яйца из императорской серии), красный – у яйца «Бутон розы» (с. 128), желтый – у яйца «Коронационное» (с. 156), розовый с молочным отливом – у яйца «Ландыши» (с. 180), фиолетовый – у яйца «Петушок» (с. 198), блестящий опалово-белый – у яйца «Пятнадцатая годовщина царствования» (с. 228) и матовый опалово-белый – у яйца «Орден Святого Георгия» (с. 256). Среди неимператорских пасхальных яиц красный цвет встречается дважды – в яйцах «Весенние цветы» и «Курочка» из коллекции семьи Кельх (с. 288), а яйцо «Шантеклер» (с. 306) – голубого цвета. В 1880-е годы Перхин много работал в стиле неорококо, для которого характерны ажурные завитки и орнамент рокайль, наложенный на эмалевую поверхность. Несколько позже, вероятно, под влиянием парижских веяний, фирма начала работать в стиле неоклассицизма, используя в качестве декоративных элементов колонны с каннелюрами, акант, лавровые венки и гирлянды из листьев и цветов. Этот стиль преобладал в изделиях Фаберже на протяжении первой половины XX века.

ИЗДЕЛИЯ ИЗ ПОДЕЛОЧНОГО КАМНЯ

В годы, когда Перхин занимал пост главного мастера, фирма впервые начала широко применять полудрагоценные камни, помещая их в золотые или серебряные оправы. Несметные залежи минералов на территории России и богатые традиции искусной резьбы по камню привели Фаберже к мысли об использовании в работе фирмы продукции российских камнерезных заводов. Такие мануфактуры существовали в Петергофе близ Санкт-Петербурга, в Екатеринбурге и на Урале (оба этих завода были основаны Петром Великим), и в Колывани, в Алтайских горах. Заводы поставляли российским монархам великолепные произведения искусства и камень для облицовки дворцовых интерьеров. Архивы гранильной фабрики в Петергофе[22] говорят о том, что с 1890-х годов фирма Фаберже заказывала и приобретала у них целый ряд предметов из поделочного камня, а фабрика, в свою очередь, заказывала Фаберже подставки для своих резных изделий из камня. Изначально, у Фаберже были и другие поставщики. Главный дизайнер фирмы Франц Бирбаум писал об этом в 1919 году: *«Почти все каменные работы этого периода исполнялись по рисункам и моделям фирмы на заводах Верфеля в Петербурге и Штерна в Оберштейне (Германия). Иногда каменные изделия приобретались от Екатеринбургских кустарей и отдавались для исправления недостатков, улучшения полировки на указанные заводы (небезынтересно отметить, что стоимость этих исправлений большею частью превышала цену, за которую они были куплены.»[23]*

Помимо фирмы Карла Фаберже, в Санкт-Петербурге было еще несколько мастерских, специализировавшихся на изготовлении резных изделий из камня. Самым известным мастером резьбы по камню был Алексей Кузьмич Денисов-Уральский, который прославился своими мозаиками из уральских самоцветов. Его мастерская находилась сначала по адресу Набережная р. Мойки 42, а после 1910 года – на Большой Морской 27, неподалеку от дома Фаберже. Денисов-Уральский также занимался изготовлением сборных фигурок зверей из разных сортов поделочного камня. В 1911 году Картье приобрел для продажи в Париже более 60 таких фигурок. Картье также купил 90 изделий из поделочного камня, в том числе 29 фигурок животных, у Михаила Павловича Овчинникова, сына знаменитого московского серебряных дел мастера Павла Овчинникова. Мастерская Овчинникова находилась сначала в доме 29, а затем – в доме 35 по Большой Морской улице. Картье также закупил ряд изделий из полудрагоценных камней у Карла Федоровича Верфеля, мастерская и магазин которого располагались на Большой Морской 36. Еще два мастера продавали в розницу фигурки животных из разных сортов поделочного камня – Авенир Иванович Сумин, чья мастерская находилась на Невском проспекте 60, и Иван Савельевич Брицин на Малой Конюшенной улице. Некоторые изделия этих двух мастеров было невозможно отличить от предметов, изготовленных Фаберже. То же самое можно сказать и о ранних работах из поделочного камня фирмы Картье.[24]

Тем не менее, фигурки животных из самоцветов и поделочного камня работы фирмы Фаберже остаются непревзойденными. Они изготовлены из наиболее распространенных в России пород поделочного камня, самым твердым из которых был нефрит. Фирма Фаберже особенно часто использовала нефрит зеленого цвета со «шпинатным» оттенком. Целая глыба этого камня лежала во дворе дома Фаберже. Нефрит был впервые обнаружен приблизительно в 1850 году недалеко от Иркутска. Бирбаум писал, что «нефрит был получен с реки Онот, как валунами, так и коренными глыбами по заявкам К. Ф. Верфеля.» Этот твердый камень хорошо поддавался обработке и в нем не было трещин, что позволяло Верфелю резать его тончайшими слоями и затем полировать до получения безупречной поверхности. Ярким примером высокого качества нефрита, применявшегося в изделиях Фаберже, служит яйцо «Лавровое дерево» (с. 214), известное также под названием «Апельсиновое дерево», изготовленное в 1911 году.

С незапамятных времен горный хрусталь был любимым материалом камнерезов. Это чистейший по составу кварц, который встречается в природе в форме очень крупных кристаллов. Еще в древнем Египте скульпторы династии Фатимидов вытачивали из него изящные сосуды. В средние века из горного хрусталя создавались искусно отделанные раки для мощей. Подлинное возрождение художественной резьбы по горному хрусталю связано с деятельностью братьев Саракки и семьи Мизерони, мастерская которых в конце XVI века находилась в Милане. Для королевских дворов Европы мастера

Флоренции и Праги вытачивали крупные художественные изделия из горного хрусталя, отличавшиеся причудливыми формами. В России горный хрусталь добывался на Украине и Урале. Скорлупа яйца «Воскресение Христово» (с. 114) выполнена из бесцветного горного хрусталя, прозрачного как вода.

Месторождения агата, одной из разновидностей молочно-белого халцедона, были обнаружены на Урале, а также в каменоломнях близ города Идар-Оберштайна в Германии. Этот город славился традициями резьбы по камню, которые сохранились и до наших дней. Именно по этой причине, в первые годы работы фирмы Карл Фаберже заказывал там большое количество фигурок животных, выточенных из камня. Бирбаум писал, что работы, поставляемые Фаберже от Верфеля и из Идар-Оберштайна, отличала «ремесленная сухость» исполнения, которая исчезла, когда российский мастер открыл собственную мастерскую в 1908 году. Возможно, именно из Идар-Оберштайна поступил камень, из которого в 1894 году была изготовлена скорлупа яйца «Ренессанс» (с. 96).

В 1890-х годах, когда Фаберже стал создавать изделия *objets de fantasy*, он часто использовал тщательно отобранные бруски или плитки бовенита и яшмы, реже – родонита и ляпис-лазури. Вслед за огромным успехом его изделий из поделочного камня на Всемирной выставке 1900 года в Париже, Фаберже получил многочисленные заказы на работы по камню. В 1908 году он решил открыть собственную фабрику камнерезных работ. Уже в 1915 году Фаберже, планируя расширить производство, запросил разрешение на открытие второго отделения камнерезного производства. В этот период в ювелирном доме Фаберже работали два известных камнереза: Петр Кремлев и Петр Дербышев.

ФИГУРКИ ЖИВОТНЫХ

Источником вдохновения для создания фигурок животных служили как образы живой природы, так и миниатюрные японские скульптуры «нэцкэ» из коллекции Фаберже, насчитывавшей около 500 экземпляров. Первые такие фигурки появились у фирмы Фаберже в начале 1890-х годов. Можно предположить, что модели подобных изделий разрабатывали скульпторы петербургской мастерской Фаберже, такие как Борис Фредман-Клюзель. Сами фигурки по этим моделям изготавливали камнерезы города Идар-Оберштайн или мастерской Верфеля. После изготовления тщательно разработанной модели, фигурка вытачивалась из поделочного камня, подобранного таким образом, чтобы зверек либо выглядел как можно более реалистично, либо был абсолютно невероятного цвета. Фигурки, отличавшиеся особенно высоким качеством, аккуратно вытачивались из мягкого агата, после чего иногда варились в меду, что придавало им теплый красновато-коричневый оттенок. В других случаях зверек

вырезался из шпинатно-зеленого нефрита, темно-синей ляпис-лазури или темно-красного пурпурина, принимая карикатурные или стилизованные очертания. Такие фигурки страстно коллекционировала Вдовствующая Императрица Мария Федоровна. Известно, что у нее был целый «зверинец», насчитывающий более 100 зверюшек. Фигурки собирала и ее сестра – королева Великобритании Александра, прабабушка теперешней королевы Елизаветы II. Коллекция английской королевы состоит из нескольких сотен фигурок животных и на сегодняшний день является крупнейшим собранием подобного рода. Вот как Бирбаум свидетельствует о распространившейся в аристократических кругах страсти к коллекционированию фигурок:

«Эти миниатюрные скульптуры имели значительный успех среди клиентов до самого последнего времени. Успех этот объясняется их забавностью, а также тем, что не будучи исполненными из драгоценного материала, они прекрасно выполняют роль подарков в тех случаях, когда стоимость подарка не должна быть заметна. Мания коллекционирования также способствовала их распространению. Многие высокопоставленные лица составляли себе коллекции этих фигурок, и окружающие знали, что новые экземпляры для этих коллекций будут приняты благосклонно.»[25]

ЦВЕТОЧНЫЕ КОМПОЗИЦИИ

В те годы, когда мастерской руководил Михаил Перхин, вместе с каменными фигурками животных среди изделий Фаберже появились цветы. Первоначальным образцом для них послужили ювелирные изделия в виде букетов цветов работы золотых дел мастеров XVIII века Жан-Жака Дюваля и Иеремии Позье. Карл Фаберже был знаком с их творчеством по собраниям Эрмитажа, к которым имел беспрепятственный доступ сначала как поставщик и оценщик двора, а позже – как придворный ювелир. Еще один источник творческого вдохновения упомянут в мемуарах Бирбаума:

«Изготовление цветов из камней, которое в последнее время заняло видное место в производстве, имеет то же происхождение [китайские и японские камнерезные работы]. Впервые мы обратили внимание на эту отрасль китайского искусства, когда нам принесли в починку букет хризантем, вывезенный из дворца богдыхана, после занятия его европейским десантом. Еще до знакомства с китайскими цветками фирма исполняла эмалевые цветы с нефритовыми листьями... листья [были] исполнены преимущественно из нефрита, иногда из зеленой яшмы или кварца. Цветы иной раз вставлялись в стаканчик из горного хрусталя, наполовину полый, чтобы цветок казался в воде... Стоимость изготовления этих букетов была очень значительна, и, смотря по сложности цветов, доходила до нескольких тысяч рублей.»[26]

Влияние цветочных композиций Востока на искусство Фаберже особенно заметно в более поздних работах российского

мастера. Цветы, помещенные в вазочки из жадеита и бовенита, явно созданы под влиянием «икебаны» – особого японского искусства составления букетов, подчеркивающего форму и эстетическое равновесие композиции.[27]

ПЕРИОД ФРАНСУА БИРБАУМА
(главный дизайнер с 1895 по 1917 гг.)

Швейцарец Франсуа Петрович Бирбаум начал работать в фирме Фаберже в 1893 году. В 1895, после смерти Агафона Фаберже, он был назначен главным дизайнером фирмы. Бирбаум славился как опытный резчик по камню, специалист по работам с эмалями, а также как талантливый художник-рисовальщик. Выдвижение его на ведущую должность в фирме совпало с появлением изделий Фаберже в классическом стиле времен, которые пришли на смену «петушиному» стилю времен Людовика XV. Роль Франца Бирбаума, по всей видимости, была весьма значительной. Он утверждал, что именно он был создателем эскизов половины из пятидесяти императорских пасхальных яиц, выполненных фирмой Фаберже.[28]

К началу XX века фирма Фаберже стала самой знаменитой ювелирной фирмой России:
«Производство расширялось с каждым днем, пришлось выделить золотые изделия в особую мастерскую, а затем то же сделать и для серебряных. Заваленные работой братья Фаберже не в состоянии были вести хозяйство мастерских, а потому решили создать автономные мастерские, владельцы которых лишь обязывались работать по рисункам и моделям фирмы и исключительно для нее. ... Каждой из них [мастерских] был выделен определенный род изделий, и в них подмастерья специализировались на определенном роде работы... До 1914 года петербургские мастерские насчитывали в общей сложности от 200 до 300 рабочих.»[29]

Успех Фаберже на Всемирной выставке 1900 года в Париже распахнул перед ювелиром все двери. Высший свет Англии времен Эдуарда VII стал собираться в магазине Фаберже, открывшемся в Лондоне в 1903 году. В учетной книге лондонского филиала встречаются имена практически всех коронованных особ Европы, представителей аристократии и состоятельных слоев европейского общества. Не отставала и российская знать, неизменно заполнявшая санкт-петербургский магазин:
«Великие князья и княгини охотно лично посещали магазин, подолгу выбирая свои покупки. Ежедневно от 4 до 5 часов там можно было встретить всю петербургскую аристократию: титулованную, чиновную и денежную. Особым многолюдством отличались эти рандеву на Страстной неделе, так как все спешили с закупкою традиционных пасхальных яичек и заодно

посмотреть очередные пасхальные яйца, изготовленные для императора.»[30]

Через два года после Всемирной выставки императорская семья оказала особую честь Фаберже, предоставив ему возможность устроить благотворительный показ работ фирмы в особняке фон Дервиза в Санкт-Петербурге. Члены императорской фамилии и высшая санкт-петербургская знать представили для демонстрации принадлежавшие им изделия Фаберже. Выставка, августейшей патронессой которой была императрица Александра Федоровна, оказалась единственной возможностью для широкой публики увидеть произведения великого мастера до революции 1917 года. На фотографии витрины, принадлежавшей молодой императрице, наряду с другими изделиями Фаберже, хорошо видны пасхальные яйца «Ландыши» и «Коронационное» (см. илл. на с. 41).

В 1900 годах фирма Фаберже была буквально заброшена заказами. За 10 лет, с 1907 по 1917 гг., в одном лишь Лондоне было продано более 10 000 предметов. О Доме Фаберже прослышали и американские богатеи, приплывавшие за покупками на своих яхтах к берегам Невы, либо приобретавшие работы Фаберже в лондонском филиале фирмы. Фирма также проводила продажи своих изделий в Риме, на Лазурном берегу Франции и на Востоке. Среди постоянных клиентов оказались король Сиама и несколько индийских магараджей. В художественной студии Фаберже, расположенной под крышей огромного санкт-петербургского особняка, в то время работали три сына Карла Фаберже: Евгений, Агафон и Александр.

В годы наивысшего расцвета фирма являлась автором большинства подарков, которые российская императорская семья преподносила своим российским и европейским родственникам в Дании, Германии и Англии по случаю крестин, именин, дней рождений, на Рождество и Пасху. Часто это были довольно скромные предметы: рамки для фотографий, карандаши, закладки для книг и фигурки животных из поделочного камня. В футляры, которые специально изготавливались для каждой вещи, иногда вкладывались написанные от руки записки[31]. Во время заграничных путешествий члены императорской семьи щедро раздаривали конюшим, фрейлинам, полицейским и детективам портсигары, броши и булавки от Фаберже. Послы, высшее духовенство и аристократия получали более дорогие изделия Фаберже. Как правило, это были шкатулки, украшенные алмазами. Под императорские подарки, которые отбирались членами императорского кабинета в соответствии со случаем и сообразно рангу получателя, и многие из которых были изготовлены Фаберже, в Эрмитаже была отведена отдельная комната. Дипломатические дары турецкому султану, персидскому шаху, бухарскому эмиру, китайскому и японскому императорам заказывались у Фаберже.

Существует мнение, что период работы фирмы по руководством последнего главного мастера Генриха Вигстрема (1903-1917) не отличался искрометной творческой изобретательностью, характерной для его предшественника. Изделия фирмы стали более строгими и классическими, утеряв пышность неорококо и плавные линии модерна. Качество оставалось безупречным, однако применение заранее изготовленных типовых деталей оповещало о наступлении промышленной эры. Как и раньше, каждый год неизменно появлялись новые изделия. Близость Вены, где в 1903 году открылась кооперативная ассоциация искусства и ремесла «Винер Веркштетте» (Wiener Werkstaette), побудили Фаберже создавать более простые по стилю изделия, иногда даже с четкими геометрическими формами. С приходом в российскую столицу Картье в 1908 году, Санкт-Петербург захлестнула волна французского шика. Благодаря этим иностранным веяниям во многих поздних работах Фаберже проявилось влияние стиля ар деко.[32]

ИМПЕРАТОРСКИЕ ПАСХАЛЬНЫЕ ЯЙЦА

Первое императорское пасхальное яйцо было заказано императором Александром III в 1885 году. Успех этого пасхального подарка был так велик, что Фаберже получил от Высочайшего Двора постоянный заказ. К 1894 году, омраченному безвременной кончиной Александра III, Фаберже создал десять яиц, преподнесенных императрице Марии Федоровне, а с 1895 по 1916 годы – сорок яиц для Николая II, предназначавшихся его матери, уже вдовствующей императрице, и его супруге Александре Федоровне. Яйца не были заказаны лишь в 1904 и 1905 годах, в период разрушительной русско-японской войны. Были созданы эскизы и уже началась работа по изготовлению двух яиц, предназначавшихся для пасхальных подарков 1917 года, но заказчику так и не довелось их получить. К Пасхе 1917 года император Николай II уже отрекся от престола и стал пленником временного правительства, а вдовствующая императрица находилась в Киеве. Оба этих яйца недавно обнаружились в России.

Большинство императорских пасхальных яиц, проданных по приказу советской власти в 1920-х и 1930-х годах, оказались разбросанными по всему миру. Из тридцати яиц, подаренных императрице Марии Федоровне, восемь пропало во время революции 1917 года. По фотографиям того периода известно, как выглядели два из восьми утраченных пасхальных яиц; еще из одного уцелел лишь сюрприз. На сегодняшний день известно местонахождение сорока двух пасхальных яиц императорской серии. Десять хранятся в Оружейной палате Московского Кремля, девять теперь принадлежат Фонду культурного наследия «Связь времен». Тринадцать яиц находятся в американских музеях (пять – в Ричмонде, три – в Новом Орлеане, два – в музее Хиллвуд в Вашингтоне, два – в

Балтиморе и одно – в Кливленде). Три яйца принадлежат собранию королевы Елизаветы II, два – коллекции фонда Сандоз, одно хранится у Принца Монако Ренье. Оставшиеся четыре находятся в частных коллекциях.

Изготовление столь дорогих пасхальных яиц мог оплатить лишь один из самых богатых монархических дворов мира, и, вероятно, этот заказ стал самым крупным в истории знаменитого ювелирного дома. По великолепию пятьдесят пасхальных яиц Фаберже можно сравнить лишь с многочисленными творениями Иоганна Мельхиора Динглингера, выполненными для саксонского курфюрста Августа Сильного. По-видимому, императоры требовали лишь сохранения яйцевидной формы подарка, наличия сюрприза и неповторимости изделий. Александр III и императорский кабинет осуществляли надзор за процессом создания только двух первых яиц. После этого Фаберже получил полную творческую свободу. По свидетельствам современников, даже император не был посвящен в тайну разрабатываемого проекта: на вопрос царя о тематике следующего пасхального подарка придворный ювелир отвечал *«Ваше Величество будет довольно.»* Другому любопытствующему клиенту Фаберже шутливо поведал, что следующее яйцо будет квадратным. К императорским заказам Фаберже относился чрезвычайно серьезно, зачастую начиная планировать работы за несколько лет вперед, поскольку на изготовление некоторых яиц уходило более года. Изделия доставляли лично августейшему заказчику либо сам Карл Фаберже, либо его сын Евгений, в то время как мастера оставались на местах на случай каких-либо непредвиденных ситуаций.

Серия императорских пасхальных яиц началась с неброского изделия, которое представляло собой скорлупу, а в ней - курочку в желтке (с. 74). Однако очень скоро пасхальные подарки стали значительно более сложными и дорогими. Стоимость заказов возросла от 1 500 рублей в первые годы до 25 000 рублей в 1913 году. Ранние пасхальные яйца часто копировали старинные прототипы. Тематика большинства пасхальных яиц была так или иначе связана с историей императорской семьи. Яйца, предназначавшиеся для императрицы Марии Федоровны, украшались миниатюрными портретами ее детей, родителей или членов королевской династии; иногда на них изображались ее любимые резиденции, дворцы, яхты или атрибуты носивших ее имя полков или благотворительных организаций. На яйцах, изготовленных для вдовствующей императрицы, изображались либо особо памятные ей события, либо миниатюры ее покойного мужа. Если же тема не была связана с семьей, яйца изготавливались в виде часов или содержали заводную игрушку в качестве сюрприза.

Молодая императрица получала в подарок пасхальные яйца, оформление которых говорило о глубокой любви к ней мужа; в них могли оказаться миниатюры с портретами Николая II

Император Александр III и императрица Мария Федоровна с детьми, Гатчинский дворец. Архивная фотография, около 1885 г.
Emperor Alexander III, Empress Maria Feodorovna and their children, Gatchina Palace. Archival photograph, circa 1885

и детей, модели семейных дворцов, яхт, кремлевского собора или императорского поезда. Тематика нескольких яиц связана с историческими событиями: открытием памятников, основанием Санкт-Петербурга, трехсотлетием династии Романовых. Яйца, выполненные в 1915 -1916 гг., отражают военную тематику. Некоторые из пасхальных яиц подаренных императрице Александре Федоровне, изготовлены в виде часов. Сюрпризами к ним служила заводная игрушка или механическая поющая птичка.

ФАБЕРЖЕ И ИМПЕРАТОРСКАЯ СЕМЬЯ

1 мая 1885 года, после 16 лет верной службы в качестве эксперта, оценщика и реставратора предметов искусства Императорского Эрмитажа, Фаберже получил от Александра III желанный титул Поставщика Высочайшего Двора. В том же году великий князь Владимир Александрович, младший брат царя, выступил посредником между ним и Фаберже, заказав первое пасхальное яйцо от имени Императора. Императорская чета несомненно была очень довольна новым поставщиком двора. Император и его супруга стали постоянными заказчиками Дома Фаберже: Александр III

до конца своей недолгой жизни, а Мария Федоровна, впоследствии вдовствующая императрица, – до революции 1917 года. В феврале 1886 года, в период работы над проектом второго пасхального яйца, Карл Фаберже все еще считал необходимым обсуждать с представителями Высочайшего Двора ряд вопросов о предполагаемом сюрпризе в виде золотой курицы с кулоном из сапфира; однако впоследствии Фаберже получил разрешение дать волю своей фантазии.

Знаки императорской благосклонности вскоре проявились в заказе инкрустированной алмазами табакерки, которую Александр III подарил рейхсканцлеру Бисмарку в 1884 году[33], затем в награждении Фаберже орденом Св. Станислава 3-й степени в 1889 году за успех на Северной выставке 1888 года в Копенгагене. Об особом расположении Дома Романовых к Фаберже свидетельствовали многочисленные заказы Двора на подарочные табакерки, запонки и булавки для галстуков перед поездкой Цесаревича на Ближний Восток в 1890 году, заказ от великих князей на монументальные серебряные часы в 1891 году[34], а также присвоение Фаберже в том же году титула Оценщика Кабинета Его Императорского Величества и звания почетного потомственного гражданина. Впервые работа Фаберже была упомянута Императрицей в письме к матери, королеве Дании:

«...они все вручили нам на серебряную свадьбу чудный подарок, бесподобно красивые часы с нашими цифрами с алмазами наверху и 25 серебряными Амурами великолепной работы.»[35]

В 1892 году, по случаю годовщины золотой свадьбы короля и королевы Дании, Императорский Двор заказал Фаберже два больших серебряных с позолотой сосуда для охлаждения вина с ручками в форме слонов, на которых расписались все члены императорской семьи. К сосудам прилагался огромный серебряный с позолотой ковш, подаренный Александром III и Марией Федоровной. Вещи эти и по сей день хранятся в Королевской коллекции Дании[36]. Фаберже лично доставил эти важные подарки; за успешное выполнение столь крупного заказа для датского Королевского Двора Император наградил его орденом Св. Анны 3-й степени.

1896 год, ознаменованный коронацией Николая II, стал годом расцвета Дома Фаберже. Среди многочисленных подарков, изготовленных ювелирной фирмой, был большой поднос из горного хрусталя (в настоящее время хранится в Государственном Эрмитаже[37]), бювар для поздравительного адреса (коллекция фонда «Связь времен»[38]), преподнесенные императорской чете жителями города Санкт-Петербурга; нефритовый с золотом молитвенник, подаренный Николаем II Александре Федоровне для церемонии коронации (хранится в Оружейной палате Кремля[39]), а также знаменитая корзинка с ландышами, подаренная императрице купцами Нижнего Новгорода (фонд Матильды Геддинг Грей, музей изобразительных искусств Нового Орлеана 40). За работы, выставленные на ярмарке Нижнего Новгорода, молодой император наградил Фаберже орденом Св. Станислава 2-й степени и дал официальное разрешение изображать государственный герб России на изделиях фирмы.

На Пасху 1896 года Николай II планировал выслать матери голубое, покрытое эмалью яйцо (ныне утрачено), с сюрпризом в виде шести портретных миниатюр ее любимого мужа. В то время она пребывала в Ла-Турби вместе с тяжело больным сыном Георгием. Подарок, однако, не был доставлен в срок:
«Ты получишь по почте маленькую посылку – это от меня... глупый Фаберже опоздал послать с фельдъегерем.»[41]

Вдовствующая императрица ответила сыну из Ла-Турби:
«Я не могу найти слов, чтобы описать тебе, мой дорогой Ники, как тронута и взволнована я была, получив твое идеальное яйцо с прекрасными портретами дорогого, любимого Папа! Это такая красивая идея, с нашими монограммами сверху...»

На это Николай ответил следующее:
«Мне доставило большую радость, что Тебе понравилось яйцо – действительно миниатюры дорогого Папа сделаны очень удачно и похоже!»[42]
Самым знаменитым изделием Фаберже, созданным для импера-

торской семьи, стало яйцо «Коронационное», которое Николай II преподнес своей супруге на Пасху 1897 года (с. 156). Впервые это яйцо было выставлено на Всемирной выставке 1900 года в Париже и с тех пор стало главным экспонатом более 30 выставок изделий Фаберже. 26 мая 1896 года, в сопровождении пышного кортежа, в двухместной закрытой карете работы Иоганна Букендаля 1793 года, в Кремль въехала красивая молодая императрица Александра Федоровна. Памятное яйцо, шедевр творческой фантазии Фаберже, заключало в себе миниатюрную копию коронационной кареты, на изготовление которой ушло 15 месяцев. «Скорлупа» яйца, украшенная черными двуглавыми орлами по золотому фону, символизировала императорские мантии Николая и Александры, в которых они принимали участие в церковной церемонии.

В переписке между императором Николаем II и его матерью упоминается еще одно императорское пасхальное яйцо – яйцо «Петушок» работы 1900 года (с. 196). Николай писал Марии Федоровне из Москвы:
«Извини, милая Мама, что я Тебе ничего не прислал на Пасху, но Фаберже не выслал подарка сюда, думая, что Ты вернешься в Гатчину!»[43]

«Датское Юбилейное яйцо» 1903 года (утрачено) упоминается в другом письме Николая II матери, находившейся в Дании:
«Посылаю Тебе пасхальный подарок Фаберже, надеюсь, он приедет благополучно. В нем секретов нет, яйцо сверху открывается просто»[44]

С изготовлением «Памятного яйца Александра III», еще одного утраченного императорского пасхального яйца, также произошла задержка. Николай II так писал об этом матери в Лондон 26 марта 1909 года:
«Я очень сожалею, что сегодня не могу послать Тебе пасхального яйца, но к сожалению Фаберже не успел его окончить и я его пришлю Тебе через неделю. Пожалуйста, прости эту невольную неаккуратность.»[45]

Отношения Карла Фаберже с молодой императрицей никогда не отличались сердечностью. Франсуа Бирбаум, главный дизайнер фирмы в 1895-1917 годах, так писал в своих мемуарах 1919 года:
«Николай II не отличался особо развитым вкусом, да и не претендовал на него. Не такова была его супруга Александра Федоровна. Обладая убогими художественными понятиями, да еще отличаясь мещанской скупостью, она часто ставила Фаберже в трагикомическое положение. Она сопровождала свои заказы рисунками и определяла заранее стоимость предмета. Исполнить вещи по этим рисункам было технически и художественно невозможно. Приходилось прибегать к разным ухищрениям, объясняя внесенные изменения непонятливостью мастера, утерею рисунка и т. п. Что касается цен, то, чтобы не навлечь ее нерасположения, вещи сдавались по указанным ею

Император Николай II и
императрица Александра с детьми.
Архивная фотография, около 1904 г.

Emperor Nicholas II, Empress Alexandra
and their children. Archival photograph, circa 1904

цeнам. *Так как все эти заказы были ничтожны по стоимости,* *то понесенный маленький убыток окупался расположением,* *когда дело касалось получения серьезных работ.»*[46]

Печально известный буржуазный вкус молодой императрицы, с одной стороны, был унаследован ею от бабушки, королевы Англии Виктории, а с другой – сложился под влиянием ее брата эрцгерцога Эрнста-Людвига Гессенского. Герцог отдавал предпочтение стилю модерн; настолько, что даже основал первую колонию Югендштиль (Jugendstil) на Матильденхое (Mathildenhohe) в Дармштадте для художников, следовавших этому направлению. Карл Фаберже был первым, кто открыл России стиль модерн. Наиболее ярко модерн проявился в пасхальном яйце «Ландыши» (с. 180), впервые экспонированном на Всемирной выставке 1900 года в Париже. Загроможденные комнаты императрицы Александры Федоровны в Александровском дворце свидетельствовали об ее увлечении новым стилем. Некоторые члены семьи Романовых, по-видимому, разделяли ее вкус. В записке, приложенной к овальной рамке в стиле модерн с портретом великой княгини Ксении Александровны,[47] тётя Александры Федоровны, великая княгиня Мария Александровна, с восторгом упоминала *«новейший стиль, который они здесь называют «последний писк* *моды»!»* Императрица заказала у Фаберже серебряные оправы для изделий из стекла в стиле модерн, которые в настоящее время хранятся во дворце Павловского музея-заповедника и в Государственном Эрмитаже в Санкт-Петербурге. Однако увлечение российского мастера этим стилем оказалось недолгим (с 1898 по 1903 год), да и у высшего петербургского света этот стиль не вызывал восторга. Николай II предпочитал покупать у Фаберже редкие и дорогие статуэтки, изготовленные из нескольких пород поделочного камня. С 1905 года, когда царская семья жила в уединении, у него набралась коллекция из 20 статуэток, выставленных в Парадном кабинете в Александровском дворце. Среди них статуэтка «Пляшущий мужик», которая, по мнению сына Карла Фаберже Агафона, является одним из лучших изделий фирмы.[48] Императрица держала свои пасхальные яйца в угловом шкафу Кленовой гостиной, рядом со стеклянными изделиями *Art Nouveau* (см. илл. с. 248-249).

Творчество Фаберже оказалось прочно связано с судьбой семьи последнего российского царя. Важнейшие семейные события в жизни Николая II и его близких послужили источником создания произведений искусства, находящихся сейчас в коллекции фонда «Связь времен». К свадьбе Николая и Александры в 1894 году была создана венчальная икона[49]; миниатюрный портрет в рамке-сюрпризе в форме сердца (с. 144), изготовленной в 1897 году, напоминает о рождении в императорской семье первой дочери Ольги 15 ноября 1895 года. Ольга и вторая дочь Татьяна, родившаяся 10 июля 1897 года, изображены на сюрпризе яйца «Ландыши» (см. илл. на с. 185), которое Николай II подарил супруге в 1898 году, и на портсигаре

«Ландыши», подаренном царицей своему мужу в 1903 году[50]. Цесаревич Алексей, долгожданный сын и наследник, изображен на фотографии в рамке, которую Александра Федоровна подарила своей сестре принцессе Ирине Гессенской, жене принца Генриха Прусского, в 1912 году[51]. Миниатюры с портретами августейших супругов и их пятерых детей работы Василия Зуева на яйце 1911 года «Пятнадцатая годовщина царствования» (с. 228), освещают несколько важных событий в жизни семьи: две сцены коронационной церемонии 1896 года, открытие музея императора Александра III в Санкт-Петербурге в 1898 году и моста Александра III в Париже в 1900 году, выступление Николая II перед членами Первой Государственной Думы в Зимнем Дворце в 1906 году, и торжества по случаю причисления к лику святых Серафима Саровского в 1903 году. Заступничеству этого святого императорская семья приписывала рождение цесаревича Алексея год спустя. Однако, несмотря на тесные контакты с царским домом, только в 1910 году Фаберже получил звание мануфактур-советника и придворного ювелира в знак признания его заслуг императорской семьей.

Имя Фаберже вновь упоминается в письме Николая II матери 13 апреля 1913 года, сопровождавшем подаренное ей яйцо «Зимнее»:
«Милая дорогая Мама. От всей души благодарю Тебя за подарки *и прошу принять обычное яйцо Фаберже. Оно изображает, как* *он сам объяснил, снаружи зиму, а внутри привет весны.* *Открывается просто...Нежно обнимаю Твой Ники.»*[52]

На следующий год, по получению яйца «Екатерина Великая» (его называют также яйцо «Гризайль», находится в музее Хиллвуд, в Вашингтоне, округ Колумбия), императрица Мария Федоровна написала своей сестре Александре, вдове короля, в Англию:
«Он [сын Николай] написал мне чудесное письмо и подарил *прекраснейшее пасхальное яйцо, которое Фаберже сам мне* *принес. Это настоящий Chef d'oeuvre. Сверху оно покрыто* *розовой эмалью, а внутри портшез с государыней императрицей* *Екатериной с маленькой короной на голове, который несут два* *негра. Заводишь, и негры идут, невообразимо красивая и* *неподражаемо чудесная работа. Фаберже – настоящий гений* *нашего времени, я и ему сказала: Вы - несравненный гений.»*[53]

Сохранилось и благодарственное письмо вдовствующей императрицы Николаю II от 29 апреля 1914 года:
«Милый мой дорогой Ники!... Твое дорогое письмо меня очень *обрадовало, и все время меня мучает, что я тебя не* *поблагодарила за него и за чудное яйцо, которое произвело на* *меня ошеломляющее впечатление. Фаберже – настоящий гений,* *какие изобретательные способности, какое художественное* *мастерство. Портшез с государыней Екатериной просто* *восхитителен, а негры такие изысканные и отлично* *двигаются.»*[54]

Более раннее письмо Марии Федоровны сестре, королеве Англии, говорит о том, насколько велико значение Фаберже в поддержании традиции обмена подарками в императорской семье:
«Теперь, когда глупый Фаберже открыл свой магазин в Лондоне, у вас все есть, и я ничего нового прислать не могу, вот и злюсь. Будьте ко мне снисходительны и примите мои безделушки любовью.»[55]

В фирме Фаберже изготовлены забавные подарки и для молодого поколения:
«Моя дорогая, старая Ксения. Я ужасно благодарна тебе и Сандро за очаровательную коробочку от Фаберже. Необычайно аппетитно!»[56] (Письмо великой княгини Ольги сестре от 6 июня 1900 года).

Слово «аппетитно», по-видимому, было любимым определением Ольги, она вновь употребила его в другом письме сестре:
«Ники [брат] послал мне такую очаровательную бабу с узелком и веником Фаберже. Слишком аппетитно.» (14 июля 1912 года)[57].

Последний триумф Фаберже пришелся на 1913 год, когда он в последний раз получил множество заказов по случаю торжеств 300-летия династии Романовых. Российский мастер разработал и изготовил большое количество предметов и драгоценностей с гербом Романовых и датами 1613 – 1913, в том числе яйцо «Трехсотлетие Дома Романовых», которое в настоящее время находится в Кремле[58]. В перечне из архива императорского кабинета имеется 47 наградных знаков с двуглавым царским орлом, которые Николай II пожаловал музыкантам Великорусского оркестра В. В. Андреева, 135 булавок для галстука с изображением шапки Мономаха и 43 броши со схожей символикой для труппы московского театра.

Вдовствующая императрица Мария Федоровна (вторая слева) и члены королевских семей Дании, Великобритании и России на семейной встрече в Дании. Архивная фотография, около 1895 г.
Dowager Empress Maria Feodorovna (second from left) and members of the Danish, British and Russian royal families at a family gathering in Denmark. Archival photograph, circa 1895

Вступление России в Первую мировую войну положило конец эре имперского великолепия. После первых головокружительных побед Россия потерпела серьёзные поражения, и для всех наступили трудные времена. Два яйца, сделанные к Пасхе 1915 года, посвящены работе императрицы и ее дочерей в Красном Кресте[59]. В связи с призывом мужчин на военную службу с сентября 1915 года в мастерских Фаберже стала ощущаться нехватка квалифицированных мастеров.

В нескольких письмах Фаберже, направленных министру императорского двора[42], содержится просьба освободить от призыва 23 мастера фирмы, включая резчика по камню Кремлева («...*в случае его призыва придется закрыть мастерскую...*») и эмальера Петухова («*единственный оставшийся опытный мастер по работе с эмалями, 8 лет учившийся этому делу*»)[60].

Учетные книги фирмы Фаберже свидетельствуют о том, что в период с 1 июля 1914 до 1 октября 1916 года незавершенных заказов скопилось на сумму 286 305 рублей (из них на 80 000 рублей для императорского кабинета, 53 000 рублей для великого князя Михаила Александровича и 33 000 рублей для императора). В октябре 1915 года Фаберже упоминает «*заказы от Его Императорского Величества на большое яйцо из белого кварца и нефрита, требующее скрупулезной художественной работы*» и на 2 200 значков для лейб-гвардии конной артиллерии, «*переданный мне лично Его Императорским Высочеством великим князем Андреем Владимировичем*»[61]. Московская серебряная фабрика была переоборудована для выполнения военных заказов и производила ручные гранаты и около 2 миллионов гильз для артиллерийских снарядов. В одесском отделении, где когда-то работало 35 мастеров, осталось лишь несколько специалистов. Строго оформленное «Военное» яйцо, одно из двух, подаренных императором на Пасху 1916 года, было выполнено из стали: поставлено на четыре модели артиллерийских снарядов, с сюрпризом в виде миниатюрных портретов Николая II и цесаревича в Ставке[62].

В письме от 25 марта 1915 года императрица Мария Федоровна писала дочери Ольге о пасхальном подарке Николая (яйцо «Красный Крест», коллекция Лиллиан Пратт, музей изобразительных искусств Ричмонда, штат Виржиния)[63]:

«*Ники, дорогой, прислал мне очаровательное яйцо, чего я совсем не ожидала в этом году. Оно покрыто белой эмалью с красным крестом по обеим сторонам и словами апостола Иоанна: «Нет больше той любви, как если кто положит душу свою за друзей своих.» Внутри находятся пять миниатюрных портретов в рамке: твой, Ольгин, Аликс, Татьянин и [маленькой] Марии, все en soeurs de charite! [в одеяниях сестер милосердия]. Просто восхитительно, этот Фаберже – просто гений и величайший художник нашего времени. Я очарована.*»[64]

В тот же день Ксения написала об этом яйце в письме сестре Ольге:

«*Ники подарил Мама очаровательное яйцо с белой эмалью и красным крестом, а внутри миниатюрные портреты: твой, Аликс, двух племянниц и Марии (все августейшие сестры!!). Очень удачно.*»[65]

Через два года после начала Первой мировой войны, 9 апреля 1916 года, императрица Александра Федоровна благодарила в телеграмме за пасхальный подарок, полученный ею от находящегося на фронте мужа:

«*Христос Воскресе! Мы все нежно Тебя обнимаем. Фаберже [сын Карла Евгений] только что принес восхитительное яйцо от Тебя, за которое я тысячу раз Тебя благодарю. Миниатюрная группа изумительная, и все портреты просто прекрасные.*»[66]

Тогда же Мария Федоровна выразила сожаление, что ее подарок сыну Николаю «*не очень красивый, но у Фаберже не было ничего более подходящего, так как все его мастера ушли на войну.*»[67]

В 1916 году император Николай II заказал еще одно пасхальное яйцо, получившее название «Орден Святого Георгия», для своей матери, за которое Мария Федоровна так благодарила сына:

«*Целую тебя трижды и благодарю всем сердцем за твою милую карточку и прелестное яйцо с миниатюрами, добрый Фаберже сам привез. Удивительно красиво. ... Горячо тебя любящая твоя старая мама.*»[68]

Из 50 императорских пасхальных яиц Фаберже это яйцо было единственным, которое вдовствующей императрице удалось сохранить. Вынужденная покинуть Россию, она взяла его с собой на борт британского военного корабля «Мальборо». После смерти Марии Федоровны и ее дочери Ксении сын Ксении Василий Романов продал это яйцо в Лондоне в 1961 году.

6 ноября 1916 года Карл Фаберже принял меры предосторожности и превратил свою фирму в акционерное общество, сделав совладельцами сотрудников Аверкиева, Бауэра, Бызова и Маркетти, которые получили 21 акцию на сумму 90 тысяч рублей. Сам Карл Фаберже оставил за собой 548 акций, выделив по сорок каждому из своих сыновей и по одной Антони, Бирбауму, Мейеру и Жюве. Общая сумма акционерного капитала составила 700 000 рублей. Оказалось, что он почти за год предвидел надвигавшуюся катастрофу. В 1917 году наступило крушение старого мира: Февральская революция, отречение императора от престола 15 марта, арест императорской семьи, Октябрьская революция и, в ночь с 16 на 17 июля 1918 года, убийство царской семьи... Фирма Фаберже перешла в руки «Комитета работников мастерских Фаберже», просуществовав в такой форме до ноября 1918 года. В конце того же года Карл Фаберже закрыл свой дом и, вверив его содержимое директору

Эрмитажа, уехал из России через Ригу и Германию. Он обосновался в Лозанне, где и скончался 24 сентября 1920 года.

ПРИМЕЧАНИЯ

1. фон Габсбург Г. «Когда Россия продавала свое прошлое». Журнал Art & Auction, март 1995 года, сс. 94-97, 128.

2. Полная библиография публикаций о Фаберже см. МакКанлесс. *Фаберже и его работы. Аннотированная библиография публикаций о Фаберже в XX веке.* The Scarecrow Press, Метучен, Нью Джерси, США, 1994.

3. Каталог выставки Фаберже: Императорские Пасхальные яйца. Сан-Диего, Калифорния, Музей искусств Сан-Диего/Москва, Оружейная Палата, Государственные Музеи Московского Кремля, 1989-90.

4. фон Габсбург Г. «Фаберже: Ювелир из гугенотов» в журнале Huguenot Heritage, 10, осень 2002 г., сс. 1-5.

5. Все цитаты взяты из мемуаров Бирбаума по публикации Лопато М. «Мемуары Ф. Бирбаума» в каталоге выставки *Фаберже: Придворный ювелир.* Государственный Эрмитаж, Санкт-Петербург/Музей декоративного искусства, Париж/Музей Виктории и Альберта, Лондон, 1993-94, сс. 444-461. Данная цитата, как и все последующие из этого источника, приводится по любезному разрешению Марины Лопато. Мемуары Ф. Бирбаума были найдены Валентином Скурловым в архиве российской АН. Эти мемуары хранятся в архиве российской АН, фонд Ферсмана (ф. 544, оп. 7, д. 63).

6. Иллюстрации см. фон Габсбург Г, Лопато М. Каталог выставки *Фаберже: Придворный ювелир.* Государственный Эрмитаж, Санкт-Петербург/Музей декоративного искусства, Париж/Музей Виктории и Альберта, Лондон, 1993-94.

7. Выставка *Фаберже/Картье: соперники при царском дворе.* Kunsthalle der Hypokulturstiftung, Мюнхен 2003-04, с. 55.

8. Там же, с. 54.

9. Из мемуаров Бирбаума по публикации Лопато М. «Мемуары Ф. Бирбаума» в каталоге выставки *Фаберже: Придворный ювелир.* Государственный Эрмитаж, Санкт-Петербург/Музей декоративного искусства, Париж/Музей Виктории и Альберта, Лондон, 1993-94, с. 446.

10. Там же, сс. 328-336, кат 604-631; каталог выставки *Фаберже. Придворный ювелир и его мир.* Уилмингтон, Делавэр, 2000-01 гг. Издание Booth-Clibborn Editions 2000, сс. 235-239, кат. 569-594.

11. Выставка *Фаберже/Картье: соперники при царском дворе.* Kunsthalle der Hypokulturstiftung, Мюнхен 2003-04, сс. 59-61.

12. Киф, Дж. *Шедевры Фаберже.* Коллекция Фонда Матильды Геддингс Грей. Музей изящных искусств Нового Орлеана, 1993; Выставка *Фаберже/Картье: соперники при царском дворе.* Kunsthalle der Hypokulturstiftung, Мюнхен 2003/2004, кат. 389.

13. Каталог выставки *Фаберже: Придворный ювелир.* Государственный Эрмитаж, Санкт-Петербург/Музей декоративного искусства, Париж/Музей Виктории и Альберта, Лондон, 1993-94, кат. 113; каталог выставки *Фаберже/Картье: соперники при царском дворе.* Kunsthalle der Hypokulturstiftung,

Мюнхен 2003, фронтиспис.

14. Каталог выставки *Фаберже: Придворный ювелир.* Государственный Эрмитаж, Санкт-Петербург/Музей декоративного искусства, Париж/Музей Виктории и Альберта, Лондон, 1993-94, с. 121.

15. Илл. там же, с. 57.

16. Там же, с. 56. Цитируется по любезному разрешению Марины Лопато.

17. Из мемуаров Ф. Бирбаума в каталоге выставки *Фаберже: Придворный ювелир.* Государственный Эрмитаж, Санкт-Петербург/Музей декоративного искусства, Париж/Музей Виктории и Альберта, Лондон, 1993-94, с. 446.

18. фон Солодкофф А. и др. *Шедевры фирмы Фаберже.* Harry N. Abrams, New York, 1984 год, с. 36; Каталог выставки *Фаберже. Придворный ювелир и его мир.* Уилмингтон, Делавэр, 2000-01. Издание Booth-Clibborn Editions 2000, с. 151, кат. 286-310.

19. Из мемуаров Ф. Бирбаума в каталоге выставки *Фаберже: Придворный ювелир.* Государственный Эрмитаж, Санкт-Петербург/Музей декоративного искусства, Париж/Музей Виктории и Альберта, Лондон, 1993-94, с. 446.

20. Относительно участия Фаберже во Всемирной выставке в Париже, см. Геза фон Габсбург, «Фаберже и Всемирная выставка в Париже 1900 года» в каталоге выставки *Фаберже: Придворный ювелир.* Государственный Эрмитаж, Санкт-Петербург/Музей декоративного искусства, Париж/Музей Виктории и Альберта, Лондон, 1993-94, сс. 116-123.

21. Относительно организации мастерских Фаберже см. Улла Тилландер-Годенхелм, "Hinter den Kulissen bei Fabergé" в каталоге выставки *Фаберже/Картье: соперники при царском дворе.* Kunsthalle der Hypokulturstiftung, Мюнхен 2003, с 36-42.

22. См. Лопато М. «Заметки о камнерезном искусстве фирмы Фаберже» в Каталоге выставки *Фаберже. Придворный ювелир и его мир.* Уилмингтон, Делавэр, 2000-2001. Издание Booth-Clibborn Editions 2000.

23. Из мемуаров Ф. Бирбаума в каталоге выставки *Фаберже: Придворный ювелир.* Государственный Эрмитаж, Санкт-Петербург/Музей декоративного искусства, Париж/Музей Виктории и Альберта, Лондон, 1993-94, с. 456.

24. О российских конкурентах Фаберже, см. каталог выставки *Фаберже/Картье: соперники при царском дворе.* Kunsthalle der Hypokulturstiftung, Мюнхен 2003, с. 544-546; о Картье, каталог выставки *Фаберже/Картье: соперники при царском дворе.* Kunsthalle der Hypokulturstiftung, Мюнхен 2003, кат. 641, 642, 650, 654.

25. Из мемуаров Ф. Бирбаума в каталоге выставки *Фаберже: Придворный ювелир.* Государственный Эрмитаж, Санкт-Петербург/Музей декоративного искусства, Париж/Музей Виктории и Альберта, Лондон, 1993-94, с. 457.

26. Там же, сс. 457-458.

27. Примеры «японских» цветов Фаберже в каталоге выставки *Фаберже в Америке*, 1996-97, Музей искусств Метрополитан, Нью-Йорк; Музей изящных искусств, Сан-Франциско; Музей изобразительных искусств, Ричмонд, Виржиния; Музей

Великая княгиня Ксения Александровна (сестра Николая II).
Архивная фотография с подписью "Ксения"
Grand Duchess Xenia Alexandrovna (Nicholas's II sister).
Archival photograph signed "Xenia"

изобразительных искусств, Новый Орлеан; Музей изобрази-
тельных искусств, Кливленд, Огайо, кат. 227; Каталог выставки
Фаберже/Картье: соперники при царском дворе. Kunsthalle der
Hypokulturstiftung, Мюнхен 2003, кат. 390-391.

28. Лопато М. «Мемуары Ф. Бирбаума» в каталоге выставки
Фаберже: Придворный ювелир. Государственный Эрмитаж,
Санкт-Петербург/Музей декоративного искусства,
Париж/Музей Виктории и Альберта, Лондон, 1993-94, с. 452.

29. Из мемуаров Ф. Бирбаума в каталоге выставки *Фаберже:
Придворный ювелир.* Государственный Эрмитаж, Санкт-
Петербург/Музей декоративного искусства, Париж/Музей
Виктории и Альберта, Лондон, 1993-94, с. 446.

30. Там же, с. 455.

31. См. Каталог выставки *Фаберже: Придворный ювелир.*
Kunsthalle der Hypokulturstiftung, Мюнхен, 1986-87, кат. 118,
119; Каталог выставки *Фаберже/Картье: соперники при царском
дворе.* Kunsthalle der Hypokulturstiftung, Мюнхен 2003, кат. 1, 3,
4, 77.

32. См. Каталог выставки *Фаберже/Картье: соперники при
царском дворе.* Kunsthalle der Hypokulturstiftung, Мюнхен 2003,
кат. 128-129, 131, 133, 141, 159, 165, 167, 178.

33. См. Каталог выставки *Фаберже: Придворный ювелир.*

Kunsthalle der Hypokulturstiftung, Мюнхен, 1986-87, кат. 404.

34. См. Каталог выставки *Фаберже: Придворный ювелир.*
Государственный Эрмитаж, Санкт-Петербург/Музей
декоративного искусства, Париж/Музей Виктории и Альберта,
Лондон, 1993-94, кат. 4.

35. Ульструп П. «Дом Романовых и Дом Фаберже», выставка
Сокровища России и императорские дары, Королевская
Серебряная Палата, 2002, с. 181-190. (Государственный архив
Российской Федерации (ГАРФ), Москва, опись 642, 9 ноября
1891 г. Данная цитата, как и все последующие из этого
источника, приводятся с любезного разрешения Пребена
Ульструпа.

36. См. Каталог выставки *Фаберже: Придворный ювелир.*
Kunsthalle der Hypokulturstiftung, Мюнхен, 1986-87, кат. 76-77;
Каталог выставки *Фаберже: Придворный ювелир.*
Государственный Эрмитаж, Санкт-Петербург/Музей
декоративного искусства, Париж/Музей Виктории и Альберта,
Лондон, 1993-94, кат. 79-80.

37. См. Каталог выставки *Фаберже: Придворный ювелир.*
Kunsthalle der Hypokulturstiftung, Мюнхен, 1986-87, кат. 282;
Каталог выставки *Фаберже: Придворный ювелир.*
Государственный Эрмитаж, Санкт-Петербург/Музей
декоративного искусства, Париж/Музей Виктории и Альберта,
Лондон, 1993-94, кат. 111.

38. См. Каталог выставки *Фаберже: Придворный ювелир.*
Государственный Эрмитаж, Санкт-Петербург/Музей
декоративного искусства, Париж/Музей Виктории и Альберта,
Лондон, 1993-94, кат. 109.

39. См. Мунтян Т. Н., Никитина В. М., Гончарова И. И. Каталог
выставки *Мир Фаберже* (на русском языке), Москва-Вена, 1992,
кат. 41.

40. См. Каталог выставки *Фаберже: Придворный ювелир.*
Kunsthalle der Hypokulturstiftung, Мюнхен, 1986-87, кат. 401.

41. Ульструп П. «Дом Романовых и Дом Фаберже», выставка
Сокровища России и императорские дары, Королевская
Серебряная Палата, 2002, с. 182 (Государственный архив
Российской Федерации (ГАРФ), Москва, опись 642, 22 марта
1896 г.).

42. Там же, с. 183 (ГАРФ 642, 5 апреля 1896 г.).

43. Там же, с. 183 (ГАРФ 642, 5 апреля 1900 г.).

44. Там же, с.184 (ГАРФ 642, 3 апреля 1903 г.).

45. Там же, с.186 (ГАРФ 642, 26 марта 1909 г.).

46. Лопато М. «Мемуары Ф. Бирбаума» в каталоге выставки
Фаберже: Придворный ювелир. Государственный Эрмитаж,
Санкт-Петербург/Музей декоративного искусства,
Париж/Музей Виктории и Альберта, Лондон, 1993-94, с. 453.

47. См. Каталог выставки *Фаберже/Картье: соперники при
царском дворе.* Kunsthalle der Hypokulturstiftung, Мюнхен 2003,
кат. 247.

48. Форбс К., Тромер-Бреннер Р. Фаберже. Коллекция Форбса.
Hugh Lauter Levin Associates, Inc, 1999, с. 82-83.

49. Там же, сс. 229-230.

50. Там же, сс. 50-51.

51. Там же, сс. 252-253.

52. Ульструп П., «Дом Романовых и Дом Фаберже», выставка *Сокровища России и императорские дары*, Королевская Серебряная Палата, 2002, с. 187 (Государственный архив Российской Федерации (ГАРФ), Москва, опись 642, 13 апреля 1913 г.).

53. Это знаменитое письмо, написанное по-датски, впервые было опубликовано в книге Александр фон Солодкофф и др. «Шедевры фирмы Фаберже». Harry N. Abrams, New York, 1984 год, с. 78; Пребен Ульструп, «Дом Романовых и Дом Фаберже», выставка *Сокровища России и императорские дары*, Королевская Серебряная Палата, 2002, с. 188 (Институт Гувера, Станфорд, с 8 по 21 апреля 1914 г.).

54. Ульструп П. «Дом Романовых и Дом Фаберже», выставка *Сокровища России и императорские дары*, Королевская Серебряная Палата, 2002, с. 187 (Государственный архив Российской Федерации (ГАРФ), Москва, опись 642, 21 марта 1915 г.).

55. Ульструп П. «Дом Романовых и Дом Фаберже», выставка *Сокровища России и императорские дары*, Королевская Серебряная Палата, 2002, с. 188 (Институт Гувера, Станфорд, 18 декабря 1906 г.).

56. Там же, с. 184 (ГАРФ, опись 642, 6 июня 1900 г.).

57. Там же, с. 187 (ГАРФ, опись 642, 14 июля 1912 г.).

58. Каталог выставки *Фаберже: Императорские Пасхальные яйца*. Сан-Диего, Калифорния, Музей искусств Сан-Диего/Москва, Оружейная Палата, Государственные Музеи Московского Кремля, 1989-90, кат. 22; Мунтян Т. Н., Никитина В. М., Гончарова И. И. Каталог выставки *Мир Фаберже* (на русском языке), Москва-Вена, 1992, кат. 9.

59. Каталог выставки *Фаберже: Императорские Пасхальные яйца*. Сан-Диего, Калифорния, Музей искусств Сан-Диего/ Москва, Оружейная Палата, Государственные Музеи Московского Кремля, 1989-90, кат. 24; каталог выставки *Фаберже в Америке*, 1996-97, Музей искусств Метрополитан, Нью-Йорк; Музей изобразительных искусств, Сан-Франциско; Музей изобразительных искусств, Ричмонд, Виржиния; Музей изобразительных искусств, Новый Орлеан; Музей изобразительныхискусств, Кливленд, Огайо, кат. 153.

60. ГАРФ, ф. 472, оп. 68, д. 120.

61. ГАРФ, ф. 472, оп. 66, д. 120, лл. 34-40.

62. Каталог выставки *Фаберже: Императорские Пасхальные яйца*. Сан-Диего, Калифорния, Музей искусств Сан-Диего/Москва, Оружейная Палата, Государственные Музеи Московского Кремля, 1989-90, кат. 25; Мунтян Т. Н., Никитина В. М., Гончарова И. И. Каталог выставки *Мир Фаберже* (на русском языке), Москва-Вена, 1992, кат. 10.

63. Каталог выставки *Фаберже в Америке*, 1996-97, Музей искусств Метрополитан, Нью-Йорк; Музей изобразительных искусств, Сан-Франциско; Музей изобразительных искусств, Ричмонд, Виржиния; Музей изобразительных искусств, Новый Орлеан; Музей изобразительных искусств, Кливленд, Огайо, кат. 153.

64. Ульструп П. «Дом Романовых и Дом Фаберже», выставка *Сокровища России и императорские дары*, Королевская Серебряная Палата, 2002, с. 189 (Государственный архив Российской Федерации (ГАРФ), Москва, фонд 643, 25 марта 1915 г.).

65. Там же. (ГАРФ, фонд 643, 20 марта 1915 г.).

66. Фаберже Т., Пролер Л., Скурлов В. Императорские пасхальные яйца. Christie's Books, 1997, с. 232 (цитируется по изданию: Госиздат. Переписка между Николаем и Александрой Романовыми, том IV, 1926, с. 210).

67. Ульструп П. «Дом Романовых и Дом Фаберже», выставка *Сокровища России и императорские дары*, Королевская Серебряная Палата, 2002, с. 189 (Государственный архив Российской Федерации (ГАРФ), Москва, 15 мая 1916 г.).

68. Там же, с. 190 (ГАРФ, фонд 601, без даты).

Коронационный портрет императора Николая II,
гравюра, Ф. Десмулин, 1896 года,
58.5 x 44.3 cm.

Coronation Portrait of Emperor Nicholas II,
1896, F. Desmoulin, Etching
58.5 x 44.3 cm.

INTRODUCTION

BY GÉZA VON HABSBURG

ANNIVERSARY

RLBOROUGH EGG

NCE EGG

IMPERIAL

NATION EGG

THE SCANDINAVIAN

TION EGG

THE VALLEY EGG

The House of Fabergé was virtually unknown to the wider Russian public until the 1980s. In the early 1920s the Soviet authorities instructed the Gokhran, the Russian State Depository for precious metals and gems, to collect and melt down the entire late nineteenth- and twentieth-century silver, which had been seized following the 1917 October Revolution.[1] With these, silver ingots and rubles were minted and industrial equipment was acquired from the West. All the palace services, including those of Fabergé, were sent to the furnaces of the Peter and Paul Fortress in St. Petersburg for this purpose. Simultaneously, all the jewelry of this suddenly detested period was broken up, the stones hand-carried and dispersed by trusted commissars in Paris, Amsterdam and London, and the mounts melted for scrap. Apparently very little of the proceeds benefited Russia but evaporated, as did the kilos of precious jewelry found on the bodies of the murdered Imperial family. Through their official channels, Torgsin and Antikvariat, the Soviets sold the large majority of Fabergé's production. Thus the stock of the Fabergé Company, most of the contents of the Imperial Palaces and the collections formed by Russian nobility and moneyed society found their way into Western collections and museums. Only a few hundred of Fabergé's creations survived in his country.

Ten Imperial Easter eggs, salvaged at some risk by the curators of the Kremlin Armory, remained in the Armory after the sales by the Soviets, but were relegated to a small wall cabinet in the recesses of the museum. It is only in the last decades that a major shift has occurred in the way that Russia views its most recent past. The reigns of Alexander III and Nicholas II, previously stricken from history books, have emerged as meaningful, fascinating pages of this country's great past. The tragic end of the Romanov family, their canonization by the Russian Orthodox Church, the rediscovery of their bones in Ekatarinenburg and their reburial in the Peter and Paul Fortress have enthralled the Russian public. Russia has also rediscovered the art of this period. Visitors to the upper halls of the Kremlin Armory are now first greeted by a large showcase dedicated to Fabergé's works. Simultaneously, the Fabergé eggs have become the most frequently loaned objects of the Armory Museum to exhibitions, becoming favorite "ambassadors" of Russian culture abroad. Spoken Russian is encountered as often as English at auctions of Russian art in London and New York. At present, paintings by Aivasovsky, Makovsky, Kustodiev and Repin attain prices in excess of $1 million. Fabergé's exquisite works of art, closely associated with the Romanov family, are seen as the finest expression of the discrete elegance of this bygone era. Imperial eggs have begun a vertiginous ascent in value: Malcolm Forbes paid approximately $1 million each for the Coronation Coach (p. 156) and Lilies of the Valley eggs (p. 180). The same two eggs were expected to sell for up to $18 to 24 million and $15 to 18 million, respectively, at the planned Forbes auction in 2004.

Celebrated in Russia in his time, Peter Carl Fabergé has become in our day by far the best-known jeweler and artist-craftsman in the world – far more so than the arguably more deserving sixteenth-century goldsmith Benvenuto Cellini. An apparently never-ending stream of English-language books, catalogues and articles have been published about Fabergé, as well as a small number in Russian, German, French and Italian (see Biography).[2] Three biographical films have been made about Fabergé, two in America and one in Japan. In 1989 and 1990 the only exhibition dedicated exclusively to Fabergé's Imperial Easter eggs was held in San Diego, California, and the Kremlin in Moscow.[3] The Kremlin Armory and Malcolm Forbes each lent eight Imperial eggs to that exhibition. In Russia, several catalogues have been dedicated to Fabergé (St. Petersburg 1989, 1992, 1993 and Moscow 1990, 1992), as well as a small number of books.

HISTORY OF THE HOUSE OF FABERGÉ

THE FORMATIVE YEARS (1866–1885)

Carl Fabergé was born in 1846 in St. Petersburg, a descendant of a family of Huguenot refugees originating from La Bouteille in Northern France.[4] His ancestor Jean Favry, a tobacco planter, settled in Schwedt an der Oder, northeast of Berlin in the late 1700s. His grandfather, Peter Favry, moved to Pernau in Livonia (Estonia today). Fabergé's father, Gustav, born in 1814, was apprenticed as a jeweler in St. Petersburg in the late 1820s, qualifying

Петер Карл Фаберже. Архивная фотография, около 1918 года
Peter Carl Fabergé. Archival photograph, circa 1918

as a master in 1841. He was a modest but successful craftsman and retailer, with an address at Jacot House, 12 Bolshaya Morskaya (no. 11 today), which was, together with Nevsky Prospekt, one of St. Petersburg's most fashionable shopping streets. For reasons unknown, the family moved to Dresden in 1860, where Carl received commercial training. Around 1863 his father sent him on a tour of Europe, with stops in Frankfurt, Florence and Paris. Young Fabergé returned to St. Petersburg in 1864 and continued his studies with Hiskias Pendin, August Holmström and Wilhelm Reimer, three jewelers active in his father's workshop. In 1868 a Finnish goldsmith, Erik Kollin, was attached to the firm. Carl Fabergé took over his father's business in 1872 with Kollin as his first head workmaster. The early years were dedicated exclusively to traditional jewelry, differing but little from standard French designs. The firm's chief designer, François Birbaum, later described these products:

"At that time settings of large engraved carnelians and other kinds of agate in the form of brooches, necklaces etc. were very popular. These settings were made of high quality matte gold in the form of hoops of fine beads, or laces, interlaced with carved or filigree ornamentation." [5]

A scrapbook with jewelry designs spanning the last three decades of the nineteenth century shows early diamond-set sprays of flowers (some enameled), ears of wheat and trailing ivy branches in the manner of the well-known Parisian jewelers Octave Loeillard and Oscar Massin, both active in the 1860s and 1870s.[6] This type of jewelry was followed by elaborate diamond-set pendant brooches suspended from tied ribbons, ribbon-knot necklaces and bracelets, trelliswork bracelets of diamonds and rubies, Louis XV-style chatelaines and fringe necklaces typical for French jewelry of the 1880s and 1890s.[7] None of these early designs, however, heralded Fabergé's genius. Traditional *joaillerie* by Fabergé, produced in large quantities for the Court, is also shown in a few contemporary photographs and paintings and include voluminous tiaras, corsage brooches and necklaces of a type which Fabergé was later to disparage (*"I have little interest in an expensive object if its price is only in the abundance of diamonds and pearls"*). Bold watercolor designs for such sumptuous jewels were created by Agathon, Fabergé's younger brother, born in Dresden in 1862 and sent to join his brother in 1885: diamond and emerald-set tiaras and a number of showy necklaces in the style of Chaumet and Boucheron.[8] According to Birbaum:

"This was the best period for diamond work. The works of this period are characterized by a rich design, visible even at a distance. The fashion was for large diadems, small egret plumes, necklaces in shapes of collars, breast-plates for the corsage, clasps and large ribbons." [9]

JEWELRY

Virtually nothing has survived of Russian pre-Revolutionary *joaillerie*, which was confiscated from palaces and bank vaults by the Bolsheviks in 1918, broken up, the stones sold in the West in the 1920s and the mounts melted down for scrap. For this reason, little is known about the great Court Jewelers of this period – Bolin, Nichols-Ewing, Köchli and Hahn – who created lavish parures for the court, known to us only from designs preserved in the collection of the State Hermitage,[10] from personally kept catalogues of jewelry collections, from contemporary paintings and photographs as well as from the account books of the Imperial Cabinet. The invoices preserved by this office, in charge of acquisitions and orders for the Imperial Court, show that Fabergé's share of Imperial commissions was initially modest, but grew over the years.

The House of Bolin was Fabergé's most formidable competitor. In 1883 Fabergé is mentioned only seven times in the Imperial account books, but in 1888, seventeen times. From 1866 to 1885 Fabergé's sales to the Imperial Cabinet totaled only 47,249 rubles, while Edvard Bolin's sales to the Imperial family garnered three times as much. In fact, Bolin's sales in Moscow produced an annual turnover of 500,000 rubles around 1896. Gradually in the 1880s, Fabergé gained a greater share of the Imperial Cabinet's favor: between 1883 and 1894 Fabergé's jewelry for the Romanovs totaled 352,937 rubles, with almost half of that – 166,500 rubles – earned for a single piece, a sumptuous pearl necklace created for Princess Alix of Hessen-Darmstadt on the occasion of her betrothal to Tsarevich Nicholas Alexandrovich in 1894. This is a modest sum compared to the over four million rubles spent on a total of 9,401 presents by the Imperial Cabinet made during the reign of Alexander III (1881-1894).

By comparison, approximately 2,000 presents were made annually during the reign of Tsar Nicholas II (1894-1917) at an average cost of 250 rubles each. Examples of exceptional purchases by the court from other jewelers were the ruby parure, part of which was made by Bolin for the young Empress Alexandra Feodorovna in 1894 at a cost of a total of 190,295 rubles and the 229,685 rubles worth of jewelry ordered by the Imperial Cabinet for the wedding of Grand Duchess Xenia, including an emerald parure by Nicholas-Ewing given by the Tsar and Tsarina totaling 100,000 rubles.[11]

The quality of Fabergé's *joaillerie* is attested to by a handful of surviving examples – approximately five tiaras, five necklaces and a small number of brooches, all of which were outside of Russia before the 1917 Revolution and therefore were preserved. Two further celebrated jeweled works of art are known: the 1896 Lilies of the Valley Basket (Fine Arts Museum, New Orleans) [12] and the miniature replicas of the Imperial Crown Jewels (State Hermitage Museum, St. Petersburg).[13] All of these objects were created by the workshop of the head jeweler and *doyen* of the Fabergé firm, August Holmström. His work was highly regarded in its time and described by the critics at the 1900 Paris *Exposition Universelle* as:

"Craftsmanship at the very limits of perfection, the transformation of a jewel into a true object of art. The perfect execution as well as irreproachable setting distinguish all the objects exhibited by the house of Fabergé, whether it is this tiny crown set with 4000 stones, or these enam-

eled flowers so perfectly imitated that they seem natural, or these numerous objects of fantasy, which have been examined at length by the Jury." [14]

Amongst the earliest documented works by the Fabergé brothers are copies made by head workmaster Erik Kollin in 1885 after the Kertch gold jewels, a magnificent hoard of gold jewelry from the fourth century BC, preserved at the Hermitage and restored by Fabergé by order of the head of the Imperial Archeological Society, Count Sergei Stroganov.[15] Regarding these jewels, shown by Fabergé at the 1882 Pan-Slavic Exhibition in Moscow, a journalist wrote:

"The work is marked with such delicacy that only when viewed through a magnifying glass does it disclose all its virtues. Seven masters worked for 120 days to make just one necklace. One master would have had to work for no less than 2 years and 4 months. ... As we see, Mr. Fabergé opens a new era in the art of jewelry. We hope that from now on, thanks to our renowned jeweler, the value of the objects will be measured not only by the value of the precious stones, not by wealth alone, but by their artistic form as well." [16]

Fabergé's designs during the tenure of head workmaster Kollin were antiquarian in taste. Gold artifacts created in the firm's first decade included cups and objects in the Renaissance style, kovshi, miniature gold tankards and brooches set with gold ruble coins, gold-mounted hardstone objects, dishes and miniature terrestrial globes in elaborate Neo-Rococo mounts. No works in French *guilloché* enamel and no Imperial Easter eggs were designed during Kollin's tenure.

THE GENIUS OF MICHAEL PERCHIN

(active 1884-1903)

OBJECTS OF ART

In 1885 the twenty-three-year-old Agathon Fabergé joined his brother Carl in St. Petersburg, collaborating with him for a brief but extremely productive ten years. The creativity of the objects produced during this period remains unsurpassed. The synergy between the two Fabergé brothers, Carl, with his interest in Classical styles, and Agathon, the more creative, combined with the advent of a brilliant second head workmaster, Michael Perchin, gave birth to the Fabergé *objet d'art* around 1884. Most of Fabergé's best-known themes, the Imperial Easter eggs, animals, flowers and objects of vertu in hardstones or precious metals, were first introduced during this fertile period. The Birbaum Memoirs suggest that it was Agathon Fabergé who was the more innovative of the two brothers:

"Carl Gustavovich was a convinced admirer of classical styles (which he has remained to this day) and devoted all his attention to these styles. Agathon Gustavovich, by nature more lively and impressionable, sought his inspiration everywhere—in ancient works of art, in Eastern styles

Мастерская Фаберже в Санкт-Петербурге.
Архивная фотография, около 1903 года
....
Fabergé workshop in St. Petersburg.
Archival photograph, circa 1903

Генрих Вигстрем. Архивная фотография,
около 1905 г.
Henrik Wigström. Archival photograph, circa 1905

which had been little studied at that time, and in nature. His extant drawings are evidence of constant and ceaseless questing. Ten or more variations of a theme can often be found."[17]

Unlike the sumptuous presentation objects of earlier generations, Fabergé's objects of art were designed to be as affordable as possible. The Russian master proudly announced to his clientele in a *Prix Courant* of 1899 that:

"*We always try to produce our articles in such a way that the value of an object corresponds to the sum of money spent on it: in other words, we are selling our objects as cheaply as the precise execution and workmanship permits.*"[18]

Precisely this fact must have made Fabergé very popular with the parsimonious young Imperial family. While the average spent on an individual presentation object during the reign of Tsar Alexander III was 425 rubles, during the reign of his successor, perhaps due to the influence of Fabergé, expenditures for such gifts averaged just over half that.

Forever an excellent businessman, Fabergé insisted that all items offered by him for sale be novel and that his stock be constantly renewed. Once a year, he wrote, older objects were collected and destroyed. Year after year, the three hundred craftsmen active in St. Petersburg created thousands of articles. Experts have calculated, based on inventory numbers, that between 1872 and 1917 the firm produced a total of over 150,000 jewels, silver articles and works of art, most of them one of a kind, the large majority created after 1900. This obliged the Fabergés, their team of designers and their workmasters to constantly search for new sources of inspiration. Carl Fabergé acquired firsthand knowledge of Western styles on his travels to

Dresden, Frankfurt, Florence and Paris. There was, however, a far more obvious and logical source for the firm's craftsmen, accessible to Fabergé as Supplier to the Court:

"*The Hermitage and its jewelry gallery became the school for the Fabergé jewelers. After the Kertch collection they studied all the ages that are represented there, especially the age of Elizabeth and Catherine II. Many of the gold and jewelry exhibits were copied precisely and then used as models for new compositions. Foreign antique dealers frequently suggested making series of objects without hallmarks or the name of the firm. This is one of the best proofs of the perfection of these works, but the proposals were, of course, rejected. The compositions preserved the style of the past centuries, but the objects were contemporary. There were cigarette cases and necessaires instead of snuff boxes and desk clocks, inkpots, ash trays and electric bell-pushes instead of objects of fantasy with no particular purpose…. The 18th century works of art in the Hermitage inspired the use of transparent enamel on engraved and guilloched gold and silver.*"[19]

The firm grew rapidly, with branches in Moscow (1887), Odessa (1890), London (1903) and Kiev (1905). During these early years, Fabergé reaped a number of awards, both Russian and foreign: a Gold Medal at the 1885 Nürnberg Exhibition, a Special Diploma at the 1888 Nordic Exhibition in Copenhagen, and, in 1897, the title of Court Goldsmith to the crowns of Norway and Sweden. At the Paris 1900 World Fair, where he was member of the jury and exhibited *hors-concours*, Fabergé was awarded a Gold Medal and the Order of the *Légion d'Honneur.*[20]

In 1900 the majority of the specialized Fabergé workshops that had previously been spread throughout St. Petersburg were assembled under one roof, in the prestigious and completely new Fabergé house at 24 Bolshaya Morskaya. Here, the Russian master's family had its living quarters, as did the head workmaster. On the second floor, in the right hand wing, was the main workshop of head workmaster Michael Perchin, as well as that of goldsmith and jeweler August Hollming and, beneath, that of Hjalmar Armfelt, a highly original and accomplished maker of frames and silver mounts for vases and furniture. On the floor above was the workshop of the superbly gifted head jeweler, August Holmström. Facing the street was the sales room on the ground floor, with staff offices and a well-stocked library above, and, under the eaves, the design studio. The head workmaster employed about sixty craftsmen, the design studio approximately twenty.[21]

The firm was an exemplary modern enterprise: Fabergé provided his craftsmen with workshops, utensils, materials and designs and guaranteed them the sale of their productions, liberating them from everyday cares. Under the tutelage of Carl Fabergé and his head workmaster, the heads of workshops were relatively independent. Due to the complicated production process of many of the firm's creations, an object might proceed through the hands of a number of specialists. Nevertheless, Fabergé prided himself in each object's individuality. The Russian master was open to new ideas, taking full advantage of certain aspects of mass production, in particular prefabrication of parts, such as borders of frames and clocks and applied frieze garlands, yet maintaining the overall superlative quality expected from the house. Some silver, for example, was mass-produced, yet the silversmith handcrafted the original and hand-finished the individual reproductions – the combination of mechanical reproduction and individual craftsmanship allowing prices to be considerably reduced.

ENAMELS

ENAMELS

The firm's self-taught head workmaster Michael Perchin developed the use of French *guilloché* enamel in the second half of the 1880s, coating surfaces with colored translucent enamels over an engine-turned ground, sparingly embellished with rose-cut diamonds or cabochon sapphires or rubies. His *objets de fantaisie*, inspired by *galanterie* wares of the eighteenth century, proved eminently popular in St. Petersburg, prompting Fabergé to create large quantities of such elegant works. Over the years, 145 different colors were developed by the firm, of a technical quality envied by both foreign and indigenous craftsmen. The first perfect enamels *en ronde bosse*, or in the round, appeared towards the late 1880s. The art of opalescent enameling, giving surfaces an oyster shell-like translucent pink or pale-blue enamel sheen, was apparently also rediscovered by Perchin. Of the ultimate perfection were opalescent enamels with underglaze painted scenes in monochrome sepia or *camaieu mauve*. Fabergé's *guilloché* enamel wares were of an unbelievable perfection in view of the limited technical means at his disposal: wood- or coal-burning furnaces with imprecise temperature gauges. Up to six layers of enamel were applied on diversely engine-turned surfaces, each layer separately fired at ever decreasing temperatures, cooled and polished. The last layer, called *fondant*, was lovingly polished with a wooden wheel and buffed with chamois leather cloths. Hence the inimitable gloss or sheen of Fabergé's enamel surfaces. Other renowned enamelers working with Perchin were V. V. Boitsov (active 1890-1905), A. F. Petrov (active 1895-1904) and N. A. Petrov (active 1895-1917), of which the last named was the most famous.

Six of the Imperial Easter eggs by Fabergé in this book have enameled shells, each one of them with its own distinctive color – opaque white for the First Hen Egg (p. 74), red for the Rosebud Egg (p. 128), yellow for the Coronation Egg (p. 156), opalescent pink for the Lilies of the Valley Egg (p. 180), purple for the Cuckoo Egg (p. 198), glossy opalescent white for the Fifteenth Anniversary Egg (p. 228) and a matte opalescent white for the Order of St. George Egg (p. 256). Among the non-Imperial eggs, red is to be found twice, in the Spring Flowers (p. 180) and the Kelch First Hen eggs (p. 288) and blue in the Kelch Chanticleer Egg (p. 306). Perchin's signature style in the 1880s was a florid Neo-Rococo, with openwork cartouches, scrolls and rocaille covering the enameled surface. Soon thereafter, perhaps influenced by Paris, the firm introduced the Neo-Classical idiom, with its fluted columns, acanthus-leaf decoration, laurel wreaths and its applied foliage or flower swags. This style prevailed at the House of Fabergé throughout much of the early twentieth century.

HARDSTONES

The era of Perchin also brought about the widespread use within the firm of gold- or silver-mounted semiprecious stones. The great mineral wealth of Russia and its well-known tradition of hardstone carving prompted Fabergé to make use of the products of the various Russian stone-carving facilities. These were Peterhof near St. Petersburg, Ekatarinenburg in the Urals (both founded by Peter the Great) and Kolyvan in the Altai Mountains, all centers which provided the Russian rulers with fine works of art and furnishings for their palaces. The archives of Peterhof[22] show that Fabergé commissioned or acquired a number of hardstone objects beginning in the early 1890s and that Peterhof in turn commissioned Fabergé to make mounts for a number of its carvings. Initially, there were other sources, too, available to Fabergé. The firm's designer, François Birbaum, wrote in 1919: "*Practically all lapidary work was carried out at the Woerffel Works in St. Petersburg and the Stern works in [Idar] Oberstein, Germany, according to designs and models produced by the firm. Stone objects were sometimes purchased from craftsmen in Ekatarinenburg, and were passed on to these factories to correct any imperfections or to improve the polish. It is interesting to note that the cost of these improvements for the most part exceeded the original purchase price.*"[23]

In addition to Carl Fabergé, there were a number of other outlets for hardstone carvings in St. Petersburg. The best-known hardstone cutter, specializing in mosaics from stones of the Urals, was Alexei Kuzmich Denisov (Uralski), whose shop was at 42 Moika Embankment, and after 1910, at 27 Bolshaya Morskaya, close to Fabergé. He also modeled composite hardstone animal figures, over sixty of which were acquired by Cartier for resale in Paris in 1911. Cartier also bought ninety hardstone objects, including twenty-nine animal figures from Mikhail Pavlovich Ovchinnikov, son of the famous Moscow silversmith Pavel Ovchinnikov, whose shop was located at 29 and then 35 Bolshaya Morskaya, as well as a series of objects in semiprecious stones from Carl Fyodorovich Werfell (Woerffel) at 36 Bolshaya Morskaya. Both Avenir Ivanovich Sumin, whose business premises were at at 60 Nevsky Prospekt, and Ivan Savelyevich Britsin, located at Malaya Konyushennaya, also retailed hardstone animals. The wares they offered were in some cases indistinguishable from those of Fabergé. The same applies to the early hardstones retailed by Cartier.[24]

Fabergé's hardstone objects stand out as being of an inimitable perfection. They were crafted from the most typical of Russian stones, of which nephrite was the toughest. This spinach-green stone, so frequently used by Fabergé, of which a large block was kept in the courtyard of the Fabergé house, was first discovered about 1850 near Irkutsk, according to the same Birbaum, "*from the river Onot in boulders or natural blocks, according to Woerffel's orders.*" It was firm, malleable and free of cracks, which allowed Woerffel to cut it to translucent wafer thinness and polish it to a very high finish. The Bay Tree Egg of 1911 (p. 214) is a perfect example of the high quality of nephrite used by Fabergé.

Rock crystal, the purest form of quartz, which can occur in the form of very large crystals, has been a favorite of stone carvers since times immemorial. Fatimid sculptors fashioned exquisite vessels from this stone in eleventh century Egypt. Craftsmen in the Middle Ages created elaborate reliquaries from this material. A renaissance in rock crystal carving occurred in Milan in the late sixteenth-century workshops of the Saracchi brothers and of the Miseroni family, as well as in Florence and Prague, where quantities of large objects were sculpted in many curious shapes for the European princely courts. In Russia rock crystal was to be found in the Ukraine and the Ural Mountains. The Resurrection Egg (p. 114) has a shell of this colorless transparent quartz as clear as water.

Agate, a form of milky white chalcedony, was found in the Urals, but also in quarries around Idar Oberstein, in Germany. This was probably the reason why Fabergé, in the firm's early period, commissioned so many of his animal carvings in this city with its great tradition of stone cutting which has lasted until the present. Birbaum labels the hardstones provided to Fabergé by Idar Oberstein and by Woerffel as having a "stereotyped dryness," which disappeared when the Russian master opened his own workshop in 1908. Idar Oberstein was probably the origin of the shell of the 1894 Renaissance Egg (p. 96).

When Fabergé began to design and craft his objects of fantasy in the 1890s, he also made frequent use of carefully selected bars or slabs of bowenite and jasper and more rarely of rhodonite and lapis lazuli. Following the success of his objets d'art in hardstone at the 1900 Exposition Universelle in Paris, and as the orders for his lapidary works escalated, Faberge decided to open his own hardstone carving factory in 1908; in 1915, with an eye to even further expansion, he requested permission to open a second stone-carving facility. This was the period of activity of the two legendary hardstone carvers, Piotr Mikhailovitch Kremlyev and Piotr Derbyshev.

ANIMAL FIGURES

The firm's first animal figures, inspired either by nature or by miniature Japanese netsuke sculptures, of which Fabergé owned a collection of about five hundred, can, contrary to common belief, be dated to the early 1890s. Presumably they were modeled in-house by sculptors such as Boris Fredman-Cluyzel, but also outsourced to stone carvers either in Idar Oberstein or at the Woerffel workshop. Each figure is carefully studied, modeled and carved in a piece of specimen hardstone, selected to portray the animal either as naturalistically as possible, or in totally unnaturalistic colors. Thus the finest animals are painstakingly carved in malleable agate, sometimes cooked in honey to give them a warm reddish-brown hue, while others are caricatured or stylized, carved out of spinach-green nephrite, dark blue lapis lazuli, or dark red purpurine. Among the most assiduous collectors of animal figures were the Dowager Empress, who is known to have possessed a zoo of over one hundred miniature carvings, and her sister, Queen Alexandra of Great Britain, great-grandmother of the present Queen, who today owns several hundred such animals, by far the greatest collection in existence. Birbaum witnessed the collecting craze in aristocratic circles:
"These miniature sculptures were very successful with clients until very

recently. They are amusing, and as they are not made of precious materials, they are very good presents when it is important that the cost of the present should not be obvious. Their distribution was also facilitated by a mania for collecting. Many highly placed people collected these figures, and others knew that additions to the collection would be favorably received." [25]

FLOWERS

Flowers, too, make their appearance during the tenure of Michael Perchin. They were originally inspired by jeweled bouquets created by the eighteenth-century goldsmiths Jean-Jacques Duval and Jérémie Pauzié, whose works were known to Fabergé in the treasury of the Hermitage to which he had constant access as Supplier and Appraiser to the Court and later Court Jeweler. The Birbaum memoir names another source:
"The manufacture of stone flowers, which has recently occupied a leading place in our work has the same [Chinese and Japanese] origin. We first noticed this branch of Chinese art when a bouquet of chrysanthemums was brought for repair. It had been taken from the court of the Chinese Emperor when it was occupied by a European landing force. Before we had seen the Chinese flowers, the firm had made enamel flowers... the leaves were sometimes of nephrite sometimes green jasper or quartz. Sometimes the flowers stood in a little glass of rock crystal, half hollow, so that the flower appeared to be standing in water... The cost of manufacture of these flowers was considerable, and depended on the complexity of the flowers, was sometimes as much as several thousand rubles." [26]

The influence of floral compositions of the Far East on the art of Fabergé is particularly noticeable in the Russian master's late flowers, which stand in jade or bowenite vases and seem directly influenced by *ikebana*, a Japanese art of flower arranging that emphasizes form and balance. [27]

THE ERA OF FRANÇOIS BIRBAUM
(chief designer 1895-1917)

The Swiss François Petrovitch Birbaum joined Fabergé in 1893 and, after the death of Agathon in 1895, became chief designer of the firm. He was an eminent lapidary, a specialist in enameling techniques and a remarkable draughtsman. His advent coincides with the introduction at Fabergé's of the Art Nouveau idiom and the more classical Louis XVI and Empire styles, which replaced the Louis XV, or "cockerel," style. His role must have been considerable, as he claimed to have designed half of the fifty Imperial Easter eggs composed by the firm. [28]

By the beginning of the new century, Faberge's business had become the most important of its kind in Russia:
"Production increased daily and it became necessary to assign gold work to one workshop and subsequently silverwork to another. The brothers Fabergé had too much work and were unable to run the workshops properly, so they decided to establish autonomous workshops, whose owners would undertake to work only to their sketches and models of the firm

and exclusively for it.… Each was allocated a specific form of production and their apprentices specialized in different forms of work.… The St. Petersburg workshops employed some 200 or 300 people before 1914. [29]

After the Paris 1900 exhibition, all doors opened to Fabergé. His London branch, opened in 1903, became the meeting place of Edwardian England. The London sales ledgers mention visits of virtually every crowned head of Europe, its aristocracy and moneyed society. His St. Petersburg showrooms attracted Russian nobility by the dozen:

"The Grand Dukes and Duchesses came with pleasure and spent a long time choosing their purchases. Every day from 4 to 5 all the St. Petersburg aristocracy could be seen there: the titled, the Civil Service and the commercial. In Holy Week these rendez-vous were particularly crowded as everyone hurried to buy the traditional Easter eggs and, at the same time, to glance at the egg made for the Emperor." [30]

Two years after the Paris World Fair, the Imperial family fêted Fabergé with a charity exhibition at the von Dervis mansion in St. Petersburg, held to benefit the Imperial Women's Patriotic Society Schools. Sponsored by Tsarina Alexandra Feodorovna, this exhibition of Fabergé' s works was the only public showing of Fabergé's works in Russia before the Revolution. Most of the items on display were owned by members of the Imperial family or the St. Petersburg nobility: in a contemporary photograph taken at this exhibition, the Lilies of the Valley and Coronation Eggs are visible in a showcase with objects belonging to the young Empress (see ill. p. 41).

During the 1900s the Fabergé firm was swamped with orders. In the ten years between 1907 and 1917 over 10,000 objects were sold in London alone. American Robber Barons began patronizing Fabergé, anchoring their yachts on St. Petersburg's Neva river, or buying from Fabergé's London branch. Sales trips were made by the firm to Rome, to the Côte d'Azur and to the Far East. Several Indian maharajas and the King of Siam numbered among the firm's regular clients. Fabergé's three sons, Eugène, Agathon and Alexander, also must have worked in the design studio located under the eaves of the massive St. Petersburg house.

At the pinnacle of Fabergé's success, most gifts presented by the Russian Imperial family to relatives in Denmark, Germany and England, at christenings, name days, birthdays, Christmas and Easter, came from the Russian master. These included such modest articles as frames, pencil holders, bookmarks and hardstone animals often to be found with penciled personal notes in their fitted cases.[31] Members of the Imperial family, when traveling abroad, bestowed Fabergé cigarette cases, brooches and pins on equerries and ladies-in-waiting, policemen and detectives. Ambassadors and Church dignitaries and high-ranking members of society were presented with more lavish Fabergé objects, generally diamond-set boxes. A room in the Hermitage was reserved for Imperial presents, many of them from Fabergé, from which the Imperial Cabinet selected appropriate gifts for each recipient. State gifts for the Sultan of Turkey, the Shah of Persia, the Emir of Bukhara and the Emperors of China and Japan were specially ordered from Fabergé.

It may be argued that the period of Henrik Wigström, Fabergé's last head workmaster (active 1903-1917), lacks the exciting inventiveness of that of his predecessor. After the disappearance of exuberant Neo-Rococo and sinuous Art Nouveau from Fabergé's designs, they become dryer and more classical. The quality remains outstanding, but the introduction of prefabricated parts heralded the advent of the Industrial Era. As before, novelties continued to appear regularly every year. The proximity of Vienna as artistic capital, with its Wiener Werkstätte founded in 1903 and its negation of superfluous historicizing ornament, prompted Fabergé to create more simplified, unadorned, sometimes even geometric works of art. The advent of Cartier in St. Petersburg in 1908 brought a wave of Parisian *chic* to the Russian capital. Due to such foreign influences, certain late objects of Fabergé's even exhibit a nascent Art Déco style. [32]

IMPERIAL EASTER EGGS

The first Imperial Easter egg was commissioned by Tsar Alexander III in 1885. Due to its instant success, a permanent order was given to Fabergé, who, until the untimely death of Alexander in 1894, crafted ten eggs as presents for his wife, Maria Feodorovna. Between 1895 and 1916, forty eggs were created for Tsar Nicholas II. They were destined as presents for his mother, now Dowager Empress, and for his wife, Tsarina Alexandra Feodorovna. No eggs were apparently made in 1904 and 1905, the years of the disastrous Russo-Japanese War. The two eggs designed for 1917 were never delivered since the Tsar had abdicated and was prisoner of the Provisional Government by Eastertime of that year and the Dowager Empress was in Kiev. Two eggs identified by Russian scholars as these missing creations have resurfaced in Moscow recently.

The Imperial eggs have been scattered over the world since the sale of the majority by the Soviets in the 1920s and 1930s. From the collection of thirty Imperial eggs made for Maria Feodorovna, eight disappeared during the Revolution. From among these, two are known from contemporary photographs; of one, only the surprise has survived. A total of forty-two Imperial Easter eggs appear to have survived. Of these, ten are preserved in the Kremlin Armory Museum, nine are now the property of the Link of Times Foundation, thirteen are in American museums (Richmond [5], New Orleans [3] Hillwood, Washington, D.C. [2], Baltimore [2] and Cleveland [1]), three are in the collection of H. M. Queen Elizabeth II, two in the Sandoz Foundation Collection, one is the property of Prince Rainier III of Monaco and the remaining four are in other private collections. Fabergé's series of Imperial Easter eggs is arguably the most lavish commission ever entrusted to a goldsmith, a feat of patronage possible only at the world's richest court. The fifty eggs are comparable only to the numerous superb creations of Johann Melchior Dinglinger for Elector-King Augustus the Strong of Saxony. The only preconditions set by the Tsar appear to have been the oviform shape, a surprise, and the avoidance of any repetitions. Initially – at least in the case of the first two eggs – some supervision was exercised by the Tsar and the Imperial Cabinet. Thereafter, Fabergé was apparently accorded total liberty with the choice of his subjects According to contemporary sources, not even the Tsar was privy to the planned secret. *"Majesty will be satisfied,"* Fabergé is to have replied to the inquisitive Emperor, when asked about the theme of the next egg. Another curious client was reportedly told, tongue in cheek, that the next egg would be square! Fabergé took these Imperial commissions extremely seriously, often having to plan several years ahead, since some of the eggs did indeed take over a year to complete. The eggs were delivered by hand by either Fabergé or his son Eugène to the Imperial recipient, while workmasters stood by at home in case of an emergency.

The series of Imperial eggs began on a low key, with a simple eggshell containing a hen in a yolk (p. 74). Rapidly the eggs became more ambitious and expensive. Prices ranged from 1,500 rubles in the first years to almost 25,000 rubles in 1913. Early eggs often copy older prototypes. The themes of the eggs were frequently linked to the history of the Imperial family. Those of Tsarina Maria Feodorovna were often decorated with miniatures of her children, family or her Danish parents, and sometimes with views of her houses, palaces, yachts, of her regiments or charitable institutions. The widowed Dowager Empress generally received eggs with mementoes or miniatures of her late husband. Occasionally, as if for lack of a family theme, there was a clock or a clockwork toy as a surprise.

The young Empress was given eggs containing tokens of her husband's marital love, miniatures of Nicholas II and their children, models of the coronation cathedral, family palaces, yachts and train. A small number of eggs allude to historical occurrences—inaugurations of monuments, the foundation of the city of St. Petersburg, the Romanov Tercentenary. The eggs of 1915 and 1916 have the War as theme. Several of Alexandra Feodorovna's eggs were clocks or contained a mechanical toy or a singing-bird mechanism.

FABERGÉ AND THE IMPERIAL FAMILY

Fabergé acquired the coveted title of Supplier to the Court from Tsar Alexander III on May 1, 1885 after sixteen years of faithful service as expert, appraiser and restorer of objects of art in the Imperial Hermitage. The same year marked the commission of the first Imperial Easter egg with Grand Duke Vladimir acting as intermediary between his brother the Tsar and Fabergé. The Tsar and Tsarina were evidently very pleased with their new Court Supplier. Both were to become regular customers, the Tsar for his remaining short life, the Tsarina and later Dowager Empress until the 1917 Revolution. During the planning stage for the second Easter egg in February 1886, Fabergé still felt obliged to submit a number of detailed questions to the Imperial Cabinet concerning the nature of the surprise, in this case another hen with a pendant sapphire.

Thereafter, Fabergé was allowed free reign with his fantasy.

Further early marks of Imperial favor included the commission of a diamond-studded snuffbox given by Alexander III to *Reichskanzler* Bismarck in 1884;[33] the Order of St. Stanislas 3rd class in 1889 marking Fabergé's success at the Nordic Exhibition in Copenhagen the previous year; the commission of numerous presentation snuffboxes, cuff-links and tiepins for the voyage of the Tsarevich to the Far East in 1890; the title of Appraiser to the Imperial Cabinet, and the rank of Hereditary Honorary Citizen, both in 1890; and the order of a monumental silver clock by members of the Imperial family in 1891.[34] For the first time a work by Fabergé was mentioned by the Empress in a letter to her mother, the Queen of Denmark:

"…they all gave us a lovely present for our silver wedding, a superb, beautiful clock with our ciphers in diamonds at the top and 25 silver amours of the most beautiful workmanship."[35]

In 1892 at the occasion of the Golden Wedding Anniversary of the King and Queen of Denmark, Fabergé received two further major royal commissions, a pair of monumental silver-gilt wine-coolers with elephant handles signed by all related family members, and a huge silver-gilt kovsh given by Alexander III and Maria Feodorovna, both in the Danish Royal Collection today.[36] For his successful mission to the Danish Court – Fabergé was the bearer of these two important gifts – the Tsar awarded him the Order of St. Anne 3rd class.

The year 1896, which saw the Coronation of Nicholas II, was auspicious for Fabergé. The numerous presents commissioned included a large rock crystal tray (State Hermitage Collection, St. Petersburg)[37] and a document folder,[38] both given to the Imperial couple by the City of St. Petersburg, a nephrite and gold prayer book given by Nicholas to Alexandra for use during the ceremony (Kremlin Armory Museum)[39] and the celebrated Basket of Lilies of the Valley given by the merchants of Nijni Novgorod to the Empress (now at the Matilda Geddings Gray Foundation, New Orleans Museum of Art).[40] For his exhibits at the fair of Nijni Novgorod, Fabergé was awarded the State Emblem and the Order of St. Stanislas 2nd class by the young Tsar Nicholas II.

For Easter 1896, Nicholas had planned to send a blue enamel egg (lost) containing six miniature portraits of her beloved husband as a gift to his mother to La Turbie, where she was keeping her ailing son Georgi company, but its delivery was belated:
"You will by post be receiving a little parcel – it is from me. That silly man Fabergé came too late to send it by courier."[41]

From La Turbie the Dowager Empress replied:
"I can't find words to express to you, my dear Nicky, how touched and moved I was on receiving your ideal egg with the charming portraits of your dear, adored Papa. It is all such a beautiful idea, with our monograms above it all."

Nicholas in turn wrote back:
"It was a great joy to me that you liked the egg—the miniatures of dear

Император Николай II, Императрица
Александра Федоровна с детьми.
Архивная фотография, около 1914 г.

Emperor Nicholas II, Empress Alexandra
with their children. Archival photograph, circa 1914

Papa are really successfully done and are good likenesses." [42]

Fabergé's most famous creation for the Imperial family is the Coronation Egg, Nicholas' present to his wife for Easter 1897 (p. 156). It was first exhibited at the Paris World Fair of 1900 and has since been the focal attraction of some thirty Fabergé exhibitions. On May 26, 1896, in the sumptuous cortège entering the Kremlin, the beautiful young Tsarina Alexandra Feodorovna was driven in Johann Buckendahl's coupé coach of 1793. Fabergé's commemorative Easter egg is a masterpiece of invention, incorporating a miniature replica of the coach, which took over fifteen months to complete, within a shell of black double-headed eagles on a gold ground, symbolizing the Imperial mantles worn by Nicholas and Alexandra at the church ceremony.

There is a mention in the correspondence between Tsar Nicholas and his mother of another of the Imperial eggs, the Cockerel Egg of 1900 (p. 196). Nicholas wrote to her from Moscow:
"Forgive me, dear Mama, for not sending you anything for Easter, but Fabergé did not send the present here, as he thought that you were returning to Gatchina." [43]

The Danish Jubilee Egg of 1903 (lost) is mentioned in a letter sent by Nicholas to his mother in Denmark:
"I am sending you an Easter egg by Fabergé, I hope it arrives in good order. There is no secret in it, the egg is quite simply opened at the top." [44]

The Alexander III Commemorative Egg, another lost Imperial egg, was also delayed in production.
"I am very sorry that I can't send you an Easter egg today, but unfortunately Fabergé has not managed to have it finished, and I will send it to you in a week's time. I ask you to forgive this involuntary lack of precision," [45] wrote Nicholas to his mother in London (March 26, 1909).

Fabergé's relationship to the young Empress was never hearty. François Birbaum, the firm's chief designer from 1895 to 1917, wrote in his 1919 memoir:
"Nicholas II was not notable for his artistic taste and he had no pretensions to it, but his wife, Alexandra Feodorovna, was a different proposition: with her rudimentary conceptions of art and with her curiously middle-class stinginess, she often put Fabergé into tragi-comic situations. She would accompany her orders with her own sketches and set the cost of the article in advance. Since it was impossible both technically and artistically to manufacture articles according to her sketches, all kinds of tricks had to be invented to explain the inevitable changes – misunderstandings on the part of the master, loss of the sketch, and so on. With regard to prices, the articles were sold at those she had set, in order not to incur her displeasure; since all these articles were of insignificant value, the losses were offset by her favour when important works were commissioned." [46]

The young Empress had notoriously bourgeois taste, derived on one hand from her grandmother Queen Victoria and, on the other, from the preference of her brother, Grand Duke Ernst Ludwig of Hessen-Darmstadt, for Art Nouveau (in fact he founded a pioneering

Jugendstil artists' colony on the Mathildenhöhe in Darmstadt). Fabergé introduced the style to Russia. The Lilies of the Valley Egg, first shown at the 1900 Paris *Exposition Universelle,* is perhaps the most outspoken example of Fabergé Art Nouveau (p. 180). Alexandra Feodorovna's cluttered rooms at the Alexander Palace reflected her love of this new style. Certain other family members apparently shared her enthusiasm: in a penciled note accompanying an oval Art Nouveau frame, now in The Link of Times Foundation Collection, [47] her aunt Grand Duchess Maria Alexandrovna celebrated *"the newest style, what they call here le dernier cri!"* The Empress entrusted a number of her personal acquisitions of Art Nouveau glass to Fabergé to be mounted in silver, examples of which are now in the Pavlovsk Palace Museum and the State Hermitage Museum in St. Petersburg. However, for the Russian master, it was a short-lived enthusiasm, lasting only from about 1898 to 1903, and one not widely shared by St. Petersburg Society. Nicholas himself preferred Fabergé's rare and expensive composite hardstone statuettes: he displayed his collection of twenty figures in his Parade Cabinet at the Alexander Palace, where the family lived in semi-seclusion from 1905 on. These statuettes included the Dancing Moujik, which, according to Agathon Fabergé, was one of the firm's best creations. [48] Meanwhile the Empress kept her Fabergé Easter eggs in a corner cabinet in her Maple Boudoir, cheek by jowl with Art Nouveau glass (see ill. pp. 248-249).

Fabergé's art is forever intimately interwoven with the private life of the last Tsar and Tsarina. Many major family events served as pretexts for the works of art now in The Link of Times Foundation collection. Thus their wedding is commemorated by the Nicholas and Alexandra Wedding Icon of 1894; [49] the birth of the Imperial couple's first daughter, Olga, on November 15, 1895, is recorded with a miniature portrait in the Heart Surprise Frame of 1897 (p. 144); Olga, and their second daughter, Tatiana, born June 10, 1897, are both shown on the surprise of the Lilies of the Valley Egg given by Nicholas to Alexandra in 1898 (see ill. p. 185) and on the Lilies of the Valley Cigarette Case given by the Tsarina to her husband in 1903; [50] the long-awaited son and heir, Alexei, is shown in a photograph frame given by Alexandra to her sister Irene of Prussia in 1912. [51] The Imperial parents and all five children are depicted on the 1911 Fifteenth Anniversary Egg (p. 228), which is simultaneously a faithful record of several important events connected with the family, painted by miniaturist Vassilii Zuiev. They include two scenes from the coronation ceremonies of 1896; the inaugurations of the Alexander III Museum in St. Petersburg (1895) and of the Pont Alexandre III in Paris (1900), the promising speech held by Nicholas before the Duma in the Winter Palace (1906); and the canonization ceremonies for St. Seraphim of Sarov (1903), to whose intercession the Imperial couple ascribed the birth of the Tsarevich in the following year. Despite all these close links, Fabergé was obliged to wait until 1910 to receive the final accolade from the Imperial family, the titles of Manufacturing Councilor and of Court Jeweler.

Fabergé's name is mentioned again in a letter written by Nicholas to his mother April 13, 1913, which accompanied the presentation of the Winter Egg:

"Dear Sweet Mama, I thank you from all my soul for the gifts and ask you to accept the usual Fabergé egg. On the outside it represents winter, as he himself has explained, and inside, the arrival of spring. It is simple to open… I embrace you tenderly, Nicky." [52]

The following year, the Dowager Empress wrote to her widowed sister Alexandra in England with regard to the Catherine the Great or Grisaille Egg (Hillwood Museum, Washington, D.C.), which she had just received:

"He [her son Nicholas] *wrote me a lovely letter and gave me the most beautiful Easter egg that Fabergé himself brought to me. It is a true chef d'oeuvre, pink enamel, and inside a sedan chair borne by two Negroes and with Empress Catherine sitting inside with a little crown on her head. You wind it up, and then the Negroes walk, incredibly beautiful & unequalled work. Fabergé is really the greatest genius of our time, and I also told him: vous êtes un génie incomparable."* [53]

The Dowager Empress' thank-you note to Nicholas II dated April 29, 1914 also survives:
"My dear, sweet Nicky…I was delighted to receive your lovely letter, and it has worried me all the time that I have not thanked you for it and for the delightful egg, which has quite overwhelmed me. Fabergé really is a genius, what an imagination and what a work of art. The sedan chair is charming with Catherine and the exquisite Negroes, who move excellently." [54]
Just how much Fabergé had become part of the Imperial family's gift-

giving tradition is revealed in an earlier letter of Maria Feodorovna to her sister, the English Queen:
"Now that that silly Fabergé has his shop in London, you have everything, and I can't send anything new, so I am furious. You must be understanding and accept my little things with love." [55]

The younger generation, too, looked to Fabergé for amusing presents. *"My darling old Xenia. I thank you and Sandro awfully for the lovely little Fabergé box. Tremendously appetizing"* wrote Grand Duchess Olga to her sister in a June 6, 1900 letter. [56]

"Appetizing" seems to have been a favorite term of Olga, who uses the same term in another letter to her sister:
"Nicky [her brother] *sent me such a beautiful Fabergé babushka with a bundle and a broom. Too appetizing"* (July 14, 1912). [57]

For Fabergé the final apotheosis came at the time of the lavish festivities surrounding the Romanov Tercentenary celebrations in 1913, which produced a last flurry of orders. The Russian master designed and created many objects and jewels with the Romanov emblem and the date 1613-1913, including the Romanov Tercentenary Egg, now in the Kremlin. [58] The Imperial Cabinet files list forty-seven pins with the Romanov Gryphon awarded by Nicholas II to Andreev's Grand Russian Orchestra; 135 tiepins decorated with the Monomakh crown and forty-three similar brooches for the Moscow theatre's actors.

With Russia's entrance into the First World War, the era of Imperial munificence drew to a close. After the first euphoric victories, major losses occurred and hardship set in for all. The two eggs for Easter 1915 reflect the activities of the Empress and her daughters with the Red Cross. [59] As of September 1915 Fabergé's workshops began to suffer from a lack of skilled craftsmen due to conscription. Several letters are addressed to the Office of the Imperial Court Ministry requesting exemption for twenty-three members of his staff including stone-carver Kremlev (*"…in case of his calling up the workshop has to be closed down…"*); and for the enameler Petuchov (*"the only experienced master in enamel technique left who trained for such work for 8 years"*). [60]

For the period of July 1, 1914 to October 1, 1916, Fabergé listed unfinished commissions totaling 286,305 rubles (80,000 rubles for the Imperial cabinet, 53,000 for Grand Duke Michael Alexandrovich, 33,000 for the Emperor). In October 1915 he mentioned *"the commissions of His Imperial Majesty for the big egg of white quartz and nephrite demanding exquisite artistic work"* and 2,200 badges of the Horse Artillery Life Guard *"given personally to me by H.I.H. the Grand Duke Andrej Vladimirovitch."* [61] The Moscow silver works was converted into a munitions factory making hand grenades and two million casings for artillery shells. The workshop in Odessa had been reduced from thirty-five masters to a handful of specialists. One of the two eggs presented by the Tsar for Easter 1916 is the stark Military Egg formed of artillery shells containing a miniature of Nicholas and the Tsarevitch at the front in Stavka. [62]

On March 25, 1915 Maria Feodorovna wrote to her daughter Olga concerning Nicholas' Easter present to her (Red Cross Egg, Lillian Pratt Collection, Virginia Museum of Fine Arts, Richmond):[63]
"Dear Nicky sent me a lovely egg, I did not at all expect [one] this year. It is of white enamel with the red cross on both sides, written around in the words of St. John: Greater love hath no man than this, that he lay down his life for his friend. Inside there are five miniatures in a frame: yrs, Olga, Alicky, Tatiana & I. Marie all en soeurs de charité! Too nice, really that Fabergé is a genius & the greatest artist in our century. I am delighted with it."[64]

Xenia commented on the egg in a letter to her sister Olga on the same day:
"Nicky gave Mama a lovely white enamel egg with the red cross & inside – there are miniatures of yrself, Alix & the 2 nieces & Marie (all the high-born sisters!!). Very successful."[65]

Two years into the disastrous First World War, on April 9, 1916, Alexandra Feodorovna acknowledged by telegram another Easter present (Steel Military Egg, Kremlin Armory Museum, Moscow)[66] she had received from Nicholas, who was at the Front:
"Christ is Risen! We all embrace you tenderly. Fabergé [Eugène] has just brought your delightful egg, for which I thank you a thousand times. The miniature group is marvelous and all the portraits excellent."[67]

At the same time, Maria Feodorovna sent regrets to her son that her own gift was not
"particularly beautiful, but Fabergé had nothing else that was suitable, for all his workers are away at war."[68]

Nicholas, on the other hand, had commissioned yet another egg for his mother, the Order of St. George Egg (p. 256), for which she thanked him:
"I kiss you three times and thank you from the bottom of my heart for your dear postcard and the delightful egg with the miniatures that dear Fabergé himself came with. Amazingly beautiful. Your warmly loving, old Mama."[69]

Of all the fifty Imperial Easter eggs by Fabergé, this was the only one that the Dowager Empress was able to salvage. It left the Crimea together with its reluctant owner in 1919 on board the British battle-ship HMS *Marlborough*. After she and her daughter Xenia had died, Xenia's son, Vassilii Romanov, sold it in London in 1961.

On November 6, 1916 Fabergé, as a precaution, formed a shareholder company (joint stock association), with co-workers Averkiev, Bauer, Byzov, and Marchetti as associates holding twenty-one shares for a value of 90,000 rubles fully paid; Fabergé held 548 shares for himself, allotting forty shares to each of his sons and one share each to Antoni, Birbaum, Meier and Jouves, corresponding to a total equity of 700,000 rubles. He seems to have foreseen the pending catastrophe by almost a full year. The year 1917 brought about the collapse of the old world order: the February Revolution, the abdication of the Tsar on March 15th, the imprisonment of the Imperial family, the November Revolution, and on July 16/17, 1918, the murder of the Imperial family. The firm was now in the hands of a "Committee of the Employees of the K. Fabergé Company," which continued to operate until November 1918. In late 1918 Fabergé closed down his house, entrusting its contents to the Director of the Hermitage, and left Russia via Riga and Germany to settle in Lausanne. Here he died on September 24, 1920.

Императрица Александра Федоровна, король Дании Христиан IX, вдовствующая императрица Мария Федоровна, император Николай II и его сестра великая княжна Ольга Александровна. Архивная фотография, ок. 1896 г.
Empress Alexandra Feodorovna, King Christian IX of Denmark, Dowager Empress Maria Feodorovna, Emperor Nicholas II, and his sister Grand Duchess Olga Alexandrovna. Archival photograph, c. 1896

NOTES

1. See Géza von Habsburg, "When Russia Sold Its Past" in *Art & Auction*, March 1995, pp. 94-97, 128.

2. For the complete Fabergé bibliography, see McCanless 1994.

3. For the catalogue of the exhibition, see San Diego/Moscow 1989/90.

4. See Géza von Habsburg, "Fabergé: Huguenot Jeweler" in *Huguenot Heritage*, 10, Autumn 2002, pp. 1-5.

5. All quotes from the 1919 Birbaum Memoir from Marina Lopato, "Birbaum Memoirs" in *St. Petersburg/Paris/London 1993/4*, pp. 444-461, by kind permission of Marina Lopato. The memoir, discovered by Valentin Skurlov, is located among the papers of academician A. E. Fersman.

6. For illustrations, see Habsburg/Lopato 1993/4, pp. 30, 32-3.

7. Munich 2003, p. 55.

8. Op. cit., p. 54.

9. *St. Petersburg/Paris/London*, "Birbaum Memoirs", p. 446.

10. Op. cit. pp. 328-336, cat. 604-631; Wilmington 2000/1, pp. 235-239, cat. 569-594.

11. Munich 2003, pp. 59-61, illustrations by kind permission of Ole Willumsen Krog and Preben Ulstrup, Copenhagen.

12. See Keefe 1993, XLII; Munich 2003, cat. 389.

13. *St. Petersburg/Paris/London* 1993/4, cat. 113; Munich 2003, frontispiece.

14. Op. cit., p. 121.

15. For illustration, see op. cit., p. 57.

16. Quoted by kind permission of Marina Lopato (op. cit. p. 56).

17. *St. Petersburg/Paris/London*, "Birbaum Memoirs", p. 446.

18. Solodkoff 1984, p. 36; Wilmington 2000/1, p. 151, cat. 286-310.

19. *St. Petersburg/Paris/London*, "Birbaum Memoirs", p. 446.

20. For Fabergé at the Paris World Fair, see Géza von Habsburg, "Fabergé and the Paris 1900 *Exposition Universelle*" in *St. Petersburg/Paris/London* 1993/4, pp. 116-123.

21. For the organization of Fabergé's workshops, see Ulla Tillander-Godenhielm, "Hinter den Kulissen bei Fabergé" in *Munich 2003*, pp. 36-42.

22. See Marina Lopato, "Notes on the lapidary work of the Fabergé Firm" in Wilmington 2000/1, pp. 298-301.

23. St. Petersburg/Paris/London, Birbaum Memoirs, p. 456.

24. For Fabergé's Russian competitors, see Munich 2003, 544-546; for Cartier, see Munich 2003, cat. 641, 642, 650, 654.

25. St. Petersburg/Paris/London, "Birbaum Memoirs", p. 457

26. Op. cit., p. 457-8.

27. For examples of Fabergé's "Japanese" flowers, see New York et al. 1996/7, cat. 227; Munich 2003, cat. 390-391.

28. See Marina Lopato, "Birbaum Memoirs" in St. Petersburg/Paris/London 1993/4, p. 452.

29. St. Petersburg/Paris/London, "Birbaum Memoirs", p. 446.

30. Op. cit., p. 455.

31. See Munich 1986, cat. 118, 119; Munich 2003, cat. 1, 3, 4, 77.

32. See Munich 2003, cat. 128-9, 131, 133, 141, 159, 165, 167, 178.

33. Munich 1986/7, cat. 404.

34. St. Petersburg/Paris/London 1993/4, cat. 4.

35. Preben Ulstrup, "The House of Romanov and the House of Fabergé. The Imperial Family on Fabergé" in *Treasures of Russia – Imperial Gifts*, The Royal Silver Room, Copenhagen, 2002, pp. 181-190. (The State Archives of the Russian Federation, Moscow [GARF], folio 642, Nov. 9, 1891. The present quote, and all the following from the same source are quoted by kind permission of Preben Ulstrup.

36. Munich 1986/7, cat. 76-7; St. Petersburg/Paris/London 1993/4, cat. 79-80.

37. Munich 1986/7, cat. 282; St. Petersburg/Paris/London 1993/4, cat. 111.

38. St. Petersburg/Paris/London 1993/4, cat. 109.

39. Moscow 1992, cat. 41.

40. Munich 1986/7, cat. 401.

41. Ulstrup 2002, op. cit., p. 182 (GARF 642, March 22, 1896).

42. Op. cit., p. 183 (GARF 642, April 5, 1896).

43. Op. cit., p. 183 (GARF 642, April 5, 1900).

44. Op. cit., p. 184 (GARF 642, April 3, 1903).

45. Op. cit., p. 186 (GARF 642, March 26, 1909).

46. Marina Lopato in St. Petersburg/Paris/London 1993/4, "Birbaum Memoirs", p. 453.

47. Munich 2003, cat. 247.

48. Forbes/Tromeur 1999, pp. 82-3.

49. Op. cit., pp. 229-230.

50. Op. cit., pp. 50-51.

51. Op. cit., pp. 252-253.

52. Ulstrup 2002, p. 187 (GARF 642 April 13, 1913). The Winter Egg is illustrated in Fabergé/Proler/Skurlov, 1997 p. 210

53. This famous letter written in Danish was first published by Solodkoff 1984, p. 78; Ulstrup 2002, p. 188 (Hoover Institute, Stanford, April 8/21, 1914). The egg is illustrated in op. cit., p. 217.

54. Ulstrup 2002, p. 188 (GARF 642, March 21, 1915).

55. Ulstrup 2002, p. 186 (Hoover Institute, Stanford, December 18, 1906).

56. Op. cit. p. 184 (GARF 662, June 6, 1900).

57. Op. cit., p. 187 (GARF 662, July 14, 1912).

58. San/Diego/Moscow 1989/90, cat. 22; Moscow 1992, cat. 9.

59. San Diego/Moscow 1989/90, cat. 24; New York et al. 1996/7, cat. 153.

60. GARF F.472 Inv.68 File 120.

61. GARF F. 472 Inv.66 File 120 shelf 34-40.

62. San Diego/Moscow 1989/90, cat. 25; Moscow 1992, cat. 10; Moscow 2000, cat. 8.

63. New York et al. 1996/7, cat. 153.

64. Ulstrup 2002, p. 189 (GARF 643, March 25, 1915).

65. Ibid. (GARF 643, March 20, 1915).

66. San Diego/Moscow 1989/90, cat. 25; Moscow 1992, cat. 10; Moscow 2000, cat. 8.

67. Fabergé/Proler/Skurlov 1997, p. 232 (quoted from M. L. Gosidzat, *Correspondence between Nicholas and Alexandra Romanov*, vol. IV, 1926, p. 210).

68. Ulstrup 2002, p. 189 (GARF 01, May 15, 1916).

69. Op. cit., p. 190 (GARF 601, undated).

Император Николай II зачитывающий
манифест на открытии первой Государственной
Думы в зале Святого Георгия в Зимнем дворце,
Санкт-Петербург.
Архивная фотография, 1906 г.

....

*Emperor Nicholas II reading the manifesto at the opening
of the first State Duma in the St. George's room of
the Winter Palace, St. Petersburg.
Archival photograph, 1906*

ФАБЕРЖЕ

СОКРОВИЩА РОССИЙСКОЙ ИМПЕРИИ

FABERGÉ

TREASURES OF IMPERIAL RUSSIA

Часть первая: Из коллекций императорской семьи
Part One: From the Collections of the Imperial Family

Яйцо «Курочка»
(Первое императорское пасхальное яйцо)
The Hen Egg: The First Imperial Egg

Яйцо «Курочка»
(Первое императорское пасхальное яйцо)
The Hen Egg: The First Imperial Egg

ЯЙЦО «КУРОЧКА» (ПЕРВОЕ ИМПЕРАТОРСКОЕ ПАСХАЛЬНОЕ ЯЙЦО), ПОДАРОК ИМПЕРАТОРА АЛЕКСАНДРА III СУПРУГЕ, ИМПЕРАТРИЦЕ МАРИИ ФЕДОРОВНЕ, НА ПАСХУ 1885 ГОДА

Яйцо покрыто белой, имитирующей скорлупу, эмалью; створки держатся на трех штыковых замках. Внутри – «желток» матового золота, который, открываясь, содержит фигурку курочки из цветного золота в гнезде с замшевой подкладкой и гравированными по золоту краями, изображающими солому. Оперение выполнено из чередующегося цветного золота, голова – из желтого, а гребешок и сережки – из красного. Все поверхности тщательно выгравированы, глаза выполнены из рубинов-кабошонов. Корпус курочки открывается посредством скрытого в хвосте шарнира, на брюшке выгравированы желтого золота лапки. *Без клейм.*

ВЫСОТА 6,4 СМ

THE HEN EGG (THE FIRST IMPERIAL EGG): A FABERGÉ IMPERIAL EASTER EGG PRESENTED BY EMPEROR ALEXANDER III TO HIS WIFE THE EMPRESS MARIA FEODOROVNA AT EASTER 1885

The white enameled egg simulating eggshell, opening by means of three bayonet fittings to reveal a matted gold "yolk" which in turn opens by similar means to reveal a varicolor gold hen in a suede-lined nest with stippled gold edge simulating straw, the hen's yellow and white gold feathers, yellow gold head and red gold comb and wattle all meticulously chased, the eyes set with cabochon rubies, the body of the hen opening by means of a concealed hinge at the tail, the underside of the body finely chased with yellow gold feet, *unmarked.*

HEIGHT 2½ IN. (6.4 CM)

Яйцо «Курочка»
(Первое императорское пасхальное яйцо)
The Hen Egg: The First Imperial Egg

1885

Яйцо «Курочка» (первое императорское пасхальное яйцо) – открывает прославленную серию из 50 императорских пасхальных яиц[1], созданную Фаберже для двух последних императоров России между 1885 и 1916 годами. На нем нет клейма, но после того, как стали доступны российские архивы, упоминание яйца с курочкой было обнаружено в списке из пяти ранних императорских пасхальных яиц под номером один[2], а сведения о нем – в переписке между императором Александром III и его братом великим князем Владимиром Александровичем. Все сомнения по поводу его атрибуции[3] исчезли.

Александр III коснулся вопроса о заказе фирме Фаберже в письме своему брату от 1 февраля 1885 года:
«…*Это правда будет очень мило. Я бы предложил заменить последний подарок маленьким кулоном в форме яйца из какого-нибудь драгоценного камня. Пожалуйста, поговори об этом с Фаберже, я Тебе буду очень благодарен… Саша*»[4]

21 марта 1885 года великий князь Владимир Александрович послал законченное ювелирное изделие императору вместе с письмом, в котором выразил мысль, что яйцо, выполненное ювелиром Фаберже по желанию Александра III, было, по его мнению, явной удачей, замечательным по замыслу и качеству исполнения. В соответствии с царской волей, кольцо было заменено на цепочку с кулоном-яйцом из роскошного рубина,

The Hen Egg is the first of the legendary series of fifty[1] Imperial Easter Eggs created by Fabergé for the last two tsars of Russia between 1885 and 1916. It is unmarked, but, following the opening of the Russian archives and the discovery of the present egg listed as the first among the five earliest Imperial Easter eggs,[2] together with an exchange of letters between Tsar Alexander III and his brother Vladimir referring to this egg, all possible doubts have been dispelled as to its exact nature.[3]

On February 1, 1885, Alexander wrote a letter to his brother referring to an order from Fabergé:
"…*this could be very nice indeed. I would suggest replacing the last present by a small pendant egg of some precious stone. Please speak to Fabergé about this, I would be very grateful to you… Sasha.*"[4]

Напротив: Император Александр III и императрица Мария Федоровна на одном из Коронационных балов. Хромолитография взята из «Описания священного коронования Их Императорских Величеств Государя Императора Александра III и Государыни Императрицы Марии Федоровны Всея Руси», Н.А. Богданов, Санкт-Петербург, 1881.
Opposite: N. A. Bogdanov, Emperor Alexander III and Empress Maria Feodorovna attending one of the Coronation balls, 1881. Chromolithograph from "A Description of the Sacred Coronation of Their Imperial Majesties Emperor Alexander II and Empress Maria Feodorovna of All Russia", St. Petersburg, 1883.

Император Александр III. Репродукция взята из "Описания священного коронования Их Императорских Величеств Государя Императора Александра III и Государыни Императрицы Марии Федоровны Всея Руси", А. Соколов, 1883.

A. Sokolov, Emperor Alexander III. From: "A Description of the Sacred Coronation of Their Imperial Majesties Emperor Alexander III and Empress Maria Feodorovna of All Russia, St. Petersburg, 1883.

Императрица Мария Федоровна. Взято из "Описания священного коронования Их Императорских Величеств Государя Императора Александра III и Государыни Императрицы Марии Федоровны Всея Руси», А. Соколов, Санкт-Петербург 1883.

A. Sokolov, Empress Maria Feodorovna. From "A Description of the Sacred Coronation of Their Imperial Majesties Emperor Alexander II and Empress Maria Feodorovna of All Russia", St. Petersburg, 1883.

Коронация Александра III
и Марии Федоровны. Георг Бекер
холст, масло, 108х156 см
Гос. Музей «Эрмитаж», Санкт-Петербург

*Georg Becker: Coronation of Alexander III
and Maria Feodorovna. Oil on canvas, 108 x 156 cm.
State Hermitage Museum, St. Petersburg*

Рис. 1 Яйцо «Курочка» с сюрпризом в виде короны и кольца, предположительно Париж, около 1720 года. Коллекция Ее Величества Королевы Дании Маргрете, замок Розенборг

FIG.1 Hen Egg with surprise in form of a crown and a ring, probably Paris, c. 1720, Collection of H.M. Queen Margrethe II of Denmark, Rosenborg Castle, Copenhagen

Рис. 1 Яйцо «Курочка» с сюрпризом в виде короны и кольца. Предположительно Париж, около 1720 года.
Ранее хранилось в художественной галерее Зеленые своды, Дрезден

FIG.2 Hen Egg with surprise in form of a crown and a ring. Probably Paris, c. 1720, Formerly Green Vaults, Dresden. Private Collection

который Императрица Мария Федоровна могла носить как *«символ императорской власти»*. Великий князь Владимир Александрович также переслал брату инструкции, поясняющие, как нужно открывать курочку-сюрприз, чтобы не повредить хрупкое изделие.

Император ответил в тот же день из Гатчины, что он чрезвычайно благодарен брату за хлопоты по передаче заказа Фаберже и по постоянному присмотру за его исполнением. Александр III выразил полное удовлетворение безукоризненным мастерством ювелиров. Он поблагодарил Владимира за присланные пояснения по обращению с сюрпризом и выразил надежду, что яйцо *«будет иметь желаемый эффект на будущую владелицу»*[5].

Пасхальное яйцо Фаберже должно было стать вольной интерпретацией, а не точной копией яйца, изготовленного в начале XVIII века, три экземпляра которого известны и сегодня. Они находятся в замке Розенборг, Копенгаген; в музее Истории искусств, Вена (рис. 1); в частной коллекции, а ранее – в художественной галерее «Зеленые своды», Дрезден (рис. 2)[6]. Во всех упомянутых экзем-плярах яиц спрятана курочка, открыв которую можно обнаружить корону, а в ней – кольцо. Считается, что императору хотелось пора-довать супругу сюрпризом, который напомнил бы ей хорошо знакомое изделие из датской королевской сокровищницы. Известно, что Фаберже получал особое удовольствие, выполняя заказы по образцам мастеров XVIII века. Ему, без сомнения, было знакомо яйцо с курочкой, хранившееся в Дрездене, поскольку юность Карла Фаберже прошла в столице Саксонии, а его родители жили в этом городе с 1860 года до конца своих дней.

В счете, представленном Фаберже в 1885 году, и в описании изделий фирмы 1889 года указаны корона и два рубина как сюрпризы пасхальных яиц, но в 1917 этих деталей в яйце уже не было. Одни кулоны из рубина оценивались в 2700 рублей, что составило существенную часть всего заказа – 4 151 рубль. Корона и один из рубиновых кулонов представлены здесь на архивной фотографии. Похожее яйцо из ляпис-лазури с курочкой внутри, находящееся в коллекции, переданной госпожой Индией Эрли Миншелл в Музей изобразительных искусств Кливленда и, возможно, являющееся вариацией Фаберже на ту же тему, и сейчас содержит рубиновый кулон внутри короны[7]. Еще одно изделие без клейма, «Курочка и яйцо» из коллекции короля Египта Фарука, было приобретено Матильдой Геддингс Грей у Арманда Хаммера в 1957 году. В то время предполагалось, что оно и было первым из императорских пасхальных яиц, выполненных фирмой Фаберже[8].

Описываемое яйцо включено в учетные книги Н. Петровым,

Grand Duke Vladimir sent the finished egg to the Tsar together with a letter on March 21, 1885 saying that the egg being made according to his wishes by the jeweler Fabergé was in his opinion a complete success and of fine and intricate workmanship. In accordance with his wishes the ring was replaced by an expensive specimen ruby pendant egg on a chain, which Empress Maria Feodorovna could wear as a "symbol of autocracy." Grand Duke Vladimir attached a set of instructions for the Tsar on how to open the hen surprise, warning him of its fragility.

The Emperor replied from Gatchina the same day that he was very grateful to his uncle Vladimir for the trouble that he taken in placing the order with Fabergé and for having overseen its production. He was very satisfied with the workmanship, which was truly exquisite. He appreciated his uncle's instructions for opening the surprise and hoped that the egg would have *the desired effect on its future owner.*[5]

Fabergé's egg was to be a replica, or a free rendering, of an early eighteenth-century egg, of which at least three examples are still in existence (Rosenborg Castle, Copenhagen; Kunsthistorisches Museum, Vienna [fig. 1]; Private Collection, formerly in the Green Vaults, Dresden [fig. 2]).[6] They all have in common a hen surprise, opening to reveal a crown in which is contained a ring. It is generally assumed that the Tsar wished to surprise his wife with a souvenir inspired by an item well known to her in the Danish royal treasury. Fabergé is known to have relished the challenge of measuring his work against that of an eighteenth-century master. Of these three eggs, the Dresden Hen Egg would have been familiar to Fabergé, who lived in the Saxon capital as a young man, and whose parents from 1860 onwards resided in that city and died there.

Fabergé's original crown and two ruby surprises are listed in Fabergé's invoice of 1885 and in a description of 1889, but were no longer part of the egg by 1917. The two ruby eggs alone priced at 2,700 rubles accounted for more than half of the total price of 4,151 rubles. The crown and one ruby pendant can be seen in an archival photograph on this page. A related lapis lazuli hen egg in the Cleveland Museum of Art from the collection of India Early Minshall, possibly a variation on the theme by Fabergé, still retains a ruby pendant suspended within the crown.[7] A further unmarked "Egg-and-hen egg" from the collection of King Farouk of Egypt was acquired by Matilda Geddings Gray from Armand Hammer in 1957, when it was thought to be the First Imperial Egg.[8]

The Hen Egg is listed in the account books of the Assistant Manager of His Majesty's Cabinet, N. Petrov, as:
"White enamel Easter egg, with a crown, set with rubies, diamonds and rose-cut diamonds (and 2 ruby pendant eggs – 2700 rubles) – 4151 rubles"[9] followed by another entry:

Корона и кулон из яйца «Курочка» (оба утрачены). Архивная фотография, ок. 1914 г.
Crown and ruby drop surprise of Hen Egg (both lost). Archival photograph, c. 1914

помощником управляющего кабинетом Его Императорского Величества:

«*Белое, покрытое эмалью яйцо, с короной, инкрустировано рубинами, бриллиантами и алмазами огранки «роза» (с двумя рубиновыми яйцевидными кулонами – 2 700 руб.) – 4151 руб.*[9]*»*,
после чего следует другая запись:

«*9 апреля [1885]. Ювелиру Фаберже за золотое яйцо с драгоценными камнями, 4151 руб. 75 коп. 1! апреля. Ассигнование № 337*[10]*.»*

В списке императорских пасхальных яиц, который Н. Петров начал вести в 1889 году, яйцо с курочкой указано под № 1 и датировано 1885 годом.

За исключением яйца, принадлежавшего Варваре Кельх, и яйца Скандинавского, ни одно из яиц с курочкой-сюрпризом не имеет клейма мастера. Дата изготовления описываемого яйца совпадает с годом начала работы в фирме Михаила Перхина. Доктор Геза фон Габсбург[11], основываясь на подписи Перхина на «табакерке Бисмарка», считает, что Михаил Перхин приступил к работе в фирме Фаберже в 1884 году, и предполагает что им же могло быть изготовлено и яйцо с курочкой. Улла Тилландер[12] полагает, что Перхин приехал в Петербург в 1886, и приписывает это изделие Эрику Коллину.

Идея изготовления пасхального яйца с сюрпризом-курочкой и короной в ней использовалась многими мастерами в XIX веке. Известно большое число таких ювелирных изделий, изготовленных в Вене или Венгрии.

Как уже было сказано ранее, заказывая для императрицы Марии Федоровны первое из пасхальных яиц, Александр III хотел, чтобы оно напоминало супруге о родительском доме, где она видела оригинал яйца с курочкой. Перейдя в лоно православной церкви, императрица Мария Федоровна осознала, насколько велико в России значение пасхального яйца как символа Воскресения Христова. Традиция дарения обыкновенных раскрашенных яиц, как правило красного цвета, и троекратные поцелуи с возгласами «Христос Воскресе!» (на что отвечали «Воистину Воскресе!»), восходит к средневековью[13]. Со временем пасхальные яйца становились все более роскошными, и вместо куриных стали дарить искусно раскрашенные утиные или гусиные яйца, яйца из дерева, папье-маше и яйца, покрытые лаком. В конце XVIII века, после основания фарфоровой мануфактуры в царствование императрицы Елизаветы Петровны и Стекольного завода при Екатерине Великой, император и императрица с каждым годом дарили все больше пасхальных яиц из этих редких по тем временам материалов. К середине XIX столетия количество фарфоровых яиц, раздаваемых при Дворе, достигло пяти тысяч, а стеклянных – семи тысяч. Александр III приказал сократить число фарфоровых и стеклянных яиц, которые раздавались императорской четой по поводу пасхального праздника, до 120. В эпоху правления Александра III появились фарфоровые яйца с золотыми монограммами на белом,

"9 April (1885) To the jeweler Fabergé for a gold egg with precious stones, 4151 rub. 75 kop. 11 April. Allocation No. 337." [10]

In a list of eggs established in 1889, N. Petrov lists the present egg as the first, dated 1885.

With the exception of the Kelch First Egg and the Scandinavian Egg, none of the hen eggs bear the hallmark of the maker. The present egg's date falls into the first year of Michael Perchin's activity. Habsburg,[11] who dates Perchin's arrival at Fabergé to 1884 based on the year inscribed on the Bismarck Box, believes the Hen Egg to be by Perchin. Ulla Tillander,[12] who dates Perchin's arrival to 1886, thinks that the egg belongs to the oeuvre of Erik Kollin. The hen-in-the-egg theme containing a crown found many emulators in the nineteenth century. A number of jeweled versions made in Vienna or Hungary are known.

It is generally thought that Tsar Alexander III commissioned this First Egg as a souvenir of home for Alexandra Feodorovna – a token of affection for his homesick wife, who would have known the Danish original in her family's collection. As a convert to the Orthodox Church, she was well aware of the importance of the egg in Russia as a symbol of the Resurrection of Christ. The tradition of presenting simple painted eggs, generally red, together with an exchange of three kisses and the greeting "Christ is Risen!" (to which the response was "Indeed He is Risen!") harks back to the Middle Ages.[13] As time went on, eggs became more and more lavish, with elaborately painted duck and goose eggs and with *papier-mâché*, wood and lacquer eggs supplanting the hen eggs. In the later eighteenth century, after the founding of the Imperial Porcelain Manufacture and of the Imperial Glass Manufacture under Catherine the Great, the Tsarina and the Tsar presented ever-growing numbers of eggs in these rarer materials. The number of such eggs presented at court grew to 5,000 in porcelain and 7,000 in glass by the mid-nineteenth century. By Imperial decree, Tsar Alexander III reduced these numbers, allowing no more than a total of 120 eggs to be presented. During the reign of Tsar Alexander III and Tsarina Maria Feodorovna, the first porcelain eggs with gold cyphers on a white or *sang de boeuf* ground made their appearance.

The earliest known example of an Imperial Easter egg is a jeweled, gold, egg-shaped necessaire fitted with a clock, Paris 1757-58, owned by Empress Elisabeth I and bearing her monogram[14] which served as model for Fabergé's Peter the Great Egg of 1903, now in Richmond, Virginia. Several examples date from the reign of her successor, Empress Catherine the Great, for example an egg-shaped enameled gold *brûle parfum*, said by tradition to have been given to the Empress by her lover, Prince Grigory Potemkin. It is now in the treasury of the State Hermitage Museum, St. Petersburg, and was no doubt well known to Fabergé.[15] A diamond-set egg-shaped charm containing a tiny miniature of the Empress is in the same collection and may have inspired Fabergé's vast number of miniature Easter eggs.[16] A set of four cups and covers made of gold, enamel and ivory from the 1780s inspired Fabergé to create an egg decorated with gold lilies of the valley.[17]

Император Александр III и императрица Мария
Федоровна с детьми, Санкт-Петербург.
Архивная фотография, ок. 1888

Emperor Alexander III and Empress Maria
Feodorovna with their children, St. Petersburg.
Archival photograph, circa 1888

кобальтовом или ярко-красном фоне в технике «бычья кровь» *(sang de boeuf)*.

Наиболее ранним известным ювелирным изделием в форме яйца с монограммой является усыпанный драгоценными камнями золотой несессер с часами, изготовленный в Париже в 1757-58 гг. и украшенный инициалами владелицы – императрицы Елизаветы Петровны[14]. Оно послужило прототипом для яйца «Петр Великий», изготовленного Фаберже в 1903 году, которое сейчас хранится в Ричмонде, штат Вирджиния. Несколько изделий такого рода относятся ко времени царствования императрицы Екатерины Великой – например, золотая, украшенная эмалью, курильница для благовоний *(brûle parfum)* в форме яйца, которую, как принято считать, подарил императрице ее фаворит, светлейший князь Григорий Потемкин. Курильница Екатерины Великой, несомненно, была хорошо знакома Фаберже[15], а в настоящее время находится в коллекции Государственного Эрмитажа в Санкт-Петербурге. В этом же собрании хранится украшенный бриллиантами брелок-амулет в форме яйца с миниатюрным портретом императрицы внутри. Этот брелок мог вдохновить Фаберже на изготовление большого количества крохотных пасхальных яиц[16]. Комплект из четырех чашек с крышками, выполненный из золота, эмали и слоновой кости в 1780-х годах, быть может, навел Фаберже на мысль о создании яйца с золотыми ландышами[17].

Яйцо с курочкой было конфисковано Временным правительством и продано некоему господину Дереку. Позже, 15 марта 1934 года, оно было выставлено Фредериком Берри на аукционе «Кристи» в Лондоне, лот 55. В каталоге содержались сведения о том, что это яйцо было подарено императором Александром III супруге в 1888 году. Его продали за 85 фунтов стерлингов (стартовая цена составляла около 50 фунтов стерлингов) господину Р. Суинсон-Тейлору (которому позднее был пожалован титул лорда Гранчестера), победившему в торгах своего соперника господина Сассуна.

The First Egg was confiscated by the Provisional Government and sold to a Mr. Derek. It then appeared at an auction at Christie's in London, March 15, 1934, lot 55, consigned by a Mr. Frederick Berry. It was catalogued as the egg presented by Alexander III in 1888 *(sic)* and sold for £85 (reserved at 50 guineas) to R. Suenson-Taylor (later created Lord Grantchester), with a Mr. Sassoon as underbidder.

NOTES

1. The total number of Imperial Easter eggs has been variously stated by earlier authors as being between fifty and fifty-six. Fabergé/Proler/Skurlov 1997 have established the number at fifty, of which ten were presented by Alexander III to Maria Feodorovna between 1885 and 1894, twenty eggs each were given by Nicholas II to his mother the Dowager Empress and, after their marriage, to his wife Alexandra Feodorovna between 1895 and 1916 (with a hiatus in 1904 and 1905, the years of the disastrous Russo-Japanese War).
2. Marina Lopato, "Fabergé Eggs. Re-dating from new evidence" in *Apollo*, February 1991, pp. 91-94.
3. Fabergé/Proler/Skurlov 2000, pp. 15-17.
4. Ibid.
5. Ibid.
6. All three eighteenth-century eggs are illustrated in Mogens Bencard, *The Hen in the Egg*. The Royal Danish Collections, Amalienborg, 1999.
7. Hawley 1967, cat. 32.
8. Keefe 1993, cat. LI.
9. Fabergé/Proler/Skurlov 1997, p. 92.
10. Ibid.
11. Wilmington 2000, p. 158.
12. Munich 2003, p. 36.
13. For a history of the Russian tradition and the Russian Easter egg leading up to Fabergé, see Tamara Kudriavtseva, "Osterliche Traditionen am Zarenhof," in *Kostbare Ostereier aus dem Zarenreich*, Hirmer Verlag, 1998, pp. 27-38.
14. Munich 1986, 653. For Fabergé's egg see Fabergé/Proler/Skurlov, 1997, p. 165.
15. *St. Petersburg Jewellers*. The State Hermitage Museum, St. Petersburg 2000, p. 70.
16. Munich 1986, cat. 651.
17. Munich 1986, cat. 654 and 533.

ПРИМЕЧАНИЯ

1. Общее число императорских пасхальных яиц по-разному оценивалось авторами предыдущих публикаций и варьировалось от 50 до 56. Недавно в книге Фаберже Т., Пролер Л., Скурлов В. The Imperial Easter Eggs. Christie's Books, 2000 [*Императорские пасхальные яйца*] утверждалось, что всего было изготовлено 50 императорских пасхальных яиц, десять из которых Александр III подарил своей супруге императрице Марии Федоровне между 1885 и 1894 годами, и по 20 яиц подарил Николай II своей матери, вдовствующей императрице Марии Федоровне, и супруге, императрице Александре Федоровне, между 1895 и 1916 годами (с перерывом в 1904 и 1905 годах, в тяжелое время русско-японской войны).

2. Marina Lopato, "Fabergé Eggs. Re-dating from new evidence" in Apollo, February 1991, pp. 91-94 [Лопато М. «Императорские пасхальные яйца Фаберже. Новые данные», Apollo, февраль 1991, сс. 91-94].

3. Fabergé, Proler, Skurlov. The Imperial Easter Eggs. Christie's Books, 2000, pp. 13-17 [Фаберже Т., Пролер Л., Скурлов В. «Императорские пасхальные яйца». Christie's Books, 2000], сс. 15-17.

4. Там же.

5. Там же.

6. Все три яйца XVIII века показаны на иллюстрациях в книге Mogens Bencard, The Hen in the Egg. The Royal Danish Collections, Amalienborg 1999 [Бенкар М. *Курочка в яйце. Датские королевские коллекции*, Амалиенборг, 1999].

7. Хаули, Г. *Фаберже и его современники*. Коллекция госпожи Индии Миншелл, Музей искусств Кливленда. Кливленд, Огайо, 1967, кат. 32.

8. Киф, Дж. В. *Шедевры Фаберже*. Коллекция Фонда Матильды Геддингс Грей. Музей изобразительных искусств Нового Орлеана, 1993. кат. LI.

9. Фаберже Т., Пролер Л., Скурлов В. *Императорские пасхальные яйца*. Christie's Books, 2000.

10. Там же.

11. Каталог выставки *Фаберже. Придворный ювелир и его мир*. Уилмингтон, Делавэр, 2000-01 гг. Издание Booth-Clibborn Editions 2000, с. 158.

12. Выставка *Фаберже/Картье: соперники при царском дворе*. Kunsthalle der Hypokulturstiftung, Мюнхен 2003-04, с. 36.

13. Русские традиции и история пасхальных яиц вплоть до эпохи Фаберже описана в работе Тамары Кудрявцевой *Пасхальные традиции при царском дворе*, в *Драгоценные пасхальные яйца царской империи*, 1998, сс. 27-38.

14. Выставка *Фаберже/Картье: соперники при царском дворе*. Kunsthalle der Hypokulturstiftung, Мюнхен 1986, кат. 653. См. илл. в Фаберже Т., Пролер Л., Скурлов В., 1997, с. 165

15. *Ювелиры Санкт-Петербурга*. Государственный Эрмитаж, 2000, с. 70.

16. Выставка *Фаберже/Картье: соперники при царском дворе*. Kunsthalle der Hypokulturstiftung, Мюнхен 1986, кат. 651.

17. Выставка *Фаберже/Картье: соперники при царском дворе*. Kunsthalle der Hypokulturstiftung, Мюнхен 1986, кат. 654 и 533.

Император Александр III
и Императрица Мария Федоровна.
Архивная фотография, около 1890 г.

Emperor Alexander III
and Empress Maria Feodorovna.
Archival photograph, circa 1890

Нью-Йорк, Галерея Хаммера, *Искусство Петера Карла Фаберже, императорского ювелира,* 28 марта-21 апреля 1951 г., с. 5 каталога.

Лондон, Вартски, *Выставка работ Карла Фаберже, приуроченная ко дню коронации,* 20 мая-13 июня 1953 г., № 156, с. 15 каталога.

Лондон, Музей Виктории и Альберта, *Фаберже, 1846 – 1920* (по случаю серебряного юбилея королевы), 23 июня – 25 сентября 1977 г., № O3, сс.18, 94 кат., илл. с. 94.

Бостон, Массачусетс, Музей изобразительных искусств, *Императорские пасхальные яйца Дома Фаберже,* 10 апреля-27 мая 1979 г., ненумерованный перечень.

Хельсинки, Музей прикладного искусства, *Карл Фаберже и его современники,* 16 марта-8 апреля 1980 г., сс. 11, 29, 54 каталога.

Ричмонд, Виржиния, Музей изобразительных искусств / Миннеаполис, Миннесота, Институт искусств Миннеаполиса/Чикаго, Иллинойс, Художественный институт Чикаго, *Фаберже, Избранные экспонаты из коллекции журнала «Форбс»,* 1983 г., № 93, перечень на с. 17.

Форт-Уэрт, Техас, Художественный музей Кимбелл, *Фаберже, коллекция журнала «Форбс»,* 25 июня-18 сентября 1983 г.

Детройт, Мичиган, Художественный институт Детройта, *Фаберже, коллекция журнала «Форбс»,* 27 июня-12 августа 1984 г., перечень на с. 131.

Мюнхен, Выставочный зал Фонда культуры, *Фаберже, царский ювелир,* 5 декабря-8 марта 1986/87 г., сс. 36, 93, 94, 266, 267, илл. с. 266.

Лугано, Коллекция Тиссен-Борнемиса, Вилла Фаворита, *Фантазии Фаберже, из коллекции журнала «Форбс»,* 14 апреля-7 июня 1987 г., № 116, сс. 10, 13, 106 каталога, илл. сс. 106, 107.

Париж, Музей Жакмар-Андре, *Фаберже, ювелир царского двора,* 17 июня-31 августа 1987 г., № 116, сс. 6, 8, 102 каталога, илл. сс. 102, 103.

Лондон, Королевская Академия художеств, Ярмарка Дома Берлингтон, 1987 г. (без каталога).

Лондон, Эрмитаж, *Императорские подарки Фаберже,* 8-15 сентября, 1987 г. (без каталога).

Париж, Музей декоративного искусства /Лондон, Музей Виктории и Альберта, 1993-1994 г., с. 71 каталога, репродуцировано только на обложке французского издания.

Вашингтон, Округ Колумбия, Художественная галерея «Коркоран», *Фаберже и Финляндия: изысканные вещи,* 17 октября-5 января 1996/97 г. (без каталога).

Стокгольм, Национальный музей, *Карл Фаберже, ювелир царя,* 6 июня -19 октября 1997 г., № 1 сс. 63, 73, каталога, илл. с. 73.

Эшвилл, Сев. Каролина, *Блеск и золото: Фаберже в поместье Билтмор,* 6 февраля-2 мая 1998 г. (без каталога).

Уилмингтон, Делавер, Центр искусств «Ферст ЮСЭй Риверфронт», *Фаберже,* 8 сентября -18 февраля 2000/01 г., с. 437 кат, илл.

Сингапур, Сингапурский художественный музей, *Легендарный Фаберже: предметы из коллекции журнала «Форбс»,* Нью-Йорк, 26 сентября-25 ноября 2001 г., с. 20, илл.

New York, Hammer Galleries, *A Loan Exhibition of the Art of Peter Carl Fabergé, Imperial Court Jeweller,* March 28-April 21, 1951, cat. p. 5.

London, Wartski, *Special Coronation Exhibition of the Work of Carl Fabergé,* May 20-June 13, 1953, no. 156, cat. p. 15.

London, Victoria and Albert Museum, *Fabergé, 1846-1920* (held on the occasion of the Queen's Silver Jubilee), June 23-September 25, 1977, no. O3, cat. pp. 18, 94, ill. p. 94.

Boston, Massachusetts, The Museum of Fine Arts, *Imperial Easter Eggs from the House of Fabergé,* April 10-May 27, 1979, unnumbered checklist.

Helsinki, The Museum of Applied Arts, *Carl Fabergé and His Contemporaries,* March 16-April 8, 1980, cat. pp. 11, 29, 54.

Richmond, Virginia, Virginia Museum of Fine Arts/Minneapolis, Minnesota, The Minneapolis Institute of Art/Chicago, Illinois, The Art Institute of Chicago, *Fabergé, Selections from the Forbes Magazine Collection,* 1983, no. 93, checklist p. 17.

Fort Worth, Texas, The Kimbell Art Museum, *Fabergé, The Forbes Magazine Collection,* June 25-September 18, 1983, checklist no. 185.

Detroit, Michigan, The Detroit Institute of Arts, *Fabergé, The Forbes Magazine Collection,* June 27-August 12, 1984, checklist no. 131.

Munich, Kunsthalle der Hypokulturstiftung, *Fabergé, Juwelier der Zaren,* December 5, 1986-March 8, 1987, no. 532, cat. pp. 36, 93, 94, 266, 267, ill. p. 266.

Lugano, The Thyssen-Bornemisza Collection, Villa Favorita, *Fabergé Fantasies from the Forbes Magazine Collection,* April 14-June 7, 1987, no. 116, cat. pp. 10, 13, 106, ill. pp. 106, 107.

Paris, Musée Jacquemart-André, *Fabergé, Orfèvre à la Cour des Tsars,* June 17-August 31, 1987, no. 116, cat. pp. 6, 8, 102, ill. pp. 102, 103.

London, The Royal Academy of Arts, The Burlington House Fair, September 1987 (no cat.).

London, Ermitage, *Fabergé Imperial Presents,* September 8-15, 1987 (no cat.).

Paris, Musée des Arts Décoratifs/London, Victoria and Albert Museum, 1993/94, cat. p. 71, reproduced on the cover of the French edition of the catalogue only.

Washington, D.C., Corcoran Gallery of Art, *Fabergé and Finland: Exquisite Objects,* October 17, 1996-January 5, 1997 (no cat.).

Stockholm, Nationalmuseum, *Carl Fabergé: Goldsmith to the Tsar,* June 6-October 19, 1997, no. 1, cat. pp. 63, 73, ill. p. 73.

Asheville, North Carolina, *The Glitter and the Gold: Fabergé at Biltmore Estate,* February 6-May 2, 1998 (no cat.).

Wilmington, Delaware, First USA Riverfront Arts Center, *Fabergé,* September 8, 2000-February 18, 2001, cat. no. 437, ill.

Singapore, Singapore Art Museum, *Fabulous Fabergé: Objets d'art from The Forbes Magazine Collection, New York,* September 26-November 25, 2001, p. 20, ill.

Bainbridge, H. C. *Twice Seven*, London, 1933, p. 174.

Mayo, H. J. "In the Auction Rooms: Objets d'Art by Carl Fabergé," *Connoisseur*, Vol. 93, no. 394, June 1934, p. 418.

"Sale Room: Carl Fabergé's Work," *The Times* (London), March 16, 1934, p. 16, col. A.

Bainbridge, H. C. "Russian Imperial Easter Gifts," *Connoisseur*, Vol. 93, no. 393, May 1934, p. 305.

Pavlovna, M. "The Russian Easter Egg," *Harpers Bazaar*, April 1938, p. 182.

Bainbridge, H. C. *Peter Carl Fabergé: Goldsmith and Jeweller to the Russian Imperial Court*, London, 1949/66, p. 70.

Snowman, A. K. *The Art of Carl Fabergé*, 1953/55/62/64/68/74, pp. 35, 76, 78, 133, ill. pl. 313, 316.

Guth, P. "Carl Fabergé," *Connaissance des Arts*, February 15, 1954, p. 41.

Snowman, A. K. "Lansdell K. Christie, New York: Objects d'Art by Fabergé," *Great Private Collections*, ed. D. Cooper, New York, 1963, p. 243.

M. H. de Young Memorial Museum, *Fabergé, Goldsmith to the Russian Imperial Court*, Washington, D.C., 1964, cat. p. 59.

A La Vieille Russie, *The Art of the Goldsmith and the Jeweler*, New York, 1968, cat. p. 17.

Waterfield, H. *Fabergé from The Forbes Magazine Collection*, New York, 1973, p. 12.

von Habsburg, G. "Carl Fabergé: Die Glanzvolle Welt Eines Koniglichen Juweliers," *Du*, December 1977, pp. 56, 62, 72, 79.

Watts, W. H. "Peter Carl Fabergé, Jeweler to the Czars," *Palm Beach Life*, March 1978, pp. 82, 83.

Waterfield, H. and Forbes, C. *Fabergé Imperial Eggs and Other Fantasies*, New York, 1978, no. 1, pp. 8, 18, 113, 114, 132, 133, ill. pp. 17, 114.

Brown, E. "When Easter Time was Fabergé Time," *The New York Times Magazine*, April 15, 1979, pp. 64, 68.

Snowman, A. K. *Carl Fabergé, Goldsmith to the Imperial Court of Russia*, London/New York, 1979, pp. 89, 91, 92, 152, ill. p. 90.

Forbes, C. "Fabergé Imperial Easter Eggs in American Collections," *Antiques*, Vol. CXV, no. 6, June 1979, pp. 1235, 1236, 1237, 1241, ill. p. 1235, pl. XIV.

von Habsburg, G. and von Solodkoff, A. *Fabergé, Court Jeweler to the Tsars*, New York, 1979/84, pp. 12, 18, 46, 106, 139, 157, ill. index pl. no. 1.

Sears, D. "When Fantasy Reigned," *Collector Editions Quarterly*, Spring 1980, p. 28, ill. p. 27.

Forbes, C. *Fabergé Eggs, Imperial Russian Fantasies*, New York, 1980, pp. 4, 5, 7, 20, 24, ill. p. 21.

Gibney, T. A. "Fabulous Fabergé," *Chubb Circle*, October/November 1980, p. 20, ill.

The Museum of Applied Arts, *Carl Fabergé and his Contemporaries*, Helsinki, 1980, cat. pp. 29, 54.

Banister, J. "Rites of Spring," *Art and Antiques Weekly*, April 5, 1980, p. 37.

Snowman, A. K. "Carl Fabergé," *The Connoisseur*, Vol. 204, no. 821, July 1980, p. 191.

Schaffer, P. "Carl Fabergé," *Connaissance des Arts*, January 1980, p. 80, ill.

A La Vieille Russie, *Fabergé*, 1983, cat. pp. 8, 18, 22, 28.

Coburn, R. S. "Celebrating the Elegant Art of the Master of Eggmanship," *Smithsonian*, April 1983, p. 48, ill. pp. 48, 49.

Swezey, M. P. "Fabergé and the Coronation of Nicholas and Alexandra," *Antiques*, June 1983, p. 1213.

Feifer, T. "Fabergé: Jewel Maker of Imperial Russia," *Art & Antiques*, May/June 1983, p. 90, ill.

von Solodkoff, A. "Ostereier von Fabergé," *Kunst & Antiquitaten*, March/April 1983, p. 65.

Lopato, M. "Fresh Light on Carl Fabergé," *Apollo*, Vol. 119, no. 263, January 1984, pp. 44, 46.

von Solodkoff, A. *Masterpieces from the House of Fabergé*, New York, 1984, pp. 12, 33, 42, 47, 48, 57, 58, 60, 107, 109, 149, ill. pp. 1, 54, 186.

Kelly, M. *Highlights from the Forbes Magazine Galleries*, New York, 1985, pp. 13-14.

von Habsburg, G. *Fabergé* (English edition of Munich 1986/87 catalog), Geneva, 1987, no. 532, cat. pp. 36, 93, 94, 266, 267, ill. p. 266.

James, J. "Fabergé: The Grandest Easter Egg Hunt," *Echelon*, March 1986, p. 14.

Forbes, C. "Imperial Treasures," *Art & Antiques*, April 1986, pp. 56, 86, ill. p. 54.

Riley, N. "Fabergé for the Favoured," *Blue Chip*, August 1986, p. 26, ill.

Lipmann, E. "Les Oeufs de la Passion," *Expression*, July/August 1987, p. 78, ill. pp. 72, 74.

Forbes, C. "Forbes' Fabulous Fabergé," *USA Today*, July 1988, p. 43, ill. p. 38.

von Solodkoff, A. *Fabergé*, London, 1988, pp. 24, 25, 41, 103, 104, ill. pp. 23, 25.

Museum Bellerive, *Carl Fabergé, Kostbarkeiten Russischer Goldschmiedekunst der Jahrhundertwende*, Zurich, 1989, p. 9.

Forrest, M. "The Ultimate Easter Eggs," *Antiques and Collecting*, March 1989, ill. p. 52.

Hill, G. *Fabergé and the Russian Master Goldsmiths*, New York, 1989, pp. 12, 13, 14, 22, 44, 54, ill. pl. no. 17.

Forbes, M. *More Than I Dreamed*, New York, 1989, pp. 220, ill.

Bowater, M. "Imperial Russian Easter Eggs," *The Antique Collector*, Vol. 60, no. 3, March 1989, p. 67.

Moore, A. *Theo Fabergé and the St. Petersburg Collection*, London, 1989, pp. 42, 44, 50, 154.

Davis, J. "The Ultimate Egg," *Alabama Poultry Newsmagazine*, Autumn 1990, p. 23, ill.

Prat, V. "La Collection d'Oeufs de Paques de l'Excentrique Mr. Forbes," *Le Figaro*, April 13, 1990, p. 78, ill. pp. 78, 79.

Kaonis, D. "The Forbes Legacy: The Empire Without Malcolm," *The Inside Collector*, July/August 1990, ill. p. 36 and table of contents page.

Reshetnikova, L. "Surprises From Fabergé," *Sputnik*, October 1990, p. 118.

Cerwinske, L. *Russian Imperial Style*, New York, 1990, p. 142, ill. p. 54.

Pfeffer, S. *Fabergé Eggs: Masterpieces from Czarist Russia*, New York, 1990, pp. 5, 6, 10, 12, 16, 52, ill. p. 17.

Booth, J. *The Art of Fabergé*, New Jersey, 1990, pp. 13, 80, 89, 107, 108, 174, ill. pp. 13, 108.

Manroe, C. O. *Decorative Eggs*, New York, 1992, pp. 81, 82, ill. p. 81.

d'Antras, B. "Fabergé, Au Bonheur des Tsars," *Beaux Arts*, no. 116, October 1993, p. 78.

von Habsbug, G. and Lopato, M. *Fabergé: Imperial Jeweller*, New York, 1993, pp. 41, 71, 163.

Beckett, A. "Rich Man's Toys," *The Antique Collector*, Vol. 65, no. 1, December/January 1993/94, p. 36.

Polak, M. A. "The Great Fabergé Egg Hunt," *Royalty*, March 1995, Vol. 13, no. 8, p. 41, ill. p. 36.

Decker, A. "Still Fabulous Fabergé," *Art & Antiques*, February 1996, p. 53.

Murray, S. "The Forbes Fabergé Egg Collection," *Figurines & Collectibles*, August 1996, pp. 68-71, p. 70, ill.

von Habsburg, G. *Fabergé Fantasies and Treasures*, New York, 1996, p. 19.

von Habsburg, G. *Fabergé in America*, San Francisco, 1996, p. 231.

Fabergé, T., Proler, L., and Skurlov, V. *The Fabergé Imperial Easter Eggs*, London, 1997, no. 1, pp. 6, 7, 8, 10, 15-18, 44, 47, 69, 90, 94, 234, 236, 255, ill. pp. 14, 93, 234.

Welander-Berggren, E., ed./ Nationalmuseum Stockholm, *Carl Fabergé: Goldsmith to the Tsar*, Stockholm, 1997, pp. 13, 63-64, 73, ill. p. 73.

Krog, O. V., ed., *Marie Feodorovna, Empress of Russia*, Copenhagen, 1997, pp. 290, 296.

Rompalske, D. "Jeweler to the Czars," *Biography*, April 1998, pp. 72, 76, ill. p. 76.

Forbes, C. and Tromeur-Brenner, R. *Fabergé: The Forbes Collection*, Southport, 1999, pp. 20, 269, ill. pp. 21, 22.

von Habsburg, G. *Fabergé: Imperial Craftsman and His World*, London, 2000, pp. 15, 158, 192, ill. p. 192.

Lowes, W., and McCanless, C. L. *Fabergé Eggs: A Retrospective Encyclopedia*, London, 2001, pp. 2, 10, 17-21, 44, 122, 145, 147, 152, 247, 255, 258, 259, 260, 261, 262, 263, 267, 270, 271, 275, ill.

de Guitaut, C. *Fabergé in The Royal Collection*, London, 2003, p. 33.

Яйцо «Ренессанс»

The Renaissance Egg

Яйцо «Ренессанс»
The Renaissance Egg

ЯЙЦО «РЕНЕССАНС», ПОДАРОК ИМПЕРАТОРА АЛЕКСАНДРА III СУПРУГЕ, ИМПЕРАТРИЦЕ МАРИИ ФЕДОРОВНЕ НА ПАСХУ 1894 ГОДА; МАСТЕР МИХАИЛ ПЕРХИН, САНКТ-ПЕТЕРБУРГ, ДАТИРОВАНО 1894 ГОДОМ

Ларец в форме яйца из просвечивающего голубовато-молочного агата, лежит горизонтально на овальном золотом основании. Верхняя половина, или «крышка», открывающаяся на шарнире, украшена накладной трельяжной решеткой белой эмали с алмазными и рубиновыми цветами на перекрещениях. Сверху – выложенная алмазами дата «1894» в овале землянично-красной прозрачной эмали в обрамлении стилизованых раковин зеленой эмали, перемежающихся яйцевидным мотивом красной и белой эмали. Нижнее окаймление крышки украшено раковинами прозрачной землянично-красной эмали в промежутках между завитками белой эмали с алмазами. Края створок внутренней стороны яйца, видных при открытой крышке, отделаны растительным бордюром на белом эмалевом фоне. Нижняя створка окаймлена сверху полосой землянично-красной эмали и охвачена снизу поясами из листьев с ягодкой и голубыми раковинами «пряжек». С обоих сторон ларца помещены золотые скульптурные львиные головы с кольцами в зубах. Чеканное основание отделано листьями прозрачной зеленой эмали, чередующихся с цветами красной эмали. *Клейма: инициалы мастера, «Фаберже» русскими буквами, пробирное клеймо 56 (стандарт 14-каратного золота).*

ДЛИНА 13,3 см.

THE RENAISSANCE EGG: A FABERGÉ IMPERIAL EASTER EGG PRESENTED BY EMPEROR ALEXANDER III TO HIS WIFE THE EMPRESS MARIA FEODOROVNA AT EASTER 1894, WORKMASTER MICHAEL PERCHIN, ST. PETERSBURG

The egg-shaped casket carved of translucent bluish gray agate opening horizontally and raised on an oval gold foot, the hinged cover applied with a white-enameled latticework and set with diamond and ruby flowerheads at the intersections, the top with the diamond-set date 1894 on an oval reserve enameled translucent strawberry red, the reserve bordered by green-enameled scallop shells interspaced with red and white enameled ovoids, the lower border of the cover with scallop shells enameled translucent straw-berry red between white enamel scrolls set with diamonds, the cover opening to reveal interior rims engraved with scrolling foliage on a white enamel ground, the diamond-set rim of the lower half enameled translucent strawberry red, the "straps" of the lower half enameled with blue scallop shells and berried green leaves, each end of the casket mounted with a gold lion mask and loose ring handle, with diamond-set clasp, the foot *repoussé* with leaves enameled translucent green interspaced by translucent red enamel bellflowers, *marked with Cyrillic initials of workmaster, Fabergé in Cyrillic and assay mark of 56 standard for 14 karat gold.*

LENGTH 5¼ IN. (13.3 CM)

Яйцо «Ренессанс»
The Renaissance Egg

В счете 1894 года императорское пасхальное яйцо было описано так:
«Яйцо агатовое, оправа золотая, эмальированное в стиле Ренессанс с бриллиантами, розами, жемчужинами и рубинами. Санкт-Петербург, 6 мая 1894 года. 4 750 руб.»[1]

После конфискации Временным правительством оно было продано Всесоюзным объединением «Антиквариат» Арманду Хаммеру за 1500 рублей.

Авторитетный специалист по истории фирмы Фаберже Кеннет Сноумэн впервые охарактеризовал яйцо в стиле ренессанс, или яйцо «Ренессанс» как *«вольную интерпретацию шедевра Ле Роя»*, хранящегося в дрезденской художественной галерее «Зеленые своды», в своей фундаментальной монографии «The Art of Carl Fabergé» [«Искусство Карла Фаберже»].[2] Сноумэн подчеркнул различия между изделием петербургского ювелира и прототипом:
«Сравнивая работу Фаберже с оригиналом Ле Роя, обратите внимание на то, насколько точно следует современный ювелир композиции ларчика. Однако, разглядев в нем намек на яйцевидную форму, он исполняет свое изделие в более изысканной манере, приспосабливая соотношение размеров украшенного трельяжной сеткой оригинала к изящному силуэту яйца, и утяжеляет основание».

Семья Фаберже – бриллиантовых и золотых дел мастер Густав, его жена Шарлотта и их старший сын Петер Карл, – переехала в

The 1894 Imperial Egg is described on its invoice as:
"Agate egg, gold mount, decorated in the Renaissance style, with diamonds, rose-cut diamonds, pearls and rubies. St. Petersburg, May 6, 1894 4750 r." [1]

After its confiscation by the Provisional Government, it was sold by Antikvariat for 1,500 rubles to Armand Hammer.

The Egg in the Renaissance Style, or Renaissance Egg, was first recognized as "based quite frankly on Le Roy's masterpiece in the *Grünes Gewölbe* at Dresden" by the doyen of Fabergé studies, Kenneth Snowman, in his pioneering monograph *The Art of Carl Fabergé*. Snowman points out the differences:
"In comparing Fabergé's work with Le Roy's, note how carefully the modern goldsmith has carried out an almost identical composition in a far lighter vein, by means of a subtle appreciation of the basic egg shape and a careful adjustment of the scales as instanced by the gentle curve added to the trellis pattern, and the more substantial base in relation to the casket as a whole." [2]

The Fabergé family – father Gustav, mother Charlotte and eldest son Peter Carl – moved in 1860 from St. Petersburg to Dresden, the Saxon capital on the Elbe. Carl was confirmed at the Lutheran Kreuzkirche in 1861 and the following year a second son, Agathon, was born. The

Напротив: императрица Мария Федоровна, хромолитография, 139 x 96 мм, около 1881 г.
Opposite: Empress Maria Feodorovna, chromolithograph, 139 x 96 mm, circa 1881

1860 году из Петербурга в Дрезден, столицу Саксонии, на реке Эльбе. В следующем году Карл был конфирмован в лютеранской церкви «Kreuzkirche», а в 1862 в семье появилось прибавление – родился второй сын Агафон. Родители жили в Дрездене до конца своих дней (известно, что Густав скончался там в 1893), а Карл, прослушав курс лекций в дрезденской школе торговли и расширив свои познания во время путешествия во Франкфурт, Флоренцию и Париж, в 1864 году возвратился в Петербург. Младший брат Карла Агафон в двадцатилетнем возрасте решил также переехать в столицу России. Он проработал в фирме Фаберже с 1882 года до своей преждевременной смерти в 1895. Пребывание Карла в Дрездене было относительно кратким. Однако, учитывая его пытливый ум и любознательность, можно с большой долей уверенности предположить, что в столице Саксонии он познакомился с сокровищами художественной галереи «Зеленые своды», находившейся в Королевском замке и открытой для посещения. Нет сомнения, что величайший золотых дел мастер, уроженец Швабии Иоган Мельхиор Динглингер (1664-1731), изделия которого широко представлены в этом знаменитом собрании, был чрезвычайно близок Карлу Фаберже по духу. Шедевры Динглингера, придворного ювелира саксонского курфюрста Августа Сильного, являются прямыми предшественниками произведений Фаберже. К ним можно отнести усыпанные драгоценными камнями статуэтки двора Великого Могола, изготовленные в 1701-1708 годах[3], «Подвиги Геркулеса» (1708-1712) и «Купание Дианы»[4] (1704). Оба ювелира, Динглингер и Фаберже, обладали богатым воображением и изобретательным умом. В галерее «Зеленые своды» Фаберже, безусловно, видел и овальный агатовый ларец Ле Роя, и выполненное в начале XVIII века яйцо с курочкой, которое теоретически могло послужить прототипом для первого пасхального императорского яйца 1885 года.

На Мюнхенской выставке 1986-87 годов[5] появилась возможность сопоставить ларчик Ле Роя и яйцо «Ренессанс», изготовленное в мастерской Фаберже в 1894 году, с ранним клеймом Михаила Перхина. В настоящее время сделаны

parents apparently remained there for the rest of their lives (Gustav died in Dresden in 1893), but after taking a course in commerce at the Dresden Handelsschule and broadening his knowledge on a Grand Tour comprising Frankfurt, Florence and Paris, Carl returned to St. Petersburg in 1864. His brother Agathon aged twenty joined him in St. Petersburg in 1882, where he died prematurely in 1895. Although his stay in Dresden was relatively brief, given Carl Fabergé's inquisitive mind we can safely surmise that while in the Saxon capital he would have become well acquainted with the treasures of the Green Vaults, which were located in the Royal Castle and open to the public. Indeed, the greatest goldsmith and jeweler at the Saxon Court of Elector-King Augustus the Strong, the Swabian-born Johann Melchior Dinglinger (1664-1731), who was well represented in this famed collection, is Fabergé's kindred spirit. In fact, Dinglinger's masterpieces, the myriad jeweled statuettes of the Court of the Grand Moghul of 1701-1708,[3] the Labors of Hercules (1708-1712) and the Bath of Diana of 1704[4] are the direct antecedents of Fabergé's creations. Both artists had similarly fertile minds in which novel ideas were constantly germinating. In the Green Vaults Fabergé would have seen Le Roy's oval agate casket, as well as an early eighteenth century Hen in the Egg, which could theoretically have served as prototype for the 1885 First Egg.

A closer comparison between Le Roy's casket and Fabergé's 1894 Renaissance Egg, which bears Michael Perchin's early hallmark, was made possible at the Munich 1986-87 exhibition.[5] At the time, photographs were taken of the two objects side by side, both closed and open (below). While the similarities are evident when closed, differences appear when comparing the interiors. Fabergé obviously had never handled the prototype, nor seen the interior. Indeed, he may well have relied on a nineteenth-century color reproduction.

There is no mention of the original surprise in Fabergé's invoice of May 6, 1894. Nor is there any mention of a surprise in the 1930 sales list of Antikvariat, when the egg was sold. However, a highly intriguing hypothesis as to the egg's content has most recently been advanced by Christopher Forbes, namely that the Resurrection Egg

*Пасхальное яйцо «Ренессанс» (слева)
и ларец Ле Роя (справа, Дрезденская художественная
галерея «Зеленые своды»)
Renaissance Egg (left) and Le Roy Casket
(right) - Green Vaults, Dresden*

....

*Напротив: император Александр III, хромолитография,
139 x 96 мм, около 1881 г.
Opposite: Emperor Alexander III, chromolithograph,
139 x 96 mm, circa 1881*

Император и императрица, в центре, с семьей
и полковыми офицерами. Архивная фотография

Emperor and Empress, in the center, with family
and regimental officers. Archival photograph

фотографии, на которых эти изделия стоят рядом, как в открытом, так и в закрытом виде (с. 102). Сходство предметов очевидно при рассмотрении их с внешней стороны, однако различие становится явным, если сравнить внутреннее оформление. Ясно, что у Фаберже не было возможности держать в руках прототип и рассматривать его с открытой крышкой. Правда, в своей работе он мог использовать цветную репродукцию XIX века.

В счете фирмы Фаберже от 6 мая 1894 года не указан сюрприз описываемого яйца. Нет также и упоминания о нем в списке ювелирных изделий, продаваемых через «Антиквариат» в 1930 годах, когда это яйцо было куплено. Однако недавно Кристофер Форбс сделал интригующее предположение, что яйцо «Воскресение Христово» и есть тот считавшийся утраченным сюрприз, который скрывался в яйце-ларчике «Ренессанс». В защиту этой гипотезы говорит следующее: на выставке в особняке барона фон Дервиза в 1902 году яйцо «Воскресение Христово» экспонировалось среди ювелирных изделий Фаберже, принадлежавших вдовствующей императрице Марии Федоровне, по всей вероятности, в той же витрине, что и яйцо «Ренессанс». Другие императорские пасхальные яйца демонстрировались рядом с вынутыми из них сюрпризами. Яйцо «Воскресение Христово» упомянуто в списках драгоценностей императрицы Марии Федоровны, составленных в 1917 и 1922 годах. Более того, оба этих изделия очень похожи по стилю исполнения и цветовой гамме. Яйцо «Воскресение Христово» легко вкладывается в выемку яйца «Ренессанс» и имеет эмалевое покрытие со схожим рисунком. В счете, представленном на яйцо «Ренессанс», Фаберже просит оплатить жемчуг, который не используется в отделке этого яйца; однако им украшено яйцо «Воскресение Христово». Ныне покойный Кеннет Сноумэн[6] высказал интуитивное предположение, что идея изготовления яйца «Воскресение Христово» могла быть навеяна замыслом часов из горного хрусталя Генри Хоффмана, изготовленных ок. 1560 г. Сферические часы из горного хрусталя хранятся в той же сокровищнице саксонских курфюрстов, что и прототип яйца «Ренессанс».

ПРИМЕЧАНИЯ

1. Фаберже Т., Пролер Л., Скурлов В. «Императорские пасхальные яйца», с. 116.
2. См. Сноумэн 1953, с. 84
3. Геза фон Габсбург, Г. «Царские сокровища», с. 188-189, 1977
4. Там же, с. 192-193.
5. Английский перевод каталога: Geza von Habsburg, Fabergé, Vendome Press, 1987 [Геза фон Габсбург. *Фаберже*], кат. 538 и 661.
6. Сноумэн А. *Искусство Фаберже*. Faber and Faber, London, 1953. Издание данной книги в США: Boston Book and Art Shop (переиздания с исправлениями и дополнениями в 1962, 1964, 1968), илл. 305.

(p. 114) is in fact its missing surprise. The reasons given are as follows: the Resurrection Egg was almost certainly in the same showcase as the Renaissance Egg at the 1902 von Dervis mansion exhibition among the Dowager Empress' Fabergé objects. Other Imperial eggs too are shown separated from their respective surprises. The Resurrection Egg is also listed among the objects of art belonging to the Dowager Empress in 1917 and 1922. Both are moreover of a very similar style and coloring. The Resurrection Egg perfectly fits the curvature of the Renaissance Egg's shell and has a similar enamel decoration on the base. Fabergé's invoice calls for pearls, which are lacking in the egg, but exist on the Resurrection Egg. The late Kenneth Snowman[5] instinctively pointed out that the Resurrection Egg could well have been inspired by a rock crystal clock by Heinrich Hoffman, circa 1560. This rock crystal globe is in the Saxon Royal collection, as is the prototype for the Renaissance Egg.

NOTES

1. Fabergé/Proler/Skurlov 1997, p. 116.
2. Snowman 1953, p.84.
3. See Géza von Habsburg, *Princely Treasures*, Vendome Press, 1997, p. 188-89.
4. Op. cit., pp. 192-93.
5. Munich 1987, cat. 538 and 661.
6. Snowman 1953/62/64/68, ill. 305.

Император Александр III, императрица Мария
Федоровна с детьми.
Архивная фотография, около 1890 года

*Emperor Alexander III, Empress Maria Feodorovna
and their children. Archival photograph, c. 1890*

Санкт-Петербург, Особняк фон Дервиза, *Благотворительная выставка*, 9-15 марта 1902 г.

Нью-Йорк, Галерея Хаммера, *Русские Императорские Пасхальные подарки*, 1939 г., илл. в ненумерованном каталоге.

Нью-Йорк, A La Vieille Russie, *Петер Карл Фаберже, ювелир и золотых дел мастер Российского Императорского двора*, ноябрь-декабрь, 1949 г., № 123, с.14.

Нью-Йорк, Галерея Хаммера, *Искусство Петера Карла Фаберже*, Императорского ювелира, 28 марта-21 апреля 1951 г., № 156, каталог, с. 26, илл. на с. 23.

Нью-Йорк, A La Vieille Russie, *Искусство Петера Карла Фаберже*, 25 октября-7 ноября 1961 г. № 293, каталог, сс. 16, 92, илл. на с. 90.

Сан-Франциско, Калифорния, Мемориальный музей де Янг, *Фаберже, золотых дел мастер Российского Императорского двора*, 1964 г., № 148, каталог, сс. 38, 59, 60, илл. на сс. 39, 60.

Нью-Йорк, Нью-Йоркский Культурный центр, *Фаберже из коллекции журнала «Форбс»*, 11 апреля-22 мая 1973 г., № 2, с. 10, 28, 110 каталога, илл. на с. 29.

Лондон, Музей Виктории и Альберта, *Фаберже, 1846 – 1920* (по случаю Серебряного юбилея королевы), 23 июня-25 сентября 1977 г., № L15, стр. 74-75 каталога, илл. на с. 81.

Хельсинки, Музей прикладного искусства, *Карл Фаберже и его современники*, 16 марта-8 апреля 1980 г., с. 20 каталога.

Нью-Йорк, A La Vieille Russie, *Фаберже*, 22 апреля-21 мая 1983 г., № 555, сс. 16, 22, 144 каталога, илл. на с. 17.

Форт-Уорт, Техас, Художественный музей Кимбелл, *Фаберже, коллекция журнала «Форбс»*, 25 июня-18 сентября 1983 г., № 188 по списку.

Балтимор, Мэриленд, Балтиморский музей изобразительных искусств, *Фаберже, коллекция журнала «Форбс»*, 22 ноября-15 апреля 1983-84 г., № 75 по списку.

Детройт, Мичиган, Художественный институт Детройта, *Фаберже, коллекция журнала «Форбс»*, 27 июня-12 августа 1984 г., № 133 по списку.

Мюнхен, Выставочный зал Фонда культуры, *Фаберже, царский ювелир*, 5 декабря-8 марта 1986/87 г., № 538, сс. 71, 94, 95, 102, 272 илл. на с. 272.

Лугано, Коллекция Тиссен-Борнемиса, Вилла Фаворита, *Фантазии Фаберже, из коллекции журнала «Форбс»*, 14 апреля-7 июня 1987 г., № 117, сс. 16, 18, 108, 109 каталога, илл. на с. 108, 109.

Париж, Музей Жакмар-Андре, *Фаберже, ювелир царского двора*, 17 июня-31 августа 1987 г., № 117, сс. 12, 14, 104, 105 каталога, илл. на сс. 104, 105.

Лондон, Королевская Академия художеств, Ярмарка Дома Берлингтон, 1987 г., (без каталога).

Лондон, Эрмитаж, *Императорские подарки Фаберже*, 8-15 сентября, 1987 г., (без каталога).

Сан-Диего, Калифорния, Музей искусств Сан-Диего / Москва, Оружейная Палата, Государственные Музеи Московского Кремля, *Фаберже: Императорские Пасхальные яйца*, 1989/90 г., № 4, с. 13, 22 каталога, илл. на сс. 40, 41, 89, 96.

Сан-Франциско, Калифорния, Мемориальный музей де Янг / Ричмонд, Виржиния, Музей изобразительных искусств / Новый Орлеан, Луизиана, Музей искусств Нового Орлеана / Кливленд, Огайо, Музей искусств Кливленда, *Фаберже в Америке*, 1996/97 г., № 283, сс. 230, 263 каталога, илл. на с. 262.

Чарльстон, Южная Каролина, Фонд Мидлтон Плэйс, *Шедевры в золоте*, 24 июля-12 ноября, 2000 г., (без каталога).

Тусон, Аризона, Тусонское Общество геммологии и минералогии в Центре Конвенций Тусона, *Фаберже*, 8-11 февраля, 2001г., илл. на стр. 9.

Балтимор, Мэриленд, Музей изобразительных искусств Уолтерс / Художественный музей, Колумбус, Огайо, *Зверинец Фаберже*, 2003/04 г., с. 77 каталога, илл. на с. 76.

St. Petersburg, von Dervis Mansion, *Charity Exhibition*, March 9-March 15, 1902.

New York, Hammer Galleries, *Imperial Russian Easter Gifts*, 1939, ill. in unnumbered catalogue.

New York, A La Vieille Russie, *Peter Carl Fabergé, Goldsmith and Jeweler to the Russian Imperial Court*, November-December 1949, no. 123, p. 14.

New York, Hammer Galleries, *A Loan Exhibition of the Art of Peter Carl Fabergé, Imperial Court Jeweller*, March 28-April 21, 1951, no. 156, cat. p. 26, ill. p. 23.

New York, A La Vieille Russie, *The Art of Peter Carl Fabergé*, October 25-November 7, 1961, no. 293, cat. pp. 16, 92, ill. p. 90.

San Francisco, California, M. H. de Young Memorial Museum, *Fabergé, Goldsmith to the Russian Imperial Court*, 1964, no. 148, cat. pp. 38, 59, 60, ill. p. 39, 60.

New York, The New York Cultural Center, *Fabergé from the Forbes Magazine Collection*, April 11-May 22, 1973, no. 2, cat. pp. 10, 28, 110, ill. p. 29.

London, Victoria and Albert Museum, *Fabergé: 1846-1920* (held on the occasion of the Queen's Silver Jubilee), June 23-September 25, 1977, no. L15, cat. pp. 74-75, ill. p. 81.

Helsinki, The Museum of Applied Arts, *Carl Fabergé and His Contemporaries*, March 16-April 8, 1980, cat. p. 20.

New York, A La Vieille Russie, *Fabergé*, April 22-May 21, 1983, no. 555, cat. pp. 16, 22, 144, ill. p. 17.

Fort Worth, Texas, The Kimbell Art Museum, *Fabergé, The Forbes Magazine Collection*, June 25-September 18, 1983, checklist no. 188.

Baltimore, Maryland, The Baltimore Museum of Fine Art, *Fabergé, The Forbes Magazine Collection*, November 22, 1983-April 15, 1984, checklist no. 75.

Detroit, Michigan, The Detroit Institute of Arts, *Fabergé, The Forbes Magazine Collection*, June 27-August 12, 1984, checklist no. 133.

Munich, Kunsthalle der Hypokulturstiftung, *Fabergé, Juwelier der Zaren*, December 5, 1986-March 8, 1987, no. 538, cat. pp. 71, 94, 95, 102, 272, ill. p. 272.

Lugano, The Thyssen-Bornemisza Collection, Villa Favorita, *Fabergé Fantasies from the Forbes Magazine Collection*, April 14-June 7, 1987, no. 117, pp. 16, 18, 108, 109, ill. pp. 108, 109.

Paris, Musée Jacquemart-André, *Fabergé, Orfèvre à la Cour des Tsars*, June 17-August 31, 1987, no. 117, pp. 12, 14, 104, 105, ill. pp. 104, 105.

London, The Royal Academy of Arts, The Burlington House Fair, September 1987 (no cat.).

London, Ermitage, *Fabergé Imperial Presents*, September 8-15, 1987 (no cat.).

San Diego, California, San Diego Museum of Art/ Moscow, Armory Museum, State Museums of the Moscow Kremlin, *Fabergé: The Imperial Eggs*, 1989/90, no. 4, cat. pp. 13, 22, ill. pp. 40, 41, 89, 96.

San Francisco, California, H. M. De Young Memorial Museum/ Richmond, Virginia, Museum of Fine Art/New Orleans, Louisiana, New Orleans Museum of Art/Cleveland, Ohio, The Cleveland Museum of Art, *Fabergé in America*, 1996/7, no. 283, cat. pp. 230, 263, ill. p. 262.

Charleston, South Carolina, Middleton Place Foundation, *Masterpieces in Gold*, July 24-November 12, 2000 (no cat.).

Tucson, Arizona, Tucson Gem and Mineral Society at the Tucson Convention Center, *Fabergé*, February 8-February 11, 2001, p. 9, ill.

Baltimore, Maryland, Walters Art Museum/Columbus, Ohio, Columbus Museum of Art, *The Fabergé Menagerie*, 2003/2004, cat. p. 77, ill. p. 76.

Bainbridge, H. C. *Peter Carl Fabergé: Goldsmith and Jeweller to the Russian Imperial Court*, London, 1949/66, ill. plate no. 63/64.

Snowman, A. K. *The Art of Carl Fabergé*, 1953/55/62/64/68/74, pp. 44, 84, ill. colorplate LXXII.

Forbes Magazine, 1967, p. 44, ill.

von Habsburg, G. "Carl Fabergé: Die Glanzvolle Welt Eines Koniglichen Juweliers," *Du*, December 1977, p. 80, ill. p. 61.

Waterfield, H. and Forbes, C. *Fabergé Imperial Eggs and Other Fantasies*, New York, 1978, no. 4, pp. 13, 20, 22, 112, 116, 130, 132, 133, 135, 139, ill. pp. 21, 116, cover.

Forbes, C. "Fabergé Imperial Easter Eggs in American Collections," *Antiques*, Vol. CXV, no. 6, June 1979, pp. 1236, 1237, ill. plate XV.

Poindexter, J. "A Collection of Imperial Splendors," *United Mainliner*, October 1979, p. 66, ill.

Snowman, A. K. *Carl Fabergé, Goldsmith to the Imperial Court of Russia*, London 1979, p. 94, ill.

von Habsburg, G. and von Solodkoff, A. *Fabergé, Court Jeweler to the Tsars*, New York, 1979/84, pp. 107, 117, 157, ill. pl. no. 137, index as pl. 17, dust jacket (1984 edition).

Brown, E. "When Easter Time was Fabergé Time," *The New York Times Magazine*, April 15, 1979, p. 64, ill.

The Museum of Applied Arts, *Carl Fabergé and his Contemporaries*, Helsinki, 1980, cat. p. 20.

Forbes, C. *Fabergé Eggs, Imperial Russian Fantasies*, New York, 1980, pp. 5, 7, 30, 61, ill. pp. 31, and unnumbered page.

Gibney, T. A. "Fabulous Fabergé," *Chubb Circle*, October/November 1980, p. 20, ill. p. 21.

Banister, J. "Rites of Spring," *Art and Antiques Weekly*, April 5, 1980, p. 38.

von Solodkoff, A. "Ostereier von Fabergé," *Kunst & Antiquitaten*, March/April 1983, p. 65, ill. p. 61.

Coburn, R. S. "Celebrating the Elegant Art of the Master of Eggmanship," *Smithsonian*, April 1983, p. 52, ill. p. 48.

von Solodkoff, A. *Masterpieces from the House of Fabergé*, New York, 1984, pp. 12, 61, 107, ill. pp. 68, 186.

Kelly, M. *Highlights from the Forbes Magazine Galleries*, New York, 1985, p. 14.

James, J. "Fabergé: The Grandest Easter Egg Hunt," *Echelon*, March 1986, ill. p. 12.

Riley, N. "Fabergé for the Favoured," *Blue Chip*, August 1986, ill. p. 26.

von Habsburg, G. *Fabergé* (English book edition of Munich 1986/87 catalogue), Geneva, 1987, cat. 538, pp. 94, 95, 102, 272, ill. p. 272.

Forbes, C. "A Letter on Collecting Fabergé," *The Burlington Magazine*, September 1987, no. 6, p. 11, ill. p. 14.

Greenspan, S. "Le Collectionneur," *Vogue Decoration*, April 1987, p. 160.

de la Brosse, S. "The Czar's Golden Eggs," *Paris Match*, May 1987, p. 92, ill. p. 93.

Клеймо «Фаберже»
Fabergé marks on the rim

Lipmann, E. "Les Oeufs de la Passion," *Expression*, July/August 1987, p. 78, ill. pp. 72, 75.

Forbes, C. "Forbes' Fabulous Fabergé," *USA Today*, July 1988, p. 36, ill. p. 38.

von Solodkoff, A. *Fabergé*, London, 1988, pp. 14, 31, 34, 41, ill. p. 14.

Moore, A. *Theo Fabergé and the St. Petersburg Collection*, London, 1989, pp. 48, 50, 154.

Forbes, M. *More Than I Dreamed*, New York, 1989, pp. 220, ill.

Hill, G. *Fabergé and the Russian Master Goldsmiths*, New York, 1989, pp. 14, 56, ill. pl. nos. 24-25 and title page.

Reshetnikova, L. "Surprises From Fabergé," *Sputnik*, October 1990, ill. p. 118.

Prat, V. "La Collection d'Oeufs de Paques de l'Excentrique Mr. Forbes," *Le Figaro*, April 13, 1990, p. 87, ill. pp. 86, 87.

Kaonis, D. "The Forbes Legacy: The Empire Without Malcolm," *The Inside Collector*, July/August 1990, p. 36, ill. p. 36 and table of contents page.

Cerwinske, L. *Russian Imperial Style*, New York, 1990, p. 54, ill.

Pfeffer, S. *Fabergé Eggs: Masterpieces from Czarist Russia*, New York, 1990, pp. 30, 32, ill. pp. 31, 33.

Booth, J. *The Art of Fabergé*, New Jersey, 1990, pp. 89, 90, 108, ill. pp. 89, 108, cover.

Mukhin, V. *The Fabulous Epoch of Fabergé*, Moscow, 1992, p. 67.

von Habsburg, G. and Lopato, M. *Fabergé: Imperial Jeweller*, New York, 1993, pp. 42, 158, 164.

von Habsburg, G. "When Russia Sold Its Past" *Art & Auction*, Vol. 17, no. 8, March 1995, p. 96, ill.

Polak, M. A. "The Great Fabergé Egg Hunt," *Royalty*, March 1995, Vol. 13, no. 8, p. 36, ill.

Murray, S. "The Forbes Fabergé Egg Collection," *Figurines & Collectibles*, August 1996, p. 70, ill.

von Habsburg, G. *Fabergé Fantasies and Treasures, New York*, 1996, p. 20, ill. plate 2.

von Habsburg, G. *Fabergé in America*, San Francisco, 1996, 230, 263, ill. p. 262.

Murray, S. "The Forbes Fabergé Egg Collection," *Figurines & Collectibles*, August 1996, p. 70, ill.

Fabergé, T., Proler, L., and Skurlov, V. *The Fabergé Imperial Easter Eggs*, London, 1997 no. 10, pp. 10, 51, 55, 69, 90, 116-117, 235, 240, 262, ill. pp. 54, 117, 235.

Welander-Berggren, E., ed./Nationalmuseum Stockholm, *Carl Fabergé: Goldsmith to the Tsar*, Stockholm, 1997, p. 13.

Rompalske, D. "Jeweler to the Czars," *Biography*, April 1998, p. 76.

Forbes, C. and Tromeur-Brenner, R. *Fabergé: The Forbes Collection*, Southport, 1999, pp. 30, 270, ill. pp. 31, 32.

von Habsburg, G. *Fabergé: Imperial Craftsman and His World*, London, 2000, pp. 16, 37, 38, 159, ill. p. 38.

Lowes, W., and McCanless, C. L. *Fabergé Eggs: A Retrospective Encyclopedia*, London, 2001, pp. 38-42, 95, 252, 253, 254, 256, 258, 261, 262, 263, 265, 269, 273, ill.

Horowitz, D., ed./Walters Art Museum, *The Fabergé Menagerie*, London, 2003, pp. 11, 12, 14, 22, 77, ill. p. 76.

Яйцо «Воскресение Христово»
The Resurrection Egg

Яйцо «Воскресение Христово»
The Resurrection Egg

ЯЙЦО «ВОСКРЕСЕНИЕ ХРИСТОВО», ЗОЛОТО С ЭМАЛЬЮ, ГОРНЫМ ХРУСТАЛЕМ И ДРАГОЦЕННЫМИ КАМНЯМИ, МАСТЕР МИХАИЛ ПЕРХИН, САНКТ-ПЕТЕРБУРГ, ДО 1899 ГОДА

Христос представлен стоящим над гробницей с двумя коленопреклоненными фигурами ангелов по сторонам. Одеяния выполнены белой эмалью. Группа помещена на овальной площадке, окаймленной алмазами и поддержи-ваемой снизу рифленой ножкой, декорированной череду-ющейся белой и прозрачной земляничной эмалью. Вся композиция заключена в прозрачную яйцеобразную емкость из горного хрусталя, обведенную по вертикали алмазным бордюром. Яйцо поставлено на четырех-частную ножку, с многоцветным эмалевым орнаментом в стиле Возрождения, с четырьмя жемчужинами у основания и одной, большего размера, – на перехвате ножки. *Клейма: инициалы мастера-исполнителя, «Фаберже» русскими буквами, пробирное клеймо 56 (стандарт 14-каратного золота).*

ВЫСОТА 9,8 СМ.

THE RESURRECTION EGG: A FABERGÉ GOLD, ENAMEL, ROCK-CRYSTAL AND JEWELED EASTER EGG, WORKMASTER MICHAEL PERCHIN, ST. PETERSBURG, PRE-1899

The figure of Christ depicted standing above the tomb which is flanked by two kneeling angels, each figure naturalistically enameled, the robes enameled white, raised on an oval base bordered by diamonds, the underside with radiating flutes alternately enameled white and translucent strawberry red, the whole contained within a rock-crystal egg-form shell with a vertical diamond-set band raised on a domed quatrefoil foot enameled with multicolored scrolls in Renaissance style and with diamond-set ribbons and mounted with four pearls, the pearl stem with a border of diamonds, *marked with Cyrillic initials of workmaster, Fabergé in Cyrillic and assay mark of 56 standard for 14 karat gold.*

HEIGHT 3⅞ IN. (9.8 CM)

На яйце «Воскресение Христово» стоит раннее клеймо главного мастера Михаила Перхина[1] и пробирное клеймо, которое ставилось в петербургской ювелирной мастерской Фаберже до 1899 года. Это сочетание позволяет отнести яйцо к периоду от 1884 до 1894 года. На яйце не имеется инвентарного номера фирмы Фаберже.

Генерал-майор Ерехович, управляющий Аничковым дворцом, 14-20 сентября составлял список драгоценностей вдовствующей императрицы Марии Федоровны, чтобы в целях безопасности отправить их в Москву. Среди описаний вещей, многие из которых легко распознаются, он упомянул «маленькое хрустальное яйцо с фигурками внутри на золотой подставке с 8 бриллиантами, алмазами огранки «роза» и жемчужинами»[2]. Внешний вид яйца «Воскресение Христово» совпадает с этим описанием.

В ночь с 15 на 16 сентября 1917 года из Петрограда в Москву отправился железнодорожный состав в 40 вагонов, наполненных императорскими сокровищами, среди которых было 84 ящика с вещами вдовствующей императрицы из Аничкова дворца. Все ценности, вывезенные из столицы, были помещены на хранение в подвалы кремлевской Оружейной палаты. Данное яйцо вновь появилось в инвентарной описи конфискованных драгоценностей, составленной в 1922 году при передаче их из Оружейной палаты Кремля в Совнарком. Ему соответствовала запись: «*хрустальное яйцо с фигурками внутри на золотой подставке с 8 бриллиантами, алмазами огранки «роза» и жемчужинами*»[3].

The Resurrection Egg bears the early hallmark of head workmaster Michael Perchin[1] and the assay marks of St. Petersburg before 1899, a combination of marks dating it to between 1884 and about 1894. The egg is not inscribed with a Fabergé inventory number.

From September 14 to September 20, 1917 Major General Yerekhovich, chief director in charge of the Anichkov Palace, drew up a list of the Dowager Empress's treasures to be dispatched to Moscow for safekeeping. Among the descriptions, many of which are easily identifiable, he lists "*a small crystal egg with figures inside, on a gold stand with eight diamonds, rose-cut diamonds, and pearls,*"[2] a description which fits the Resurrection Egg.

On September 15-16, 1917 a train of forty cars full of Imperial treasure, including eighty-four cases from the Dowager Empress's Anichkov Palace, departed from Petrograd for Moscow. All the treasures from the capital were stored in the basement of the Kremlin Armory. The present object reappears in a 1922 inventory of confiscated treasure established at the time of a transfer from the Kremlin Armory to Sovnarkom as: "*a crystal egg containing figures on gold stand with 8 diamonds, rose-cut diamonds and pearls.*"[3]

The Resurrection Egg has, until recently, been unanimously considered as one of the eggs given by Tsar Alexander III to his wife, Maria Feodorovna. It was exhibited as such at the pioneering Victoria and Albert exhibition in 1977 organized by the late Kenneth Snowman. It was also published as an Imperial egg by all recognized specialists including Snowman (1953, 1962, 1964, 1972, 1979), Habsburg (1979, 1987, 1993, 1996), Solodkoff (1979, 1984, 1988, 1995) and Hill (1989).

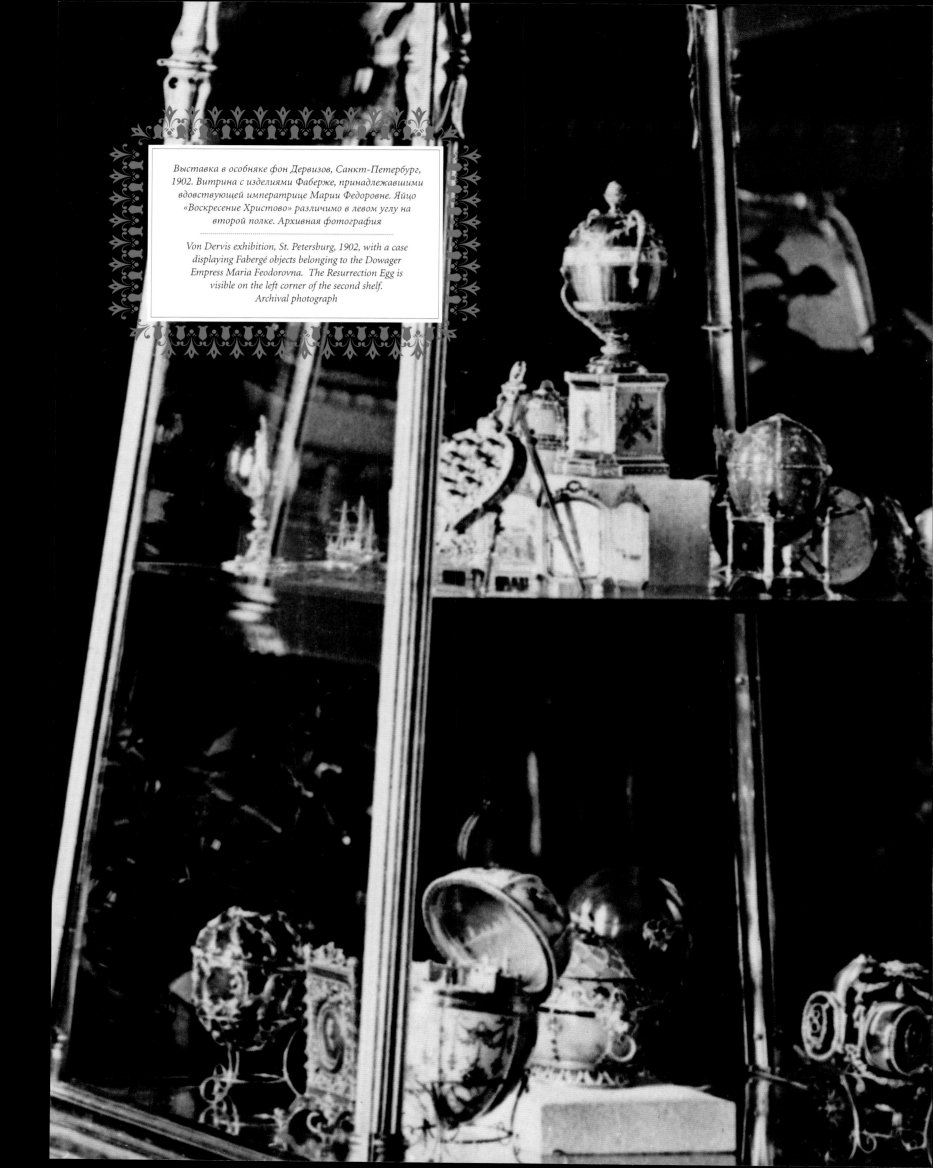

Выставка в особняке фон Дервизов, Санкт-Петербург, 1902. Витрина с изделиями Фаберже, принадлежавшими вдовствующей императрице Марии Федоровне. Яйцо «Воскресение Христово» различимо в левом углу на второй полке. Архивная фотография

Von Dervis exhibition, St. Petersburg, 1902, with a case displaying Fabergé objects belonging to the Dowager Empress Maria Feodorovna. The Resurrection Egg is visible on the left corner of the second shelf. Archival photograph

Все исследователи до последнего времени считали яйцо «Воскресение Христово» одним из подарков, который император Александр III сделал на пасху своей супруге императрице Марии Федоровне. В таком качестве оно демонстрировалось на организованной ныне покойным Кеннетом Сноумэном первой большой выставке изделий Фаберже в Музее Виктории и Альберта в 1977 году. Оно было описано как одно из императорских пасхальных яиц всеми авторитетными специалистами, включая Сноумэна (1953, 1962, 1964, 1972, 1979), доктора Гезу фон Габсбурга (1979, 1987, 1993, 1996), Александра Солодкова (1979, 1984, 1988, 1995) и Хилла (1989).

Яйцо не рассматривалось как императорское пасхальное Мариной Лопато[4], поскольку оно не встретилось среди первых пяти яиц, изготовленных с 1885 по 1890 год в списке, составленном служащим кабинета императорского двора Н. Петровым. Яйцо «Воскресение Христово» не было включено и в перечень императорских пасхальных яиц Т.Фаберже, Л. Пролер и В. Скурлова (издание 1997 года), поскольку авторы книги не нашли его следов в счетах императорского кабинета. В их исчерпывающем списке для него нет места[5].

Однако это яйцо, видимо, экспонировалось на выставке изделий Фаберже 1902 года в особняке фон Дервизов в пирамидальной витрине, содержавшей большое количество легко узнаваемых предметов из коллекции вдовствующей императрицы. На старинных фотографиях можно различить яйцо с бриллиантовой сеткой (на верхней полке, сейчас в частной коллекции США), настольные часы, выполненные в манере Джеймса Кокса (на второй полке – ныне находятся в художественной галерее Уолтера (в Балтиморе), и ювелирное изделие чрезвычайно похожее на описываемое яйцо «Ренессанс», выставленное на второй полке витрины.

Недавно Кристофер Форбс сделал интригующее предположение, что яйцо «Воскресение Христово» и есть тот считавшийся утраченным сюрприз, который скрывался в яйце «Ренессанс» (с. 96). Предположение можно подтвердить тем фактом, что на выставке 1902 года яйцо «Воскресение Христово» экспонировалось в витрине, где сюрпризы были вынуты из пасхальных яиц. Более того, оба этих изделия очень похожи по стилю исполнения и цветовой гамме, а размер яйца «Воскресение Христово» в точности соответствует внутреннему объему яйца «Ренессанс». В счете Фаберже на яйцо «Ренессанс» упоминается жемчуг, который мог быть использован только для изготовления его сюрприза. Это художественное произведение не имеет инвентарного номера, и поэтому его можно рассматривать как императорский подарок. Такое предположение объясняет, почему яйцо «Воскресение Христово» не входило в общий перечень императорских пасхальных яиц.

Генри Бейнбридж, первый биограф Фаберже, мог видеть яйцо «Воскресение Христово» во время продаж на аукционе Кристи

The egg has not been accepted as Imperial by Marina Lopato,[3] because it does not appear on a list of the five first eggs from 1885 to 1890 established by the Imperial Cabinet member Petrov. The Resurrection Egg has also been excluded from the list of Imperial eggs by Fabergé/Proler/Skurlov (1997), as there is no trace of it among the invoices of the Imperial Cabinet. Their comprehensive list allows no space for this egg.[4]

It would however seem that the Resurrection Egg was included in the 1902 von Dervis Mansion Fabergé exhibition, displayed in a pyramid-shaped showcase containing a number of recognizable objects from the collection of the Dowager Empress (illustration opposite). Visible objects include the Diamond Trellis Egg (top shelf, Private Collection USA); the Table Clock in the manner of James Cox (second shelf – Walters Art Gallery, Baltimore) and the Renaissance Egg. An object with an outline strongly resembling the present egg appears on the second shelf.

A highly intriguing hypothesis has recently been advanced by Christopher Forbes, namely that the Resurrection Egg is in fact the surprise originally contained in the Renaissance Egg (p. 96). This would account for its being shown in the same showcase at the 1902 exhibition, where surprises have been separated from their eggs. Moreover, style and coloring of both objects are virtually identical and the size of the Resurrection Egg perfectly fits the curvature of the egg. The invoice of the Renaissance Egg mentions a pearl, which is not accounted for unless it was part of the surprise. This work of art does not bear an inventory number, which speaks in favor of an Imperial presentation, a hypothesis which would explain why the Resurrection Egg is not included in the generally accepted list of Imperial eggs.

Henry Bainbridge, Fabergé's first biographer, must have seen the Resurrection Egg at a sale at Christie's in London (March 15, 1934), but passed it over in silence while mentioning the Hen Egg as the sole Imperial egg in the sale.[5] However, it should be noted that Bainbridge was occasionally an unreliable witness, in one instance listing Cartier objects as being by Fabergé.[6]

The style of this egg is distinctly neorenaissance, with its jeweled cloisonné enamel decoration. Kenneth Snowman [7] compares it to a globe-shaped rock crystal clock by Heinrich Hoffman in the Green Vaults. The formal Renaissance style was used by Fabergé chiefly for royal presentation pieces and is almost exclusively associated with the workshop of second head workmaster Michael Perchin. One of the best-known objects in this style is the nephrite tray presented by the Dutch Colony of St. Petersburg to Queen Wilhelmina of the Netherlands in 1901.[8] Another is the rock crystal dish presented by the Nobility of St. Petersburg to Nicholas and Alexandra at the occasion of their Coronation in 1896.[9] Yet another is the rock crystal vase given by Leopold de Rothschild to King George V and Queen Mary at their Coronation in 1911.[10]

The Neo-Renaissance style became popular in Europe in the 1880s, as

Императрица Мария Федоровна. Архивная фотография, около 1885 г.
Empress Maria Feodorovna. Archival photograph, circa 1885

Фотография императора Александра III с подписью в правом нижнем углу «Саша. 1893»
Photograph of Emperor Alexander III, signed in the lower right corner "Sacha. 1893"

в Лондоне (15 марта 1934), но он обошел его молчанием, в то время как яйцо с курочкой он назвал единственным императорским пасхальным яйцом на торгах[6]. Однако, надо принять во внимание, что свидетельству Бейнбриджа нельзя доверять полностью, так как однажды он упомянул изделие Картье в качестве изготовленного в мастерской Фаберже[7].

Описываемое яйцо с украшением перегородчатой эмали и драгоценных камней, бесспорно, выполнено в стиле нео-ренессанс. Кеннет Сноумэн[8] сравнивает его с часами мастера Генриха Хофмана в форме сферы из горного хрусталя, которые хранятся в галерее «Зеленые своды». В ярко выраженном виде стиль Ренессанс использовался Фаберже в основном для царских подарков; изготовлением таких вещей занимался обычно Михаил Перхин, владелец мастерской в фирме Фаберже. Одним из самых известных предметов в этом стиле является нефритовый поднос, подаренный голландской колонией в Петербурге королеве Нидерландов Вильгельмине в 1901 году[9]. Еще одним примером изделия такого рода можно считать блюдо из горного хрусталя, поднесенное петербургским дворянским собранием императору Николаю II и императрице Александре Федоровне по поводу их коронации в 1896 году[9]. Хрустальная ваза в стиле Ренессанс была подарена Леопольдом де Ротшильдом королю Георгу V и королеве Марии в 1911 году, в день коронации[10].

Стиль нео-ренессанс приобрел популярность в Европе в 1880-е годы, что отчетливо выразилось в работах ювелиров Альфонса Фуке[11], Эмиля Фроме-Мориса[12] и других. Михаил Перхин (1860-1903), приступивший к работе в мастерской Фаберже в 1884 году, вскоре стал ведущим мастером. Он успешно использовал многие исторические стили практически сразу после их появления в изделиях парижских законодателей моды – начиная от неорококо, подражания японскому искусству и модерна до неоклассического стиля и ампира. В отличие от большинства мастеров фирмы Фаберже, которые были выходцами из Финляндии, Перхин происходил из русских крестьян и был самоучкой[13]. Получив практические навыки в мастерской Эрика Коллина, ведущего мастера фирмы Фаберже, он быстро достиг высоких результатов, особенно в технике прозрачных эмалей. Главный мастер фирмы Фаберже Франц Бирбаум впоследствии писал о нем: *«Соединяя в себе громадную трудоспособность, знание дела и настойчивость в преследовании определенных технических задач, он высоко ценился фирмой и пользовался редким авторитетом среди подмастерьев. За короткий, сравнительно, срок, он нажил порядочное состояние, но, не успел им воспользоваться и умер в больнице для душевнобольных в 1903 году»*[14].

seen in the jewelry of Alphonse Fouquet,[11] Émile Froment-Meurice[12] and others of this period. Michael Perchin (1860-1903), who joined Fabergé's workshop in 1884, becoming its head workmaster soon thereafter, adopted the majority of historical styles soon after they made their appearance in trend-setting Paris – from Neo-Rococo, Japonisme and Art Nouveau to Neo-Classical and Empire. As opposed to the large majority of Fabergé's workmasters who were of Finnish origin, Perchin came of Russian peasant stock and was apparently self-taught.[13] Trained in the workshop of Erik Kollin, Fabergé's first head workmaster, he rapidly acquired technical expertise, especially in translucent enamels. Fabergé's chief designer, François Birbaum, would later write of him:

"His personality combined with tremendous capacity for work, profound knowledge of his craft and persistence in solving certain technical problems. [Perchin] was highly esteemed by the House and enjoyed a rare authority over his apprentices. Over a relatively short period of time he made a considerable fortune, but had no opportunity to enjoy it, because he died in a lunatic asylum in 1903."[14]

The Resurrection Egg/Surprise was confiscated by the Provisional Government in 1917, sold by the Sovnarkom, the Council of People's Commission, to a Mr. Derek, then sold by a Mr. Frederick Berry at Christie's in London on March 15, 1934, lot 86, catalogued as a Reliquary and illustrated as frontispiece in the catalogue, for £110 against a reserve price of 75 guineas to a Mr. R. Suenson-Taylor (later Lord Grantchester).

A reliquary of similar shape by Fedor Afanassiev with silver-gilt figures of the risen Christ flanked by two angels is in the Maryhill Art Museum, Goldendale, Washington.

Яйцо «Воскресение Христово» было конфисковано Временным правительством в 1917 году, продано Совнаркомом (Советом народных комиссаров) некоему господину Дереку. Позже, 15 марта 1934 года, Фредерик Берри выставил его на продажу на аукционе «Кристи» в Лондоне, лот 86. В каталоге оно было описано как гробница Христа, и его изображение поместили на фронтисписе. При стартовой цене около 75 гиней яйцо было куплено за 110 фунтов стерлингов господином Р. Суинсон-Тейлором (позднее лорд Гранчестер).

Гробница аналогичной формы, выполненная Федором Афанасьевым, с фигурами воскресшего Христа и двух ангелов из серебра с позолотой находится в Музее изобразительных искусств Мэрихилл в г. Голдендэйл, штат Вашингтон.

ПРИМЕЧАНИЯ

1. Существуют два различных клейма с инициалами главного мастера Михаила Перхина. По-видимому, он применял клеймо с «рукописными» буквами с 1884 по 1894 год. С 1894 по 1903 год он использовал клеймо с более четкими инициалами с точкой между ними.

2. Мунтян Т. «Фаберже в Кремле»; в каталоге выставки *Фаберже: Ювелир царского двора*. Kunstgewerbemuseum, Гамбург, 1995, с. 25.

3. Лопато, М. «Новое о Фаберже» в журнале Apollo, январь 1984, № 263, с. 45.

4. Фаберже Т., Пролер Л., Скурлов В., 1997, с. 79.

5. Два письма, адресованные Евгению Фаберже, от 11 и 13 марта 1934 года. Фаберже Т., Пролер Л., Скурлов В. *Императорские пасхальные яйца*. Christie's Books, 2000, с. 79.

6. См. каталог выставки *Фаберже/Картье: соперники при царском дворе*. Kunsthalle der Hypokulturstiftung, Мюнхен 2003, кат. 695.

7. Сноумэн А. К. *Искусство Фаберже*. Faber and Faber, London, 1953. Издание данной книги в США: Boston Book and Art Shop (переиздания с исправлениями и дополнениями в 1962, 1964, 1968), илл. 305.

8. фон Габсбург, Геза, фон Солодкофф, А. *Фаберже, придворный ювелир царей*. Фрибург, 1979, илл. 45.

9. Каталог выставки *Фаберже: Придворный ювелир*. Kunsthalle der Hypokulturstiftung, Мюнхен, 1986-87, кат. 282.

10. Там же, кат. 279.

11. Выставка в Мюнхене в 1989 г. (Pariser Schmuck), кат. 47.

12. Там же, кат. 32.

13. Биография Перхина изложена в Wilmington 2003 [Каталог выставки *Фаберже. Придворный ювелир и его мир*. Уилмингтон, Делавэр кат. 311-442.

14. Фаберже Т., Скурлов В. *История Дома Фаберже*. Санкт-Петербург, 1992.

NOTES

1. There are two types of hallmarks with the initials of head workmaster Michael Perchin. His "cursive" mark seems to cover the period from 1884 to about 1894; a more precise mark with a dot between the cyrillic letters M.P. indicates the period from about 1894 to 1903.

2. Tatiana Muntian, "Fabergé im Kreml," in *Hamburg*, 1995, p. 25.

3. Marina Lopato, "Fresh Light on Carl Fabergé" in *Apollo*, January 1984, p. 45.

4. Fabergé/Proler/Skurlov 1997, p. 79.

5. Two letters addressed to Eugène Fabergé dated March 11 and 13, 1934 (see Fabergé/Proler/Skurlov 1997, p. 79).

6. See Munich 2003, cat. 695.

7. Snowman 1953/62/64/68, ill. 305.

8. Habsburg/Solodkoff 1979, pl. 45.

9. Munich 1986/7, cat. 282.

10. Munich 1986/7, cat. 279.

11. Munich 1989 (*Pariser Schmuck*), cat. 47.

12. Op. cit., cat. 32.

13. For Perchin's biography and work, see Wilmington 2003, p. 158f. and cat. 311-442.

14. Fabergé/Skurlov 1992, p. 9.

ПРОВЕНАНС

Императрица Мария Федоровна

"Кристи", Лондон, 15 марта 1934 г.,
с. 16 каталога, илл. на фронтисписе.

Леди Грантчестер

A La Vieille Russie, Нью-Йорк

Коллекция семьи Форбс,
Нью-Йорк

PROVENANCE

⚜ Empress Maria Feodorovna

Christie's, London, March 15, 1934,
lot 86, cat. p. 16, ill. on frontispiece

Lady Grantchester

A La Vieille Russie, New York

The Forbes Collection, New York
⚜

ВЫСТАВКИ

Лондон, Вартски, *Выставка работ
Карла Фаберже, приуроченная ко
дню коронации*, 20 мая – 13 июня
1953 г., № 157, с. 16 каталога.

Лондон, Музей Виктории и
Альберта, *Фаберже, 1846 – 1920* (по
случаю Серебряного юбилея
королевы), 23 июня – 25 сентября
1977 г., № O4, илл. на с. 95.

Нью-Йорк, A La Vieille Russie,
Фаберже, 22 апреля – 21 мая 1983 г.,
№ 553, сс. 18, 29, 141 каталога, илл.
на с. 141.

EXHIBITED

⚜ London, Wartski, *Special Coronation
Exhibition of the Work of Carl Fabergé*,
May 20-June 13, 1953, no. 157,
cat. p. 16.

London, Victoria and Albert Museum,
Fabergé: 1846-1920 (held on the occasion of the Queen's Silver Jubilee),
June 23-September 25, 1977, no. O4,
cat. p. 94, ill. p. 95.

New York, A La Vieille Russie,
Fabergé, April 22-May 21, 1983, no.
553, cat. pp. 18, 29, 141, ill. p. 141.
⚜

ЛИТЕРАТУРА / LITERATURE

Snowman, A. K. *The Art of Carl
Fabergé*, 1953/62/64/68/74, pp. 44.
79, ill. no. 317.

von Habsburg, G. "Carl Fabergé:
Die glanzvolle Welt eines Koniglichen
Juweliers." *Du: Europaische
Kunstzeitrschrift*, Vol. 37, no. 442,
December 1977, p. 79.

Waterfield, H. and Forbes, C. *Fabergé
Imperial Eggs and Other Fantasies*,
New York, 1978, no. 2, pp. 8, 18, 19,
114, 132, 133, 135, ill. pp. 18, 114.

Forbes, C. "Fabergé Imperial Easter
Eggs in American Collections,"
Antiques, Vol. CXV, no. 6, June, 1979,
pp. 1235, 1237, ill. pl. XIV.

Snowman, A. K. *Carl Fabergé:
Goldsmith to the Imperial Court of
Russia*, New York, 1979/83, pp. 90, 91,
121, ill. p. 90.

von Habsburg, G. and von Solodkoff,
A. *Fabergé, Court Jeweler to the Tsars*,
New York, 1979, pp. 107, 139, 157, ill.
index plate no. 2.

Schaffer, P. "Carl Fabergé,"
Connaissance des Arts, January
1980, p. 80.

Forbes, C. *Fabergé Eggs, Imperial
Russian Fantasies*, New York, 1980, pp.
5, 52, ill. p. 53 and an unnumbered
page.

Gibney, T. A. "Fabulous Fabergé,"
Chubb Circle, October/November
1980, p. 20, ill.

Banister, J. "Rites of Spring," *Art and
Antiques Weekly*, April 5, 1980, p. 57.

von Habsburg, G. and von Solodkoff,
A. "*Fabergé, Court Jeweler to the
Tsars*," New York, 1979/84, pp. 107,
139, 157, ill. index pl. no. 2.

von Solodkoff, A. *Masterpieces from
the House of Fabergé*, New York, 1984,
p. 186, ill.

Kelly, M. *Highlights from the Forbes
Magazine Galleries*, New York,
1985, p. 14.

Riley, N. "Fabergé for the Favoured,"
Blue Chip, August 1986, ill. p. 26.

von Habsburg, G. *Fabergé* (English
edition, Munich 1986/87 catalogue)
Geneva, 1987, pp. 94, 95.

Lipmann, E. "Les Oeufs de la Passion,"
Expression, July/August 1987, p. 78,
ill. pp. 72, 74.

Forbes, C. "Forbes' Fabulous Fabergé,"
USA Today, July 1988,
ill. p. 42.

von Solodkoff, A. *Fabergé*, London,
1988, pp. 13, 41.

Forrest, M. "The Ultimate Easter
Eggs," *Antiques and Collecting*, March
1989, p. 51.

Forbes, M. *More Than I Dreamed*,
New York, 1989, pp. 220, ill.

Hill, G. *Fabergé and the Russian
Master Goldsmiths*, New York, 1989,
pp. 14, 54, ill. pl. no. 18.

Moore, A. *Theo Fabergé and the St.
Petersburg Collection*, London, 1989,
p. 154.

Prat, V. "La Collection d'Oeufs de
Paques de l'Excentrique Mr. Forbes,"
Le Figaro, April 13, 1990, p. 81, ill.

Kaonis, D. "The Forbes Legacy:
The Empire Without Malcolm,"
The Inside Collector, July/August 1990,
p. 36, ill. p. 36 and table of
contents page.

Cerwinske, L. *Russian Imperial Style*,
New York, 1990, p. 54, ill.

Pfeffer, S. *Fabergé Eggs: Masterpieces
from Czarist Russia*, New York, 1990,
p. 18, ill. p. 19.

Booth, J. *The Art of Fabergé*,
New Jersey, 1990, pp. 90, 108, ill.
pp. 90, 108.

Manroe, C. O. *Decorative Eggs*,
New York, 1992, pp. 85, 89, ill. p. 87.

von Habsbug, G. and Lopato, M.
Fabergé: Imperial Jeweller, New York,
1993, pp. 73, 158, 163.

Polak, M. A. "The Great Fabergé Egg
Hunt," *Royalty*, March 1995, Vol. 13,
no. 8, p. 41, ill. p. 36.

Murray, S. "The Forbes Fabergé Egg
Collection," *Figurines & Collectibles*,
August 1996, pp. 68-71, ill. p. 68.

von Habsburg, G. *Fabergé in America*,
San Francisco, 1996, p. 231.

von Habsburg, G. *Fabergé Fantasies
and Treasures*, New York, 1996,
cat. p. 231.

Fabergé, T., Proler, L., and Skurlov, V.
The Fabergé Imperial Easter Eggs,
London, 1997, pp. 11, 80, ill. p. 80.

Forbes, C. and Tromeur-Brenner, R.
Fabergé: The Forbes Collection,
Southport, 1999, p. 24, 269, 270,
ill. p. 25.

Lowes, W., and McCanless, C. L.
*Fabergé Eggs: A Retrospective
Encyclopedia*, London, 2001, pp. 19,
26, 122, 146-148, 149, 247, 255, 258,
261, 275, ill.

*Яйцо «Воскресение Христово» помещенное
внутрь яйца «Ренессанс»*
*The Resurrection Egg shown resting inside
the Renaissance Egg*

Яйцо «Бутон розы»

The Rosebud Egg

Яйцо «Бутон розы»

The Rosebud Egg

ЯЙЦО «БУТОН РОЗЫ», ПОДАРОК ИМПЕРАТОРА НИКОЛАЯ II СУПРУГЕ, ИМПЕРАТРИЦЕ АЛЕКСАНДРЕ ФЕДОРОВНЕ НА ПАСХУ 1895 ГОДА; МАСТЕР МИХАИЛ ПЕРХИН, САНКТ-ПЕТЕРБУРГ, ОКОЛО 1895 ГОДА

Яйцо, покрытое прозрачной темно-красной эмалью поверх гильошированной поверхности, делится на четыре сегмента вертикальными поясами с алмазами. Каждый сегмент верхней части, откидывающейся на шарнире, украшен лавровыми венками зеленого золота, связанными лентами красного золота с алмазами. На нижней половине яйца такое же чередование цветного золота применено к лавровым перехваченным лентами гирляндам, обвивающим вертикально устремленные стрелы Амура. Сверху на яйце укреплен крупный плоский алмаз, сквозь который виден миниатюрный портрет Николая II. Дата «1895» помещена внизу основания под плоским алмазом. Внутри яйца хранится бутон розы с раскрывающимися лепестками желтой эмали в чашечке цветка зеленой эмали. *Клейма: русские инициалы мастера, «Фаберже» русскими буквами, пробирное клеймо 56 (стандарт 14-каратного золота).*

ВЫСОТА 6,8 СМ

THE ROSEBUD EGG: A FABERGÉ IMPERIAL EASTER EGG PRESENTED BY EMPEROR NICHOLAS II TO HIS WIFE THE EMPRESS ALEXANDRA FEODOROVNA AT EASTER 1895, WORKMASTER MICHAEL PERCHIN, ST. PETERSBURG

Enameled translucent strawberry red over a *guilloché* ground and divided into four vertical panels by diamond-set borders, each panel of the hinged top applied with green gold laurel wreaths tied with red gold and diamond-set ribbons, each panel of the lower portion of the egg applied with diamond-set arrows entwined by green gold laurel garlands tied with red gold ribbons and pinned by diamonds, the top of the egg mounted with a table diamond beneath which is set a portrait miniature of Tsar Nicholas II, the base of the egg enameled with the date 1895 below a diamond, the egg opening to reveal a velvet-lined interior fitted with a rosebud with hinged petals enameled yellow and with green enamel leaves, *marked with Cyrillic initials of workmaster, Fabergé in Cyrillic and assay mark of 56 standard for 14 karat gold.*

HEIGHT 2⅝ IN. (6.8 CM)

Яйцо «Бутон розы»

The Rosebud Egg

20 октября 1894 г. скончался Император Александр III. Всего несколькими неделями позже, 14 ноября, его сын Николай женился на Алисе Виктории Елене Луизе Беатрисе, принцессе Гессен-Дармштадтской, в православии принявшей имя Александра Федоровна. Юная новобрачная переживала разлуку с домом, и ей часто вспоминались розы, которые пышно цвели на ее родине. Дармштадт славился розарием «Rosenhöhe», устроенным в 1810 году швейцарским архитектором по ландшафту Цейхером по повелению Великой герцогини Вильгельмины Гессенской, принцессы Баденской (1788-1836). В 1894 году великий герцог Эрнст Людвиг, брат императрицы Александры Федоровны, возвел там дворец Rosenhöhe (разрушенный в 1944) и переоформил сад, добавив к нему Rosendom. До сегодняшнего дня Rosenhöhe известен как один из самых красивых розариев в Германии. Яйцо «Бутон розы» стало идеальным подарком Николая II обожаемой супруге на первую пасху, которую они праздновали вместе в России[1].

Яйцо в форме изящной коробочки с золотыми гирляндами и венками из лавровых листьев, перевязанными ленточками и пронзенными стрелами из бриллиантов, на фоне красной гильошированной эмали – совершенное по исполнению изображение символов любви, характерных для XVIII века. Яйцо «Бутон розы» – типичный пример изделия Фаберже в возрожденном нео-классическом стиле. Неоклассицизм, восходящий корнями к античности, получил распространение в годы правления Людовика XVI в противовес чрезмерной пышности рококо времени Людовика XV. Подобно смене художественных направлений в XVIII веке, неоклассический стиль в следующем столетии отверг господствовавшее до него в 1880-х годах нео-рококо и ярко проявился в ранних работах Михаила Перхина в фирме Фаберже. В Париже неоклассическому стилю следовали те немногие мастера, которые избегали влияния доминировавшего в те годы *Art Nouveau*. Два полярных стиля, неоклассический и *Art Nouveau*, четко проявились в работах выдающихся фирм Картье и Лалика. С одной стороны, Картье, разместившись в новом здании фирмы на улице rue de la Paix, не принял участия во Всемирной

On October 20, 1894, Tsar Alexander died. Just a few weeks later, on November 14, his son married Nicholas Alexandra Feodorovna, formerly Princess Alix Victoria Helene Luise Beatrix of Hesse-Darmstadt. The homesick young bride missed, among other things, the roses in her homeland. In Darmstadt, there was a famous rose garden called "Rosenhöhe," established in 1810 by Grand Duchess Wilhelmine of Hesse, Princess of Baden (1788-1836) and designed by the Swiss garden architect Zeyher. In 1894, Grand Duke Ernst Ludwig, Alexandra's brother, built the Palais Rosenhöhe there (destroyed 1944) and had the garden redesigned, adding the Rosendom. To this day, the Rosenhöhe remains one of the most beautiful rose gardens in Germany. The Rosebud Egg, then, was an ideal gift for Nicholas to give to his adored wife for their first Easter together.[1]

Портрет принцессы Аликс Гессен-Дармштадской перед обручением. Архивная фотография, 1894 г.
Engagement portrait of Princess Alix of Hesse-Darmstadt. Archival photograph, 1894

выставке в Париже 1900 года и полностью отверг победно шествовавший символизм. С другой стороны, Лалик, к всеобщему восторгу публики, показал на этой выставке великолепные комплекты драгоценностей, созданные по заказу Галуста Гульбенкяна. Легкость и элегантность возрожденного неоклассического стиля в творчестве Картье были подчеркнуты новаторским использованием фирмой платины. Влияние неоклассического стиля проявилось и в музыке той эпохи, а именно в опере Клода Дебюсси «Пеллеас и Мелизанда» 1900-1902 года.

Сюрприз яйца в виде растения – дань художественной традиции XVIII века, перекочевавшей и в следующее столетие. Подобные покрытые эмалью изделия в форме цветов, футляры часов и флаконы для духов, часто выпускались в Женеве. В 1830-х годах в Швейцарии были изготовлены часы, спрятанные внутри бутона розы, розовые лепестки которого раскрывались под действием пружины[2]. По замыслу Фаберже, бутон желтой розы «распускался», обнажая корону, внутри которой находился рубиновый кулон грушевидной формы, – еще два символа императорской власти и любви (см. ниже).

Это яйцо описывалось в счете Фаберже так:
«31 марта. Покрытое красной эмалью яйцо с короной. Санкт-Петербург, 9 мая 1895 года». 3 250 руб.»[3].

Яйцо «Бутон розы» было первым из пасхальных подарков Николая II супруге, Александре Федоровне, недавно ставшей императрицей. Она хранила его вместе с другими, более ранними пасхальными яйцами Фаберже в угловом шкафчике, стоявшем в личных покоях императорской четы в Зимнем дворце между дверью, ведущей в спальню, и окном.

With its bonbonnière shape, its chased gold laurel swags, its diamond-set tied ribbons and arrows and its red *guilloché* enamel ground, the egg is a perfect rendition of an eighteenth-century symbol of Love. The Rosebud Egg is also the quintessence of Fabergé's new Neo-Classical style. Neoclassicism, inspired by Antiquity, was developed during the reign of Louis XVI as a reaction against the exuberant Rococo idiom of the Louis XV period. As in the case of the eighteenth century, nineteenth century Neo-Classicism followed the Neo-Rococo of the 1880s and is best seen in Michael Perchin's early work for the Fabergé firm. In Paris the new Neo-Classical style was embraced by those few who eschewed the all-powerful influence of Art Nouveau. The two contrasting styles of Neo-Classicism and of Art Nouveau are clearly represented in the oeuvre of the great firms of Cartier and Lalique. On one hand, Cartier, ensconced in the firm's new rue de la Paix premises, did not exhibit at the 1900 *Exposition Universelle* and totally negated the much fêted symbolist movement. On the other hand stood the extraordinary series of jewels created by Lalique for Calouste Gulbenkian, shown to much public acclaim at the 1900 World Fair. The light touch and elegance of Cartier's novel Neo-Classical style was underlined by the firm's use of platinum, a Cartier innovation. Even contemporary music, such as Debussy's *Pelleas et Mélisande* of 1900-1902, reflects the influence of Neo-Classicism.

The floral form of the surprise is an eighteenth-century concept continued into the nineteenth century. Such enameled flowers, popular at the time as watch-cases or perfume bottles, were generally produced in Geneva. A Swiss rose with spring-loaded pink enamel petals opening to show a watch was made in Geneva in the 1830s[2]. Fabergé's yellow rose originally opened to reveal a crown containing a pear-shaped ruby pendant as further symbols of Imperial authority and of Love (see below).

This egg is listed on Fabergé's invoice as:

Архивная фотография пасхального яйца "Бутон розы" с ранее хранившимся в нем сюрпризом в виде короны и рубинового кулона
Documentary photograph of the Rosebud Egg with original surprise shaped as a crown and a ruby drop

Слева направо: великий князь Александр Михайлович, его супруга великая княгиня Ксения Александровна, великая княжна Ольга Александровна, император Николай II, его супруга императрица Александра Федоровна. Гатчинский дворец, 1897 год. Семейная фотография.

Family snapshot, Gatchina Palace, 1897 Left to right: Grand Duke Alexander Mikhailovich and his wife Grand Duchess Xenia Alexandrovna kissing, in the centre Grand Duchess Olga Alexandrovna, to the right Emperor Nicholas II and his wife Empress Alexandra Feodorovna kissing.

Смотритель императорской резиденции скрупулезно описал яйцо и его сюрприз в 1909 году, указав, что оно содержало *«императорскую корону, сделанную из бриллиантов огранки «роза», с двумя рубинами-кабошонами»*[4].

Впервые яйцо «Бутон розы» демонстрировалось в 1935 году в Лондоне. В то время оно принадлежало господину Парсонсу и все еще содержало свой сюрприз – корону с бриллиантами и рубиновый кулон. В 1953 году Кеннет Сноумэн опубликовал архивную фотографию (илл. на с. 134) описываемого яйца и заявил, что его местонахождение неизвестно. Потерянное на четыре десятилетия, во время которых распространились слухи о серьезных повреждениях шедевра и чуть ли не о полном его уничтожении во время супружеской ссоры. То, что в слухах упоминалось нарушение эмалевого покрытия (искусно устраненное впоследствии), дало возможность Малькольму Форбсу, купившему яйцо в 1985 году в Лондонском обществе изобразительных искусств, убедиться в его подлинности.

ПРИМЕЧАНИЯ

1. Очевидно, что из роз дармштадского розария больше всего ценились чайные.
2. Освальдо Патрицци, Фабьенн Штурм. *Наручные часы художественной работы 1790-1850*, Женева 1979], илл. 64.
3. Фаберже Т., Пролер Л., Скурлов В. *Императорские пасхальные яйца.* Christie's Books, 1997.
4. Там же, сс. 120-21. Архив Государственного Эрмитажа, фонд 1, опись VIII – Г, дело 7b, л. 195.

"31 March. Red enamel egg with crown. St. Petersburg, May 9, 1895   3250 r."[3]

The Rosebud Egg, the first Imperial Easter Egg received by the new Empress, was kept by her, along with all the early Fabergé Easter eggs, in a corner cabinet of the Imperial couple's private apartment at the Winter Palace, between a door leading into the bedroom and a window. There the egg and its surprise were minutely described in 1909 by the Inspector of Premises of the Imperial Winter Palace as containing *"an Imperial crown entirely made of rose-cut diamonds with two cabochon rubies."* [4]

The Rosebud Egg was first exhibited in 1935 in London as owned by a Mr. Parsons, still containing its surprise of a diamond-set crown with a pendant ruby. In 1953 Kenneth Snowman included an archival photograph of it (see ill. on p. 134) and listed its current whereabouts as unknown. Lost for four decades, rumor had it that the egg had been seriously damaged, if not destroyed, in a marital dispute. Telltale damage to the enamel (expertly repaired since) enabled Malcolm Forbes, who acquired the egg in 1985 from the Fine Art Society, London, to ascertain the egg's authenticity.

NOTES

1. Apparently yellow was the most prized color for a rose in the Darmstadt garden.
2. Osvaldo Patrizzi and Fabienne Sturm, *Montres de Fantaisie 1790-1850*, Geneva, 1979, fig. 64.
3. Fabergé/Proler/Skurlov 1997, p. 120.
4. Op. cit., pp. 120-21 (Archive of the Hermitage, Stock I, inventory VIII-G, file 7b, nr. 195).

Встреча семьи королевы Виктории в апреле 1894 года,
Кобург, на которой цесаревич Николай был обручен
с принцессой Аликс Гессен-Дармштадской.
Архивная фотография

Gathering of the family of Queen Victoria of Great Britain
in Coburg, April 1894, at which Tsarevich Nicholas of
Russia became engaged to Pricess Alix of Hesse-Darmstadt.
Archival photograph

ПРОВЕНАНС

Императрица Александра
Федоровна

Эммануэль Сноумэн для фирмы
Вартски, Лондон, примерно 1927 г.

Чарльз Парсонс, Англия

Генри Талбот де Вер Клифтон,
Англия

Общество изобразительных
искусств, Лондон

Коллекция семьи Форбс,
Нью-Йорк

PROVENANCE

Empress Alexandra Feodorovna

Purchased by Emanuel Snowman
for Wartski, London, circa 1927

Charles Parsons, England

Henry Talbot de Vere Clifton,
England

The Fine Art Society, London

The Forbes Collection, New York

ВЫСТАВКИ

Санкт-Петербург, Особняк фон
Дервиза, *Благотворительная
выставка*, 9-15 марта 1902 г.

Лондон, Белгрейв-сквер, *Выставка
Русского искусства*, 4 июня – 13
июля 1935 г., № 578 каталога, с. 110.

Мюнхен, Выставочный зал Фонда
культуры, *Фаберже, царский
ювелир*, 5 декабря-8 марта 1986/
87 г., № 536, сс. 94, 102, 270, илл. на
с. 270.

Лугано, Коллекция Тиссен-
Борнемиса, Вилла Фаворита,
*Фантазии Фаберже, из коллекции
журнала «Форбс»*, 14 апреля-7 июня
1987 г., № 118, сс. 12, 15, 17, 19, 110,
111 каталога, илл. на сс. 110, 111.

Париж, Музей Жакмар-Андре,
Фаберже, ювелир царского двора, 17
июня-31 августа 1987 г., № 118, сс.
106, 107 каталога, илл.

Лондон, Королевская Академия
художеств, Ярмарка Дома
Берлингтон, сентябрь 1987 г. (без
каталога).

Лондон, Эрмитаж, *Императорские
подарки Фаберже*, 8-15 сентября
1987 г., (без каталога).

Цюрих, Музей Бельрив, *Карл
Фаберже, Шедевры русского
ювелирного искусства на рубеже
веков*, 31 мая-3 сентября 1989 г., №
197, с. 157 каталога, илл. на с. 65,
табл. 46.

Сан-Диего, Калифорния, Музей
искусств Сан-Диего / Москва,
Оружейная Палата,
Государственные Музеи
Московского Кремля, *Фаберже:
Императорские Пасхальные яйца*,
1989/90 г., № 5, 10, сс. 42, 96
каталога, илл. на сс. 42, 43, 96.

Принстон, Нью-Джерси,
Художественный музей
Принстонского университета,
*Произведения искусств из
коллекций Принстонского
университета и друзей
Художественного музея*, 15 февраля
-8 июня 1997 г., № 190, сс. 109, 200
каталога, илл. на с. 200.

EXHIBITED

St. Petersburg, von Dervis Mansion,
Charity Exhibition, March 9-15, 1902.

London, Belgrave Square, *The
Exhibition of Russian Art*, June 4-July
13, 1935, cat. no. 578, cat. p. 110.

Munich, Kunsthalle der
Hypokulturstiftung, *Fabergé, Juwelier
der Zaren*, December 5, 1986-March
8, 1987, no. 536, cat. pp. 94, 102,
270, ill. p. 270.

Lugano, The Thyssen-Bornemisza
Collection, Villa Favorita, *Fabergé
Fantasies from the Forbes Magazine
Collection*, April 14-June 7, 1987, no.
118, cat. pp. 12, 15, 17, 19, 110, 111,
ill. pp. 110, 111.

Paris, Musée Jacquemart-André,
Fabergé, Orfèvre à la Cour des Tsars,
June 17-August 31, 1987, no. 118,
cat. pp. 106, 107, ill.

London, The Royal Academy of Arts,
The Burlington House Fair,
September 1987 (no cat.).

London, Ermitage, *Fabergé Imperial
Presents*, September 8-15, 1987
(no cat.).

Zurich, Museum Bellerive, *Carl
Fabergé, Kostbarkeiten Russischer
Goldschmiedekunst der
Jahrhundertwende*, May 31-September
3, 1989, no. 197,
cat. p. 157, ill. p. 65, pl. 46.

San Diego, California, The San Diego
Museum of Art/Moscow, Armory
Museum, State Museums of the
Moscow Kremlin, *Fabergé, the
Imperial Eggs*, 1989/1990, nos. 5, 10,
cat. pp. 42, 96, ill. pp. 42, 43, 96.

Princeton, New Jersey, The Art
Museum, Princeton University, *In
Celebration: Works of Art from the
Collections of Princeton University and
Friends of the Art Museum*, February
15-June 8, 1997, no. 190, cat. pp. 109,
200, ill. p. 200.

Snowman, A. K. *The Art of Carl Fabergé*, London, 1953/55, p. 79, ill. no. 293, 1962/64/68/74, pp. 84, 85, ill. no. 325.

Waterfield, H. and Forbes, C. *Fabergé Imperial Eggs and Other Fantasies*, New York, 1978, p. 132, ill. p. 117.

von Habsburg, G. and von Solodkoff, A. *Fabergé, Court Jeweler to the Tsars*, New York, 1979/84, p. 157, ill. pl. no. 35.

Snowman, A. K. *Carl Fabergé, Goldsmith to the Imperial Court of Russia*, London/New York, 1979, p. 124.

Forbes, C. *Fabergé Eggs, Imperial Russian Fantasies*, New York, 1980, ill. on an unnumbered page.

von Solodkoff, A. *Masterpieces from the House of Fabergé*, New York, 1984, pp. 109, 126, ill. p. 69.

"Forbes Buys Gold Fabergé Egg in Time for Easter Showing," *Newark Star Ledger*, March 26, 1986.

"Not Cheaper by the Dozen," *New York Daily News*, March 26, 1986.

"New Forbes Acquisitions," *Herald Tribune*, March 27, 1986.

Blackerby, C. "Fabergé Eggs Steeper by the Dozen," *Palm Beach Post*, March 27, 1986, p. C1.

"Forbes Acquires Twelfth Imperial Egg," *The Antique Trader*, April 23, 1986, ill.

Allison, W. "Notes from the Publisher: Ruling Passions," *Art & Antiques*, April 1986, p. 12, ill.

Ipsen, S. W. "Czars Raised Easter Egg Giving to Unmatched Heights," *The Mountain Eagle*, April/May 1986, pp. 12, 19, ill. p. 12.

"Fabergé Eggs – Forbes Acquires an Even Dozen," *Antiques News*, June 13, 1986, p. 19, ill.

Mattes, G., ed., "Recent Acquisitions," *Corporate ARTnews*, June 1986, p. 7.

Riley, N. "Fabergé for the Favoured," *Blue Chip, the Magazine for Clients of Kleinwort Grieveson*, August, 1986, pp. 26-28, ill. pp. 26, 27.

Forbes, C. "Imperial Treasure: A Modern Czar's Son Tells of the Great Easter Egg Hunt," *Art & Antiques*, April 1986, pp. 56, 86, ill. on table of contents page and cover.

"Vom Spass, Ein Reicher Mann Zu Sein," *Bunte*, January 23, 1987, ill. pp. 126, 127.

von Wurttemberg, A. H. "Fabergé Fantasies," *Weltkunst*, Vol. 57, no. 10, May 15, 1987, p. 1403, ill.

de la Brosse, S. "The Czar's Golden Eggs," *Paris Match*, May 1987, p. 90, ill. p. 91.

Lipmann, E. "Les Oeufs de la Passion," *Expression*, no. 6, July/August 1987, p. 78, ill. pp. 72, 76.

Forbes, C. "Letter on Collecting Fabergé," *Burlington Magazine*, Vol. 129, no. 1014, September 1987, p. 12, ill. p. 14.

Gross, M. "Indulgences of the Rich and Famous," *News/Sun Sentinel*, October 24, 1987, ill.

von Solodkoff, A. *Fabergé*, London, 1988, pp. 37, 38, 42, ill. p. 37.

Forbes, C. "Forbes' Fabulous Fabergé," *USA Today*, July 1988, p. 43, ill. p. 42.

Morrow, L. "Imperial Splendor Inspired by Malcolm Forbes' Fabergé Collection," *Designers West*, January 1989, pp. 69, 70, ill. p. 70.

Bowater, M. "Imperial Russian Easter Eggs," *The Antique Collector*, Vol. 60, no. 3, March 1989, p. 67, ill. p. 68.

Forbes, M. *More Than I Dreamed*, New York, 1989, p. 220, ill.

Forrest, M. "The Ultimate Easter Eggs," *Antiques & Collecting Hobbies*, Vol. 94, March 1989, p. 52.

Hill, G. *Fabergé and the Russian Master Goldsmiths*, New York, 1989, pp. 14, 56, ill. pl. nos. 26, 27.

Moore, A. *Theo Fabergé and the St. Petersburg Collection*, London, 1989, pp. 49, 154.

Prat, V. "La collection d'oeufs de Pâques de l'excentrique Mr. Forbes," *Figaro Magazine*, no. 48 (n.s.), April 13, 1990, pp. 81, 88, ill. pp. 77, 80, 81.

Kaonis, D. "The Forbes Legacy: The Empire without Malcolm. An Interview with Robert Forbes," *Inside Collector*, Vol. 1, no. 2, July/August 1990, p. 36, ill. p. 36 and table of contents page.

Cerwinske, L. *Russian Imperial Style*, New York, 1990, p. 51, ill.

Pfeffer, S. *Fabergé Eggs: Masterpieces from Czarist Russia*, New York, 1990, pp. 34, 36, ill. pp. 35, 37.

Booth, J. *The Art of Fabergé*, New Jersey, 1990, pp. 110, 168, 169, 171, ill. p. 110, 169.

von Habsburg, G. and Lopato, M. *Fabergé: Imperial Jeweller*, New York, 1993, p. 158.

Polak, M. A. "The Great Fabergé Egg Hunt," *Royalty*, Vol. 13, no. 8, March 1995, p. 36, ill.

Murray, S. "The Forbes Fabergé Egg Collection," *Figurines & Collectibles*, Vol. 2, no. 3, August 1996, pp. 68, 71, ill. p. 68.

von Habsburg, G. *Fabergé in America*, San Francisco, 1996, p. 231.

von Habsburg, G. *Fabergé Fantasies and Treasures*, New York, 1996, p. 231.

Fabergé, T., Proler, L., and Skurlov, V. *The Fabergé Imperial Easter Eggs*, London, 1997, no. 12, pp. 10, 55, 69, 90, 120, 122, 234, 253, 254, 256, ill. pp. 55, 121, 122, 234.

Welander-Berggren, E., ed./Nationalmuseum Stockholm, *Carl Fabergé: Goldsmith to the Tsar*, Stockholm, 1997, p. 13.

Forbes, C. and Tromeur-Brenner, R. *Fabergé: The Forbes Collection*, Southport, 1999, pp. 34, 270, ill. pp. 35, 270.

von Habsburg, G. *Fabergé: Imperial Craftsman and His World*, London, 2000, p. 16.

Lowes, W., and McCanless, C. L. *Fabergé Eggs: A Retrospective Encyclopedia*, London, 2001, pp. 3, 36, 43-46, 93, 142, 251, 252, 262, 263, 264, 265, 270, ill.

Императрица Александра Федоровна. Архивная фотография, 1896 г.
Empress Alexandra Feodorovna. Archival photograph, 1896

Рамка-сюрприз

The Heart Surprise Frame

РАМКА-СЮРПРИЗ В ФОРМЕ СЕРДЦА. ПАСХАЛЬНОЕ ЯЙЦО - СЮРПРИЗ ИЗ ЗОЛОТА, С ЭМАЛЬЮ И ДРАГОЦЕННЫМИ КАМНЯМИ - ПОДАРОК ИМПЕРАТОРА НИКОЛАЯ II МАТЕРИ, ВДОВСТВУЮЩЕЙ ИМПЕРАТРИЦЕ МАРИИ ФЕДОРОВНЕ, НА ПАСХУ 1897 ГОДА.

Яйцо-сюрприз в форме окаймленного бриллиантами сердца, покрытого землянично-красной эмалью по гильошированному фону, с датой «1897», выложенной алмазами, стоит на шестигранной ножке, покрытой белой эмалью с росписью в виде вьющейся по спирали виноградной лозы, на куполообразном уступчатом основании, украшенном лепестками из золота, алмазами, землянично-красной эмалью с позолотой и жемчугом. При нажатии на ножку сердце раскрывается, превращаясь в трилистник клевера, покрытый изумрудно-зеленой эмалью по гильошированному фону, с узором в виде расходящихся солнечных лучей. В каждом лепестке – миниатюрный портрет в алмазном обрамлении: в одном – император Николай II, во втором – его супруга императрица Александра Федоровна, в третьем – великая княжна Ольга Николаевна в младенчестве. Лепестки клевера закрываются нажатием на одну из жемчужин, укрепленных на основании. *На основании курсивом выгравирована надпись по-русски «К. Фаберже».*

ВЫСОТА 8,3 СМ

THE HEART SURPRISE FRAME: A FABERGÉ GOLD, ENAMEL AND JEWELED EASTER EGG SURPRISE PRESENTED BY EMPEROR NICHOLAS II TO HIS MOTHER THE DOWAGER EMPRESS MARIA FEODOROVNA AT EASTER 1897

The heart enameled strawberry red over a *guilloché* ground, banded in diamonds and mounted with the diamond-set date 1897, above a hexagonal paneled stem enameled white and painted with spiralling vine, on a stepped dome base decorated with gold leafage, diamonds, gilt-decorated strawberry red enamel and pearls. When the stem is depressed the heart opens to reveal a brilliant green enamel clover with a *guilloché* sunburst ground, each leaf set with a diamond framed miniature, the first of Nicholas II, the second of Alexandra Feodorovna and the third of the infant Grand Duchess Olga Nikolaievna, when a pearl on the base is pushed the clover closes, *base engraved in cursive script, K. Fabergé, in Cyrillic.*

HEIGHT 3 ¼ IN. (8.3 CM)

Рамка-сюрприз
The Heart Surprise Frame

Представители Совнаркома и Всесоюзного объединения «Антиквариат», которые отвечали за распределение предметов, хранившихся ранее в императорских дворцах, часто вынимали из пасхальных яиц Фаберже сюрпризы, чтобы получить большую прибыль. Целый ряд факторов подтверждает, что рамка в форме сердца являлась сюрпризом лилового императорского пасхального яйца, которое Николай II преподнес своей матери, вдовствующей императрице Марии Федоровне, 18 апреля 1897 года. Одним из доказательств тому служит счет, выставленный Фаберже 17 мая 1897 года на сумму в 3250 рублей за *«розово-лиловое эмалевое яйцо с 3 миниатю-рами»*[1]. Кроме того, на рамке-сюрпризе отсутствует пробирное клеймо, которое обычно не ставилось на изделиях, предназначенных для императорских подарков. На ней также присутствует подпись, выполненная курсивом, – вид маркировки, характерный как раз для изделий, принадлежавших членам императорской семьи. Фаберже повторил комбинацию пасхального яйца с очень похожей рамкой-сюрпризом в форме сердца, выполнив в 1902 году яйцо «Рокайль» для Варвары Кельх (с. 151). Как и многие другие подарки Николая II, описываемое пасхальное яйцо является выражением любви императора к своей *«дорогой, милой Мамá»*, которая всегда пыталась защитить *"бедного Ники"*, в особенности после преждевременной кончины его отца, императора Александра III (1845-1894).

Мария Федоровна (Минни) (1847-1928), урожденная датская принцесса Дагмар, была четвертым ребенком короля Дании Кристиана IX и королевы Луизы. 28 октября 1866 года она вышла

The members of Sovnarkom and Antikvariat, in charge of the dispersal of the contents of the Imperial palaces, frequently separated the surprises from within Fabergé Easter eggs in order to maximize their profit. A number of factors support the identification of the Heart Surprise Frame as having been the surprise within a mauve Imperial Easter egg Tsar Nicholas gave his mother the Dowager Empress Maria Feodorovna on April 18, 1897. The evidence includes a Fabergé invoice, dated May 17, 1897, for a *"mauve enamel egg, with 3 miniatures,"* priced at 3,250 rubles. Furthermore, the Heart Surprise Frame lacks an assay mark, which was not required on objects destined for Imperial presentation, but does have a cursive signature, a style of marking generally reserved for Imperial pieces. The combination of a very similar heart-shaped frame with an Easter egg was repeated by Fabergé in the Kelch Rocaille Egg of 1902 (p. 151). As is the case for many of Nicholas' presents, it clearly speaks the language of his love for his "Dearest, Darling Mama", who always tried to protect him (*"poor Nicky"*), especially after the untimely death of his father, Tsar Alexander III in 1894.

Maria Feodorovna ("Minnie") (1847-1928) was born Princess Dagmar of Denmark, fourth child of King Christian IX of Denmark and of Queen Louise. On October 28, 1866 she married the heir to the Russian throne, Alexander Alexandrovich, who, upon the assassination of his father, Tsar Alexander II, became Tsar in 1881. Until the death of Alexander III in 1894, she reigned as Tsarina. Her sisters were Alexandra (1844-1925), Queen Consort of Edward VII of Great Britain and Thyra (1853-1933), Crown Princess of Hanover; her brothers were Frederick VIII (1843-1912), King of Denmark, Wilhelm (1845-1913, from 1863 King George I of Greece) and Waldemar (1858-1939).

Императрица Александра Федоровна, великая княжна
Ольга Николаевна, император Николай II, английская
королева Виктория и принц Уэльский, Балморал,
1896 год. Архивная фотография

....

*Empress Alexandra Feodorovna holding infant Grand
Duchess Olga, Emperor Nicholas II, Queen Victoria of Great
Britain and the Prince of Wales, Balmoral, 1896.
Archival photograph*

замуж за наследника российского престола цесаревича Александра Александровича, который взошел на трон в 1881 году после убийства его отца, императора Александра II. Она носила титул императрицы вплоть до смерти Александра III в 1894 году. У принцессы Дагмар было две сестры: Александра (1844-1925), супруга короля Великобритании Эдуарда VII, и Тира (1853-1933), кронпринцесса Ганноверская, а также три брата: Фредерик VIII (1843-1912), король Дании; Вильгельм (1845-1913, с 1863 года король Греции Георг I) и Вальдемар (1858-1939).

Прекрасное изделие *(objet d'art)* Фаберже выполнено в популярном в то время неоклассическом стиле. Оно имеет форму сердца, покрыто красной эмалью и установлено на подставке, украшенной в стиле Людовика XVI подглазурными золотыми венками из лавровых листьев, выгравированными золотыми листьями аканта и нарисованными веточками лавра. Хитрый механизм позволяет сердцу раскрываться, превращаясь в покрытый зеленой эмалью трилистник клевера, в лепестки которого вставлены миниатюрные портреты императорской четы и их первой дочери Ольги с пухленькими щечками, внучки императрицы Марии Федоровны, родившейся 3 ноября 1895 г. В тот день Николай II записал в дневнике: «*В 9 час. ровно услышали детский писк и все мы вздохнули свободно! Богом нам посланную дочку при молитве мы назвали Ольгой!*»². Творение Фаберже изображает семью из трех человек, связанную тесными узами, три части одного листа, заключенные в сердце – подарок, символизирующий близость матери и сына, на которую пока еще не пала тень будущих натянутых отношений между Марией Федоровной и ее невесткой. 7 марта 1897 г. вдовствующая императрица Мария Федоровна писала отцу:

«*[Дочь] Ники – удивительно крупный младенец, поразительно крепкая и полная, и такая тяжелая, что ее трудно носить. Они очень рады, что проведут зиму в Царском Селе, где у Ники и в самом деле несколько больше свободы, и он может чаще бывать на воздухе, чем здесь в городе. Но у этого есть и менее положительные стороны – она почти никого не видит, они живут слишком изолированно, и не видят даже бедных дам и господ из их свиты, которые живут здесь. Ну что же, может быть, со временем это будет по-другому, надо надеяться...*»³

Проницательному взгляду Марии Федоровны, ставившей превыше всего чувство долга, уже тогда открылись все будущие проблемы молодой четы, хотя та находилась у власти всего несколько лет.

ПРИМЕЧАНИЯ

1. Государственный архив Российской Федерации (ГАРФ), Москва. Ф. 468, оп. 13, д. 1843, л. 8. Цитата взята из книги Фаберже/Пролера/Скурлова 2000, с. 126.
2. Цитируется по Форбс, К./Тромер-Бреннер Р. 1999, стр. 51.
3. 7 (19)-ого марта 1897 г. Государственный архив Российской Федерации, Москва.

Fabergé's delightful *objet d'art* is in the then current Neo-Classical style, a red enamel heart with Louis XVI-style embellishments of underglaze gold-leaf laurel garlands, chased gold acanthus leaves and painted laurel leaf sprays. A clever mechanism allows the heart to fall open forming a green enamel three-leaf clover, the petals inset with miniatures of the Imperial couple and their chubby first daughter, Olga, Maria Feodorovna's first grandchild, born November 3, 1895. At her birth Nicholas recorded in his diary: "*At exactly 9 we heard a child's squeak, and we all breathed freely! A daughter sent by God, in prayer we named her Olga.*" [2] Fabergé's creation shows a close-knit family of three, three petals of one flower, enclosed in a heart, a present symbolizing the close union of son and mother, as yet unclouded by the later troubled relationship between Maria Feodorovna and her daughter-in-law. On March 7, 1897, Marie Feodorovna wrote to her father:

"*Nicky's [daughter] is an exceptionally large baby, unbelievably sturdy and fat and so heavy that one can really hardly carry her. They are very pleased at spending the winter at Tsarskoie, where Nicky does, indeed, have a bit more freedom and can be outside in the good air more than here in the city. But it does have less positive sides in that she hardly sees any people, and that they are living far too much by themselves and do not even see the poor ladies and gentlemen of their entourage who live there. Well, that will probably come with time, we must hope....*" [3]

The future problems of the young couple were already all too visible to the dutiful and perspicacious Maria Feodorovna only a few years into their reign.

NOTES

1. Russian State Archive, Moscow, Stock 468, inv. 13, file 1843, p. 8. Quoted from Fabergé/Proler/Skurlov 1997, p. 126.
2. Quoted from Forbes/Tromeur-Brenner 1999, p. 51.
3. March 7/19, 1897. Russian State Archive, Moscow.

Яйцо "Рокайль" 1902 года из коллекции Кельха
(частное собрание Андрея Ружникова)

....

Kelch 1902 Rocaille Egg
(Courtesy Andre Ruzhnikov)

Император Николай II. Архивная фотография с подписью в нижнем левом углу "Ники 1899".
Архивная фотография
Emperor Nicholas II. Archival photograph signed in the lower left corner "Nicky 1899".
Archival photograph

ПРОВЕНАНС

Вдовствующая Императрица
Мария Федоровна

Леди Лидия Детердинг, Париж

«Кристи», Женева, 26 апреля
1978 г., лот 381

Коллекция семьи Форбс,
Нью-Йорк

ВЫСТАВКИ

Бостон, Массачусетс, Музей
изобразительных искусств,
*Императорские пасхальные яйца
Дома Фаберже*, 10 апреля – 27 мая
1979 г., ненумерованный перечень.

Ричмонд, Виржиния, Музей
изобразительных искусств /
Миннеаполис, Миннесота,
Миннеапольский Институт
искусств / Чикаго, Иллинойс,
Художественный институт Чикаго,
*Фаберже, Избранные экспонаты из
коллекции журнала «Форбс»*, 1983 г.,
№16 в перечне на с. 12, илл. на с. 8.

Форт-Уорт, Техас, Художественный
музей Кимбелл, *Фаберже, коллекция
журнала «Форбс»*, 25 июня – 18
сентября 1983 г., № 52 в перечне.

Мюнхен, Выставочный зал Фонда
культуры, *Фаберже, царский
ювелир*, 5 декабря – 8 марта 1986/87
г., № 486 каталога, илл. на с. 243.

Лугано, Коллекция Тиссен-
Борнемиса, Вилла Фаворита,
*Фантазии Фаберже, из коллекции
журнала «Форбс»*, 14 апреля – 7
июня 1987 г., № 68 каталога, илл. на
с. 79.

Париж, Музей Жакмар-Андре,
Фаберже, ювелир царского двора, 17
июня – 31 августа 1987 г., № 68
каталога, илл. на с. 75.

Лондон, Королевская Академия
художеств, Ярмарка Дома
Берлингтон, сентябрь 1987 г., (без
каталога).

Санкт-Петербург, Государственный
Эрмитаж / Париж, Музей
декоративного искусства / Лондон,
Музей Виктории и Альберта,
*Фаберже: ювелир Императорского
Двора*, 1993/94 г., № 22 каталога,
илл. на с. 186.

Уилмингтон, Делавер, Центр
искусств «Ферст ЮСЭй
Риверфронт», *Фаберже*, 8 сентября
-20 февраля 2000-01 г., № 439
каталога, илл.

PROVENANCE

Dowager Empress Maria Feodorovna

Lady Lydia Deterding, Paris

Christie's, Geneva, April 26,
1978, lot 381

The Forbes Collection, New York

EXHIBITED

Boston, Massachusetts, The Museum
of Fine Arts, *Imperial Easter Eggs from
the House of Fabergé*, April 10-May 27,
1979, unnumbered checklist.

Richmond, Virginia, Virginia
Museum of Fine Arts/Minneapolis,
Minnesota, The Minneapolis Institute
of Art/Chicago, Illinois, The Art
Institute of Chicago, *Fabergé,
Selections from The Forbes Magazine
Collection*, 1983, checklist no. 16,
p. 12, ill. p. 8.

Fort Worth, Texas, The Kimbell Art
Museum, *Fabergé, The Forbes
Magazine Collection*, June 25-
September 18, 1983, checklist
no. 52.

Munich, Kunsthalle der
Hypokulturstiftung, *Fabergé, Juwelier
der Zaren*, December 5, 1986-March
8, 1987, no. 486, cat. p. 243, ill.

Lugano, The Thyssen-Bornemisza
Collection, Villa Favorita, *Fabergé
Fantasies from the Forbes Magazine
Collection*, April 14-June 7, 1987,
no. 68, cat. p. 79, ill.

Paris, Musée Jacquemart-André,
Fabergé, Orfèvre à la Cour des Tsars,
June 17-August 31, 1987, no. 68,
cat. p. 75, ill.

London, The Royal Academy of Arts,
The Burlington House Fair,
September 1987 (no cat.).

St. Petersburg, State Hermitage
Museum/Paris, Musée Arts
Décoratifs/London, Victoria and
Albert Museum, *Fabergé: Imperial
Jeweller*, 1993/94, no. 22, cat.
p. 186, ill.

Wilmington, Delaware, First USA
Riverfront Arts Center, *Fabergé*,
September 8, 2000-February 20, 2001,
cat. no. 439, ill.

ЛИТЕРАТУРА / LITERATURE

Snowman, A. K. *The Art of Carl
Fabergé*, London, 1968/74,
no. 103, ill.

Waterfield, H. and Forbes, C. *Fabergé
Imperial Eggs and Other Fantasies*,
New York, 1978, no. 70, pp. 8, 58, 60,
132, ill. p. 61.

von Habsburg, G. and von Solodkoff,
A. *Fabergé, Court Jeweler to the Tsars*,
New York, 1979, p. 18, ill. pl. nos.
21-22.

Kelly, M. "Frames by Fabergé in the
Forbes Magazine Collection," *Arts in
Virginia*, Vol. 23, nos. 1 & 2, 1982/83,
pp. 5, 7, 11, 13, ill. pp. 6, 7.

von Solodkoff, A. *Masterpieces from
the House of Fabergé*, New York, 1984,
pp. 40, 41, ill. p. 170.

von Habsburg, G. *Fabergé*,
Geneva/New York, 1987/1988,
p. 243, ill.

Hill, G. *Fabergé and the Russian
Master Goldsmiths*, New York, 1989,
p. 172, ill. pl. nos. 138-139.

von Habsburg, G. and Lopato, M.
Fabergé: Imperial Jeweller, New York,
1993, p. 186, ill.

Kelly, M. *Imperial Surprises: A Pop-up
Book of Fabergé Masterpieces*, New
York, 1994, unpaginated, ill.

Fabergé, T., Proler, L., and Skurlov, V.
The Fabergé Imperial Easter Eggs,
London, 1997, pp. 126, 234, ill.
pp. 127, 129, 234.

Forbes, C. and Tromeur-Brenner, R.
Fabergé: The Forbes Collection,
Southport, 1999, pp. 17, 42, 271, ill.
p. 43, 45.

von Habsburg, G. *Fabergé: Imperial
Craftsman and His World*, London,
2000, p. 194, ill.

Яйцо «Коронационное»

The Coronation Egg

Яйцо «Коронационное»

The Coronation Egg

ЯЙЦО «КОРОНАЦИОННОЕ» - ПОДАРОК ИМПЕРАТОРА НИКОЛАЯ II СУПРУГЕ, ИМПЕРАТРИЦЕ АЛЕКСАНДРЕ ФЕДОРОВНЕ, НА ПАСХУ 1897 ГОДА; МАСТЕР МИХАИЛ ПЕРХИН, САНКТ-ПЕТЕРБУРГ

Сквозь зеленовато-желтую эмаль лучистыми ромбами просвечивает золотая гильошированая поверхность яйца, охваченного накладной трельяжной решеткой из лавровых листьев зеленого золота. На вершине она замыкается венком алмазов. На перекрещениях решетки – двуглавые орлы черной эмали с алмазами на щитах и голубой эмалью на лентах. Сверху на яйце, под крупным алмазом – монограмма Императрицы Александры Федоровны, усыпанная алмазами и рубинами на белом эмалевом фоне. Основание яйца выполнено в виде чашечки цветка с тонкой гравировкой листьев и расположенной посередине черной по белой эмали датой «1897», видной сквозь крупный алмаз в круглом обрамлении мелких. Во внутреннем, покрытом бархатом прямоугольном отделении, покоится миниатюрное повторение кареты 1793 года Екатерины II, использованной в коронационной

THE CORONATION EGG: A FABERGÉ IMPERIAL EASTER EGG PRESENTED BY EMPEROR NICHOLAS II TO HIS WIFE, EMPRESS ALEXANDRA FEODOROVNA, AT EASTER 1897, WORKMASTER MICHAEL PERCHIN, ST. PETERSBURG

Enameled translucent lime yellow over a *guilloché* sunburst ground and applied with a green gold trellis of laurel leaf pinned at the top of the egg with a circle of diamonds and with black enamel Imperial eagles at the intersections, the shields of the eagles set with diamonds and the ribbons enameled blue, the top of the egg with the Imperial monogram of the Empress Alexandra Feodorovna set with diamonds and rubies on a white enamel ground beneath a table diamond, the bottom of the egg with a calyx of finely engraved leaves centered by the black-enameled date 1897 on a white enamel ground below a table diamond within a diamond-set circular frame. The egg opens to reveal a velvet-lined compartment containing a gold, platinum, enamel and jeweled miniature coach, a replica of Catherine the Great's coach of 1793 which was employed in the coronation procession of Nicholas

процессии Николая и Александры. Карета, воспроизведенная до мельчайших подробностей, покрыта землянично-красной эмалью с накладной трельяжной решеткой с алмазами. На крыше, по углам и по бокам – императорские орлы, в центре её – усыпанная алмазами императорская корона. Двери украшены гербом Российской Империи из золота и бриллиантов, окна из горного хрусталя гравированы изображением поднятых занавесок. Крохотная подножка опускается при открывании двери, внутри кареты сидение и подушки покрыты прозрачной землянично-красной эмалью, потолок расписан виноградной лозой со светло-голубыми эмалевыми медальонами в золотых венках, в центре – золотой крюк. Все детали кареты тщательно проработаны, сама кабина подвешена на золотых рессорах, золотые колеса одеты в платиновые шины. *По кромке внутренней стороны верхней половины яйца находятся клейма: русские инициалы мастера-исполнителя, пробирное клеймо 56 (стандарт 14-каратного золота до 1899 г.); под дном кареты также имеются инициалы мастера, 56-ая проба и марка «Фаберже» по-русски, фамилия Вигстрем выгравирована на внутренней стороне яйца.*

ВЫСОТА 12,7 СМ

and Alexandra, executed in minute detail, enameled translucent strawberry red and applied with a diamond-set gold trellis, the roof mounted with gold Imperial eagles at the corners and sides and with a diamond-set Imperial crown at the center, the doors mounted with diamond-set Imperial eagles and with rock-crystal windows engraved with drapery, the interior with tiny steps which fold down when the doors are opened, and with a translucent strawberry red enameled bench and cushions before a light blue enameled drapery with gold trim, the ceiling painted with gold vine and with a light blue enamel roundel within a gold wreath, a gold hook at the center, all components of the carriage finely articulated, the compartment itself suspended from gold springs, the gold wheels with platinum tires, *the inner edge of the top of the egg marked with Cyrillic initials of workmaster and pre-1899 assay mark of 56 standard for 14 karat gold, the underside of the coach also marked with Cyrillic initials of workmaster, pre-1899 assay mark of 56 standard for 14 karat gold and Fabergé in Cyrillic; the name of Wigström scratched on the inner surface of the shell.*

HEIGHT 5 IN. (12.7 CM)

Торжественный въезд в Москву
императрицы Александры Федоровны.
Архивная фотография, 1896 г.

Ceremonial procession of Empress Alexandra
Feodorovna entering Moscow.
Archival photograph, 1896

За работу над данным яйцом Фаберже выставил следующий счет[1]:

«18 апреля.

Покрытое желтой эмалью яйцо и карета	*5 500 р.*
Кулон в форме яйца из изумруда с бриллиантами	*1 500 р.*
Стеклянный футляр и подставка из жадеита	*150 р.*

Санкт-Петербург, 17 мая 1897 года»

«Коронационное» пасхальное яйцо 1897 года – самое известное и прославленное творение Фаберже. Оно чаще других демонстрировалось на различных выставках, и наибольшее число публикаций посвящено именно этому произведению искусства русского ювелирных дел мастера[2]. Как следует из названия яйца, оно было создано в честь торжеств, связанных с коронацией императора Николая II и императрицы Александры Федоровны, которые начались с торжественного въезда императорской четы в Москву 9 мая 1896 года. Николай II сделал следующую запись в дневнике:

«9-го мая. Первый тяжелый день для нас – день въезда в Москву. ...К 12 ч. собралась вся ватага принцев, с которыми мы сели завтракать. В 2 ч. (ровно) тронулось шествие; я ехал на Норме. Мама сидела в первой золотой карете, Аликс во второй – тоже одна.»[3]

Во главе кортежа, растянувшегося на шесть километров, от Петровского дворца за пределами московских городских ворот, до Никольских ворот Кремля, двигались эскадроны императорской гвардии, за ними следовал Лейб-гвардии казачий эскадрон Собственного Его Величества конвоя, представители московской знати, вслед за которыми шли музыканты придворного оркестра, чины царской охоты и придворные скороходы. Николай II ехал на белом коне, в белом парадном мундире, с поводьями в левой руке, то и дело поднимая правую руку для приветствия. За Николаем II верхом ехали великие князья и представители правящих династий Европы. За ними следовала вдовствующая императрица Мария Федоровна в массивной карете Екатерины Великой – церемониальная часть высочайшего двора предоставляла ей более почетное место, чем новой императрице, в связи с чем впоследствии возникла натянутость в их отношениях (Мария Федоровна достаточно часто пользовалась своим правом носить коронные драгоценности). Замыкала шествие облаченная в ослепительно серебристое

The egg is listed on Fabergé's invoice as follows:[1]
"April 18.

Yellow enamel egg and coach	*5500r.*
Emerald pendant egg with diamonds	*1500r*
Glass case and jade stand	*150r.*

St. Petersburg, May 17, 1897"

The 1897 Coronation Egg is the most celebrated and best known of all of Fabergé's creations, the most exhibited and most published work of art by the Russian master.[2] As its name denotes, it commemorates the festivities surrounding the coronation of Tsar Nicholas II and Alexandra Feodorovna, which began with their entry into Moscow on May 9, 1896. Nicholas noted in his diary:

"9 May. The first hard day for us – the day of our entrance into Moscow. By 12 an entire gang of princes had gathered, with whom we sat down to lunch. At 2.30 the procession began to move. I was riding on Norma, Mama was sitting in the first gold carriage and Alix in the second, also alone."[3]

At the head of the four-mile-long cortège, from the Petrovsky Palace outside the gates of Moscow to the Nicholsky Gate of the Kremlin, rode squadrons of the Imperial Guard, followed by the Cossacks of the Guard, Moscow's nobility, then, on foot, the Court orchestra, the Imperial Hunt and court footmen. Nicholas rode on his white steed, simply dressed in a white army tunic, reigns in his left hand, right hand raised to his visor in salute. Behind Nicholas rode the Russian Grand Dukes and European nobility. Next came the widowed Dowager Empress Maria Feodorovna in the massive carriage of Catherine the Great – Russian Court Protocol gave her precedence over the new Empress, a situation which was later to cause considerable friction between the two (the Dowager made good use of her right to wear the Russian Crown Jewels). Last came the young Empress dressed in dazzling white in a gilded coach drawn by eight white horses (pp. 162-163). According to the perhaps biased Princess Radziwil, the cortège was not a great success:

"When he made his entrance into Moscow, the golden carriages, magnificence, escort of chamberlains in gold-embroidered costumes, and sol-

платье молодая императрица в позолоченной карете, запряженной восьмеркой белых лошадей (сс. 162-163). По мнению княгини Радзивил, которое, впрочем, могло быть предвзятым, церемония въезда не имела особого успеха:

«Когда он совершал торжественный въезд в Москву, то всё — позолоченные кареты, великолепие, сопровождающие процессию камергеры в расшитых золотом костюмах и солдаты в парадной форме, — выглядело так же, как и во время коронации его отца. Но чувствовалось, что толпы народа не испытывали особой теплоты и энтузиазма, которые всегда ощущаются при таких церемониях. Да, единственный раз, когда чувствовалось, что толпы кричат «ура» от всего сердца — это когда появилась карета вдовствующей императрицы; ее невестку толпа приветствовала ледяным молчанием»[4].

Четырнадцатого мая в Успенском соборе Кремля состоялась церемония коронации, длившаяся около четырех часов. Николай II восседал на алмазном троне царя Михаила Федоровича, украшенном 870 бриллиантами, рубинами и жемчугом. Александра Федоровна сидела на троне Царя Ивана Грозного из слоновой кости. Николай был в офицерской форме Преображенского Гвардейского полка и накинутой поверх нее тяжелой златотканой мантии с вышитыми на ней двуглавыми орлами. На голове у него была алмазная корона Екатерины Великой весом более трех с половиной килограммов, созданная Иеремией Позье в 1762 году (в настоящее время хранится в Алмазном фонде Российской Федерации в Москве). На Александре Федоровне было расшитое серебром белое платье со шлейфом, который несли 12 придворных, на шее - нить из розового жемчуга и маленькая алмазная корона (в настоящее время принадлежащая коллекции Музея Хиллвуда в Вашингтоне) на голове. Николай описал свои размышления о событиях того дня в дневнике:

«14 мая 1896 г. Великий, торжественный, но тяжкий, в нравственном смысле, для Аликс, Мама и меня, день. ...не забывается во всю жизнь!!!»[5].

Брат императрицы, великий герцог Эрнст Людвиг Гессенский, присутствовавший на церемонии коронации, сделал более живое ее описание:

«Коронация в Москве 26 мая 1896 года была самой роскошной церемонией из всех, что я видел. Она была почти восточной и продолжалась 10 дней. В Москве собор был полон изображениями святых на золотом фоне, а на всех священниках были золотые ризы, украшенные вышивкой и драгоценными камнями. Во всех церемониях ощущался глубокий мистический смысл и византийские традиции. Миропомазанные император и императрица стали Божьими Помазанниками. Император, как священник, причащается в алтаре. После этого он перед троном снимает с головы корону, встает на колени и молится вслух замечательной молитвой за свой народ. Потом произносят молитву за императора, и он поднимается, и в этот момент он единственный неколенопреклоненный человек во всей Российской

Карета Екатерины Великой, 1793 г.
Catherine the Great's coach of 1793 by Букелдаль

diers in parade uniforms were the same as at his father's coronation. But one could sense no genuine warmth in the tribute of the crowd, no enthusiasms other than that always found on such an occasion. Yes, the only time that the hurrahs of the masses seemed to come from the heart was when the Dowager Empress' carriage appeared, while her daughter in law was met with deathly silence."[4]

On May 14, the Coronation took place in the Dormition, or Uspensky, Cathedral, a ceremony lasting four hours. Nicholas was seated on the throne of Tsar Mikhail Feodorovich inset with 870 diamonds, rubies and pearls. Alexandra Feodorovna sat on Ivan the Great's Ivory Throne. Nicholas wore the uniform of the Preobrazhensky Guard, a heavy gold-thread mantle embroidered with black double-headed eagles and the nine-pound diamond crown of Catherine the Great, made by Jérémie Pauzie in 1762 (now in Diamond Fund of the Russian Federation, Moscow). Alexandra wore a silver-white court dress with a train carried by 12 attendants, a single strand of pink pearls and the small diamond crown (now in the collection of the Hillwood Museum, Washington, D.C.). Nicholas pondered the day's events in his diary:

"14 May, 1896. A great day, a triumphant day, but for Alix, Mama and me, difficult in the moral sense. I shall not forget it my whole life long."[5]

The Empress' brother, Grand Duke Ernst Ludwig of Hesse, who attended the Coronation ceremonies, described the scene vividly:

"The coronation in Moscow on May 26th 1896 was the most opulent celebration which I ever witnessed. It bordered close to the Oriental and lasted for 10 days. In Moscow the cathedral was filled with paintings on gold ground of saints and all priests were dressed in gold robes applied with embroidery and precious stones. A very deep feeling of mysticsm was in all the ceremonies and you could feel the tradition of Byzance. Through the holy oil the Emperor and the Empress are now sanctified (geheiligt.) The Emperor takes the Holy Communion as a priest in the inner sanctuary, then the Emperor takes his crown off before the throne, he kneels down and prays aloud the so wonderful prayer for his people. And following the prayer for the Emperor he gets up and then is the only

Напротив: Коронация Александры Федоровны. Взято из "Коронационного сборника" Самокши-Судковский, Санкт-Петербург, 1899
Opposite: E.P. Samokysh-Sudkovskii, The Coronation of Alexandra Feodorovna. From: "Coronation Miscellany", St. Petersburg, 1899

Империи. Процессия людей, входящих в собор и выходящих из него, проходит по возвышению, которое на уровне голов, стоящих вокруг, поэтому можно видеть всех, кто принимает участие в церемонии. Процессия как будто состоит лишь из людей в парадной форме, все блестит золотом и серебром, император и императрица в золотых с горностаем мантиях стоят под огромным балдахином, все великие княгини усыпаны драгоценностями. Все происходит как в волшебном сне, потому что все озарено ярким сиянием солнца».[6]

Сюрприз «Коронационного» яйца воспроизводит точную копию кареты, в которой ехала Императрица Александра Федоровна. Его скорлупа, украшенная сеткой с черными двуглавыми орлами на желтом гильошированном фоне, покрытая эмалью, напоминает тяжелые златотканые мантии с вышитыми императорскими орлами. Мантии, в которые были облачены на церемонии коронации в Успенском соборе император и императрица, были выполнены московской мастерской Сапожникова. Эта сцена запечатлена на полотнах датского придворного художника Лаурица Туксена (сс. 168-169).

Двухместная карета императрицы Александры Федоровны была изготовлена Иоганном К. Букендалем в 1793 году в Санкт-Петербурге (с. 167). Оригинал, длиной в 512 см и высотой в 270 см, выполнен из дуба, ясеня, березы, липы, железа и стали и украшен медью, латунью, бронзой, серебром и золотом. Экипаж, в который проникал свет сквозь стекла с фацетом, отделан бархатом и шелком внутри. Карета подвешена на четырех поперечных рессорах в форме буквы «С» и ремнях, протянутых на всю длину сидений и крест-накрест. Впереди устроены козлы для кучера, а сзади предусмотрены места для пажей и подножки для ливрейных лакеев, откидная ступенька прикреплена к полу кареты. Снаружи карета обита малиновым бархатом с бисером, украшена стразами, кистями и вышивкой золотыми нитями с сетчатым рисунком и растительным орнаментом. Карета увенчана медной с позолотой короной, инкрустированной искусственными камешками (первоначально это были аквамарины). Карета подновлялась и реставрировалась в 1826, 1856, 1894 и 1896, а в последний раз – в 1992-93 годах на средства компании Форд перед выставкой изделий Фаберже, состоявшейся в Зимнем дворце в 1993 году. Тогда ее в разобранном виде подняли по Посольской (Иорданской) лестнице и вновь собрали, чтобы в Георгиевском зале выставить рядом с ней миниатюрную копию Фаберже.[7]

В 1952 году ювелир Георг Штейн, изготовивший карету для «Коронационного» яйца Фаберже, был еще жив. Кеннет Сноумэн взял у него интервью и опубликовал воспоминания ювелира в 1953 году.[8] Штейну было двадцать три года, когда его пригласил работать в свою фирму Фаберже, переманив мастера от ювелира Кортмана и предложив ему плату в размере 5 рублей в день. Штейн обладал такой поразительной зоркостью, что мог без лупы обнаружить дефект в алмазе. Скрупулезная работа над

Выставка фон Дервиза (1902). В выставочной витрине сюрприз «Коронационного» яйца в стеклянном футляре Фаберже. Архивная фотография
Von Dervis exhibition, 1902 – with exhibition case showing the Coronation Coach Surprise in its original glass case by Fabergé. Archival photograph

person standing at that moment in the whole Russian Empire. The procession to and from the cathedral leads over an elevated passage, as high as the heads of the people around, so that all, who take part in the procession, can be seen. The procession is all uniforms, gold, silver, Emperor and Empress in their gold and ermine under a gigantic canopy, all grand duchesses (Fürstinnen) strewn with jewels. To look at all this must have been like a fantastic dream because the sun was shining an all."[6]

The Coronation Egg contains a faithful replica of the coach in which Alexandra rode. The egg's shell, embellished with a trellis of black double-headed eagles on yellow *guilloché* enamel ground, is a reminder of the heavy cloaks of gold thread inwoven with Imperial eagles by the Moscow firm of Sapozhnikov, that were worn by the Imperial couple at the coronation ceremony in the Uspensky Cathedral, a scene perfectly rendered in Laurits Tuxen's paintings. (pp. 168-169)

Alexandra Feodorovna's carriage was a *coupé* coach built in St. Petersburg by Johann K. Buckendahl in 1793 (p. 167). The original, 512 cm long and 270 cm high, is made of oak, ash, birch, lime, iron and steel and is embellished with copper, brass, bronze, silver and gold, its interior is decorated with velvet and silk, with beveled glass windows. It is suspended on four C-shaped transverse springs and sits length- and cross-wise on straps, has seats for the coachman and pages, rear steps for the footmen and folding steps attached to the floor of the carriage. The exterior is upholstered with dark red velvet, applied with sequins, artificial diamonds, tassels and golden embroidery of trelliswork, flowers and foliage. The coach is surmounted by a copper-gilt crown set with pastes (originally aquamarines). The coach was renovated in 1826, 1856, 1894 and 1896 and most recently

миниатюрной каретой была выполнена без каких-либо оптических приспособлений и заняла пятнадцать месяцев, причем мастер работал по 16 часов в сутки, в общей сложности – 7200 часов. Штейну приходилось много раз посещать императорский музей экипажей. Изготовление одной кареты-сюрприза обошлось фирме Фаберже в 2250 рублей, что составило половину стоимости всего императорского заказа. Изумруд грушевидной формы, подвешенный внутри кареты, обошелся еще в 1500 рублей, а стеклянный футляр (с. 170), в котором размещалась карета, когда ее демонстрировали отдельно от яйца, стоил еще 150 рублей.

«Коронационное» яйцо хранилось в витрине углового шкафчика в комнате императрицы в Зимнем дворце. Оно подробно описано главным смотрителем императорской резиденции Н. Дементьевым, который отметил в 1909 г., что внутри яйцо отделано белым бархатом, служившим «гнездом» для модели императорской кареты. Само яйцо было помещено на серебряную позолоченную подставку.[9] Также тщательно были описаны сюрприз яйца и отдельный стеклянный футляр, включая кулон из желтого бриллианта грушевидной формы, который висел внутри кареты.

«Карета-сюрприз помещена на прямоугольную плитку из жадеита, окантованную серебром с позолотой. Сюрприз на подставке – в прямоугольном стеклянном футляре, окантованном позолоченным серебром. Позолоченные серебряные императорские короны помещены на каждый из четырех углов футляра».[10]

Яйцо было конфисковано Временным правительством в 1917 году и попало в список сокровищ, вывезенных из Аничкова дворца, размещенных затем в Кремле и, в конце концов, в 1922 году переданных в Совнарком для продажи:
«1 золотое яйцо, украшенное бриллиантами и алмазами огранки «роза», внутри него - золотая карета, внутри которой грушевидный бриллиант»[11].

in 1992-93 through a grant of the Ford Motor Company for a Fabergé exhibition held at the Winter Palace in 1993, when it was carried up the Ambassador's Staircase in pieces and then reassembled to be shown alongside the Fabergé miniature replica in St. George Hall.[7]

In 1952 the goldsmith responsible for the Fabergé coach, Georges Stein, was still alive. Kenneth Snowman interviewed him and recorded Stein's remembrances in his 1953 publication.[8] Stein was aged twenty-three at the time when Fabergé hired him away from the jeweler Kortman, offering him a higher salary of five rubles a day ($2.50). His eyesight is said to have been so incredibly good that he could detect a flaw in a diamond without a loupe. The meticulous work on the coach, executed without any artificial optic aid, took fifteen months at sixteen hours a day – a total of 7,200 hours – with many a visit to the Imperial Coach Museum. The cost to Fabergé of the coach alone would, according to Stein, have been 2,250 rubles, exactly half of what Fabergé charged the Tsar for the egg. A pear-shaped emerald drop suspended in the coach's interior cost an extra 1,500 rubles; the glass case in which the coach was separately exhibited (p. 170), an additional 150 roubles.

The Coronation Egg was displayed in the Empress' apartment in the Winter Palace in a corner cabinet and is exactly described in 1909 by N. Dementiev, Inspector General of the Imperial Winter Palace, including its white velvet-lined interior which was the *"nest for the model State carriage.... The egg rests on a silver-gilt wire stand."* [9] The surprise and its separate glass case were also minutely described, including *"a yellow diamond pendant egg (briolette)"* which hung in the carriage (and which apparently had replaced the original emerald drop). *"It is placed on a rectangular jadeite pediment with a silver-gilt rim and is contained in a rectangular glass case with silver-gilt edging. Silver-gilt Imperial crowns are placed at each of the four corners of the case."* [10]

Яйцо было продано через «Антиквариат» дилеру Эмануилу Сноумэну в 1927 году. В 1934 году он через свою лондонскую фирму «Вартски» продал шедевр Фаберже Чарльзу Парсонсу; яйцо вновь было приобретено фирмой «Вартски» в 1945, а затем в 1979 году продано Малькольму Форбсу за 2 160 долларов вместе с яйцом «Ландыши».

ПРИМЕЧАНИЯ

1. Фаберже Т., Пролер Л., Скурлов В. *Императорские пасхальные яйца*. Christie's Books, 1997, с. 130.

2. В полной библиографии, составленной Лоувс, У., МакКанлесс, Ч. *Яйца Фаберже. Ретроспективная энциклопедия*. The Scarecrow Press, 2001, с. 53f., указано, что "Коронационное" яйцо было экспонировано на 26 выставках и упомянуто в 60 книгах.

3. Цитируется по книге: Радзинский, Э. *Последний царь*, 1992, с. 51.

4. Count Paul Vassili (Catherine Radziwil), Bakom Förlåten till Ryska Hofvet, Stockholm 1915 [Граф Поль Василий (Катерина Радзвил)], том 2, с. 52.

5. *Дневник Николая II, запись от 14 мая 1896 года.* Государственный архив Российской Федерации (ГАРФ), ф. 601, оп. 1, д. 236, л. 9-10.

6. Кнодт М. Эрнст *Людвиг Гессенский: его жизнь и его время*. Дармштадт 1997, сс. 152-153.

7. Каталог выставки Санкт-Петербург/Париж/Лондон, 1993/4, No. 369, сс. 436-437.

8. Сноумэн А. К. *Искусство Фаберже*. Faber and Faber, London, 1953. Издание данной книги в США: Boston Book and Art Shop (переиздания с исправлениями и дополнениями в 1962, 1964, 1968), с. 87.

9. № 198. Архив Государственного Эрмитажа, ф. 1, оп. VIII – Г, д. 7б. Цитируется по книге Фаберже Т., Пролер Л., Скурлов В. *Императорские пасхальные яйца*. Christie's Books, 2000, с. 132.

10. Там же, № 190.

11. Там же.

The egg was confiscated by the Provisional Government in 1917, listed among the treasures removed from the Anichkov Palace, dispatched to the Kremlin and finally transferred to the Sovnarkom in 1922 for sale:

"1 gold egg with diamonds and rose-cut diamonds, containing a gold carriage with a pear-shaped diamond."[11]

The egg was sold by Antikvariat to dealer Emanuel Snowman in 1927, sold by his London firm Wartski to Charles Parsons in 1934, reacquired by Wartski in 1945 and sold, together with the Lilies of the Valley Egg, to Malcolm Forbes for a total of $2,160,00 in 1979.

NOTES

1. Fabergé/Proler/Skurlov 1997, p. 130.

2. The Coronation egg was, according to the exhaustive bibliography established by Lowes/McCanless 2001, pp. 53f., shown at over twenty-six exhibitions and mentioned in almost sixty books.

3. Quoted from Edvard Radzinsky, *The Last Tsar*, 1992, p. 51.

4. Count Paul Vassili (Catherine Radziwil), *Bakom Förlaten till Ryska Hofvet*, Stockholm, 1915, vol. 2, p. 52.

5. Nicholas' Diary, 14 May 1896, Russian State Archive, Fol. 601, op. 1, d. 236, pp. 9-10.

6. Manfred Knodt, Ernst Ludwig Grossherzog von Hessen und bei Rhein, Darmstadt 1997, pp. 152/3. Translated by the author.

7. Exhibition catalogue St.Petersburg/Paris/London, 1993/4, No. 369, pp. 436-437.

8. Snowman 1953, p. 87.

9. Nr. 198. Archive of the State Hermitage, stock I, inv. VIII – G, file 7b, fol. 47 verso. Quoted from Fabergé/Proler/Skurlov 1997, pp. 132.

10. Op. cit., Nr. 190.

11. Ibid.

Париж, Всемирная Выставка, 14 апреля – 12 ноября 1900 г.

Санкт-Петербург, Особняк фон Дервиза, *Благотворительная выставка*, 9-15 марта, 1902 г.

Лондон, Белгрейв-сквер, *Выставка Русского искусства*, 4 июня-13 июля 1935 г., № 586 каталога, с. 111.

Лондон, *Вартски, Выставка работ Карла Фаберже, ювелира и золотых дел мастера Российского Императорского двора*, 8-25 ноября 1949 г., № 6, каталога, с. 3, 10, илл. на с. 31.

Лондон, Вартски, *Выставка работ Карла Фаберже, приуроченная ко дню коронации*, 20 мая-13 июня 1953 г., № 286, с. 25 каталога.

Лондон, Музей Виктории и Альберта, *Фаберже, 1846-1920 (по случаю Серебряного юбилея королевы)*, 23 июня-25 сентября 1977 г., № О1, сс.12, 93 каталога, илл. на с. 101.

Бостон, Массачусетс, Музей изобразительных искусств, *Императорские пасхальные яйца дома Фаберже*, 10 апреля-27 мая 1979 г., воспроизведено на обложке.

Лос-Анджелес, Калифорния, Музей округа Лос-Анджелес, *Сокровища Карла Фаберже*, 6 июня-28 октября 1979 г. (без каталога).

Хельсинки, Музей прикладного искусства, *Карл Фаберже и его современники*, 16 марта-8 апреля 1980 г., с. 33 каталога.

Ричмонд, Виржиния, Музей изобразительных искусств / Миннеаполис, Миннесота, Миннеапольский Институт искусств / Чикаго, Иллинойс, Художественный институт Чикаго, *Фаберже, избранные экспонаты из коллекции журнала «Форбс»*, 1983 г., перечень на с. 16, илл. на с. 2.

Форт-Уорт, Техас, Художественный музей Кимбелл, *Фаберже, коллекция журнала «Форбс»*, 25 июня-18 сентября 1983 г., № 189 по списку.

Детройт, Мичиган, Художественный институт Детройта, *Фаберже, коллекция журнала «Форбс»*, 27 июня-12 августа 1984 г., № 134 по списку.

Мюнхен, Выставочный зал Фонда культуры, *Фаберже, царский ювелир*, 5 декабря-8 марта 1986/87 г., № 539, каталога, сс. 12, 40, 94, 97, 98, 272, 274, илл. на с. 273.

Лугано, Коллекция Тиссен-Борнемиса, Вилла Фаворита, *Фантазии Фаберже, из коллекции журнала «Форбс»*, 14 апреля-7 июня 1987 г., № 119, сс. 11, 13, 113 каталога, илл. на сс. 112, 113.

Париж, Музей Жакмар-Андре, *Фаберже, ювелир царского двора*, 17 июня-31 августа 1987 г., № 119, с. 6, 8, 109 каталога, илл. на сс. 108, 109.

Лондон, Королевская Академия художеств, Ярмарка Дома Берлингтон, сентябрь 1987 г. (без каталога).

Лондон, Эрмитаж, *Императорские подарки Фаберже*, 8-15 сентября 1987 г., (без каталога).

Сан-Диего, Калифорния, Музей искусств Сан-Диего / Москва, Оружейная Палата, Государственные Музеи Московского Кремля, *Фаберже: Императорские Пасхальные яйца*, 1989/90 г., № 110, сс. 79, 83, 256 каталога, илл. на с. 257.

Санкт-Петербург, Государственный Эрмитаж / Париж, Музей декоративного искусства / Лондон, Музей Виктории и Альберта, 1993/94 г., № 110, каталога, сс. 36, 37, 44, 66, 74, 49, 83, 158, 256, 435-7, илл. на с. 257.

Нью-Йорк, Музей искусств Метрополитан / Сан-Франциско, Калифорния, Мемориальный музей де Янг / Ричмонд, Виржиния, Музей изобразительных искусств / Новый Орлеан, Луизиана, Музей искусств Нового Орлеана / Кливленд, Огайо, Музей искусств Кливленда, *Фаберже в Америке*, 1996/97 г., № 285, сс. 23, 231, 266 каталога, илл. на с. 266.

Уилмингтон, Делавер, Центр искусств «Ферст ЮСЭй Риверфронт», *Николай и Александра*, 1 августа-14 февраля 1998-99 г., № 397, илл. на с. 228 каталога.

Мобил, Алабама, Центр конвенций, *Николай и Александра*, 12 июня-31 января 1999-2000 г., № 397, илл. на с. 229 каталога.

Уилмингтон, Делавер, Центр искусств «Ферст ЮСЭй Риверфронт», *Фаберже*, 8 сентября-18 февраля 2000-01 г., № 442 каталога, илл.

Paris, Exposition Universelle, April 14-November 12, 1900.

St. Petersburg, von Dervis Mansion, *Charity Exhibition*, March 9-March 15, 1902.

London, Belgrave Square, *The Exhibition at Belgrave Square*, June 4-July 13, 1935, cat. no. 586, cat. p. 111.

London, Wartski, *A Loan Exhibition of the Works of Carl Fabergé, Jeweller and Goldsmith to the Imperial Court of Russia*, November 8-November 25, 1949, cat. 6, pp. 3, 10, ill. p. 31.

London, Wartski, *Special Coronation Exhibition of the Work of Carl Fabergé*, May 20-June 13, 1953, no. 286, cat. p. 25.

London, Victoria and Albert Museum, *Fabergé, 1846-1920* (held on the occasion of the Queen's Silver Jubilee), June 23-September 25, 1977, no. 01, cat. pp. 12, 93, ill. p. 101.

Boston, Massachusetts, Museum of Fine Arts, *Imperial Easter Eggs from the House of Fabergé*, April 10-May 27, 1979, ill. on cover of checklist.

Los Angeles, California, The Los Angeles County Museum of Art, *Treasures by Peter Carl Fabergé*, June 6-October 28, 1979 (no cat.).

Helsinki, The Museum of Applied Arts, *Carl Fabergé and His Contemporaries*, March 16-April 8, 1980, cat. p. 33.

Richmond, Virginia, Virginia Museum of Fine Arts/Minneapolis, Minnesota, The Minneapolis Institute of Art/Chicago, Illinois, The Art Institute of Chicago, *Fabergé, Selections from the Forbes Magazine Collection*, 1983, checklist p. 16, ill. p. 2.

Fort Worth, Texas, The Kimbell Art Museum, *Fabergé, The Forbes Magazine Collection*, June 25-September 18, 1983, checklist no. 189.

Detroit, Michigan, The Detroit Institute of Arts, *Fabergé, The Forbes Magazine Collection*, June 27-August 12, 1984, checklist no. 134.

Munich, Kunsthalle der Hypokulturstiftung, *Fabergé, Juwelier der Zaren*, December 5, 1986-March 8, 1987, no. 539, cat. pp. 12, 40, 94, 97, 98, 272, 274, ill. p. 273.

Lugano, The Thyssen-Bornemisza Collection, Villa Favorita, *Fabergé Fantasies from the Forbes Magazine Collection*, April 14-June 7, 1987, no. 119, cat. pp. 11, 13, 113, ill. pp. 112, 113.

Paris, Musée Jacquemart-André, *Fabergé, Orfèvre à la Cour des Tsars*, June 17-August 31, 1987, no. 119, cat. pp. 6, 8, 109, ill. pp. 108, 109.

London, The Royal Academy of Arts, The Burlington House Fair, September 1987 (no cat.).

London, Ermitage, *Fabergé Imperial Presents*, September 8-15, 1987 (no cat.).

San Diego, California, San Diego Museum of Art/Moscow, Armory Museum, State Museums of the Moscow Kremlin, *Fabergé: The Imperial Eggs*, 1989/90, no. 110, cat. pp. 79, 83, 256, ill. p. 257.

St. Petersburg, State Hermitage Museum/Paris, Musée des Arts Décoratifs/London, Victoria and Albert Museum, 1993/94, no. 110, cat. pp. 36, 37, 44, 66, 74, 49, 83, 158, 256, 435-7, ill. p. 257.

New York, Metropolitan Museum of Art/San Francisco, California, H. M. De Young Memorial Museum/Richmond, Virginia, Virginia Museum of Fine Arts/New Orleans, Louisiana, New Orleans Museum of Art/Cleveland, Ohio, The Cleveland Museum of Art, *Fabergé in America*, 1996/7, no. 285, cat. pp. 23, 231, 266, ill. p. 266.

Wilmington, Delaware, First USA Riverfront Arts Center, *Nicholas and Alexandra*, August 1, 1998-February 14, 1999, no. 397, cat. p. 228, ill.

Mobile, Alabama, Mobile Convention Center, *Nicholas and Alexandra*, June 12, 1999-January 31, 2000, no. 397, cat. p. 228, ill.

Wilmington, Delaware, First USA Riverfront Arts Center, *Fabergé*, September 8, 2000-February 18, 2001, cat. no. 442, ill.

"Easter Eggs – Gifts of the Sovereign Emperor to the Sovereign Empress Alexandra Feodorovna," *Town and Country: The Journal of Elegant Living. St. Petersburg.* No. 55, April 1, 1916, p. 6, ill.

Bainbridge. H. C. "Russian Imperial Easter Gifts II," *Connoisseur*, Vol. 93, no. 394, June 1934, pp. 386, 389, ill. p. 389.

Pavlovna, M. "The Russian Easter Egg," *Harpers Bazaar*, April 1938, p. 183.

Snowman, A. K. *The Art of Carl Fabergé*, 1953/55/62/64/68, pp. 52, 56, 86, 87, ill. colorplate LXXIII and dust jacket (1974 edition).

Guth, P. "Carl Fabergé," *Connaissance Des Arts*, February 15, 1954, ill. on an unnumbered page.

Bainbridge, H. C. *Peter Carl Fabergé, Goldsmith and Jeweller to the Russian Imperial Court, His Life and Work*, London, 1949/1966, pp. viii, 73, 75, ill. pl. 89 and on dust jacket.

Waterfield, H. *Fabergé from the Forbes Magazine Collection*, New York, 1973, p. 52, ill.

"An Easter Fantasy: Fabergé Eggs," *Architectural Digest*, March/April 1973, pp. 54-55, ill.

Snowman, A. K. "Carl Fabergé in London," *Nineteenth Century*, Summer 1977, p. 55, ill. p. 51.

Waterfield, H. and Forbes, C. *Fabergé Imperial Eggs and Other Fantasies*, New York, 1978, pp. 52, 129, ill. p. 118.

Forbes, C. "Fabergé Imperial Easter Eggs in American Collections," *Antiques*, Vol. CXV, no. 6, June 1979, pp. 1237, 1238, ill. pl. XVI.

von Habsburg, G. and von Solodkoff, A. *Fabergé, Court Jeweler to the Tsars*, New York, 1979/84, pp. 105, 107, 158, ill. pl. no. 126, index pl. no. 37.

Snowman, A. K. *Carl Fabergé, Goldsmith to the Imperial Court of Russia*, London, 1979, p. 97, ill.

Schaffer, P. "Carl Fabergé," *Connaissance des Arts*, January 1980, p. 80.

Forbes, C. *Fabergé Eggs, Imperial Russian Fantasies*, New York, 1980, pp. 5, 14, ill. p. 15 and an unnumbered page.

Hess, A. "Forbes's Fabulous Fabergé," *Saturday Review*, August 1980, p. 44, ill. p. 46.

Banister, J. "Rites of Spring," *Art and Antiques Weekly*, April 5, 1980, pp. 37, 38, ill. p. 39.

Sears, D. "When Fantasy Reigned," *Collector Editions Quarterly*, Spring 1980, p. 29, ill. p. 27.

Gambaccini, P. "Of Baubles and Flinty-Eyed Braves," *Avenue*, February 1981, p. 88, ill. p. 89.

Kelly, M. "Frames by Fabergé in the Forbes Magazine Collection," *Arts in Virginia*, 1982/83, p. 10.

Swezey, M. P. "Fabergé and the Coronation of Nicholas and Alexandra," *Antiques*, June 1983, pp. 1210, 1211, 1213, ill. pp. 1210-1211.

Coburn, R. S. "Celebrating the Elegant Art of the Master of Eggmanship," *Smithsonian*, April 1983, p. 46, ill.

The Museum of Applied Arts, *Carl Fabergé and his Contemporaries*, Helsinki, 1980, cat. p. 33.

von Solodkoff, A. *Masterpieces from the House of Fabergé*, New York, 1984, pp. 13, 17, 64, 65, 109, 126, 156, ill. pp. 9, 74, 186.

Feifer, T. "Fabergé: Jewel Maker of Imperial Russia," *Art & Antiques*, May/June 1985, ill. p. 92.

Kelly, M. *Highlights from The Forbes Magazine Galleries*, New York, 1985, p. 14, ill. pp. 14, 15.

James, J. "Fabergé: The Grandest Easter Egg Hunt," *Echelon*, March 1986, p. 14.

Riley, N. "Fabergé for the Favoured," *Blue Chip*, August 1986, p. 26, ill.

Forbes, C. "Imperial Treasures," *Art & Antiques*, April 1986, pp. 52, 53, ill.

Forbes, C. "A Letter on Collecting Fabergé," *The Burlington Magazine*, September 1987, p. 11, ill. p. 14.

de la Brosse, S. "The Czar's Golden Eggs," *Paris Match*, May 1987, p. 92, ill. p. 93.

von Habsburg, G. *Fabergé*, New York, 1987, pp. 12, 40, 94, 97, 98, 272, 274, ill. p. 273.

Lipmann, E. "Les Oeufs de la Passion," *Expression*, July/August 1987, p. 78, ill. pp. 72, 75.

Forbes, C. "Forbes' Fabulous Fabergé," *USA Today*, July 1988, pp. 37, 43, ill. p. 37.

von Solodkoff, A. *Fabergé*, London, 1988, pp. 27, 28, 34, 38, 43, 104, 119, ill. p. 35 and on dust jacket.

Forrest, M. "The Ultimate Easter Eggs," *Antiques and Collecting*, March 1989, p. 52, ill. p. 45.

Forbes, M. *More Than I Dreamed*, New York, 1989, pp. 220, 222, ill. pp. 220, 222.

Hill, G. *Fabergé and the Russian Master Goldsmiths*, New York, 1989, pp. 14, 57, ill. pl. nos. 31, 32.

Moore, A. *Theo Fabergé and the St. Petersburg Collection*, London, 1989, pp. 49, 154.

Prat, V. "La Collection d'Oeufs de Paques de l'Excentrique Mr. Forbes," *Le Figaro*, April 13, 1990, pp. 83, 88, ill. pp. 82, 83.

Kaonis, D. "The Forbes Legacy: The Empire Without Malcolm," *The Inside Collector*, July/August 1990, ill. p. 36 and table of contents page.

Reshetnikova, L. "Surprises From Fabergé," *Sputnik*, October 1990, p. 117, ill. p. 117 and cover.

Davis, J. "The Ultimate Egg," *Alabama Poultry Newsmagazine*, Autumn 1990, ill. on cover.

Cerwinske, L. *Russian Imperial Style*, New York, 1990, ill. p. 54.

Pfeffer, S. *Fabergé Eggs: Masterpieces from Czarist Russia*, New York, 1990, pp. 12, 14, 44, 46, ill. pp. 45, 47.

Booth, J. *The Art of Fabergé*, New Jersey, 1990, pp. 92, 94, 107, 110, ill. pp. 93, 110.

Lopato, M. "Fabergé Eggs: Re-Dating from New Evidence," *Apollo*, February 1991, p. 92.

Manroe, C. O. *Decorative Eggs*, New York, 1992, pp. 84, 85, ill. p. 86.

d'Antras, B. "Fabergé, Au Bonheur des Tsars," *Beaux Arts*, no. 116, October 1993, p.75, ill.

von Habsburg, G. and Lopato, M. *Fabergé: Imperial Jeweller*, New York, 1993, pp. 36, 37, 44, 66, 74, 79, 83, 158, 256, 435-7, ill. p. 257.

Kelly, M. *Imperial Surprises: A Pop-up Book of Fabergé Masterpieces*, New York, 1994, pp. 9, 10, ill.

Polak, M. A. "The Great Fabergé Egg Hunt," *Royalty*, March 1995, Vol. 13, no. 8, p. 36, ill.

Murray, S. "The Forbes Fabergé Egg Collection," *Figurines & Collectibles*, August 1996, pp. 68, 71, ill. p. 70.

von Habsburg, G. *Fabergé in America*, San Francisco, 1996, pp. 23, 231, 266, ill. 266.

Decker, A. "Still Fabulous Fabergé," *Art & Antiques*, February 1996, pp. 8, 56, ill. p. 8.

Odom, A. *Russian Enamels: Kievan Rus ti Fabergé*, London, 1996, p. 175, ill.

von Habsburg, G. *Fabergé Fantasies and Treasures*, New York, 1996, p. 23, ill. pl. 4.

von Habsburg, G. "Fabergé in His Own Time," *Antiques*, March 1996, p. 453, ill.

Welander-Berggren, E. *Carl Fabergé*, Stockholm, 1997, p. 70, ill.

Fabergé, T., Proler, L., and Skurlov, V. *The Fabergé Imperial Easter Eggs*, London, 1997, no. 16, pp. 10, 51, 55, 68, 69, 82, 90, 130, 132, 235, 242, 253, 254, 256, ill. pp. 50, 55, 131, 235.

Welander-Berggren, E., ed./ Nationalmuseum Stockholm, *Carl Fabergé: Goldsmith to the Tsar*, Stockholm, 1997, pp. 13, 28, ill. p. 70.

Rompalske, D. "Jeweler to the Czars," *Biography*, April 1998, p. 76, ill.

Forbes, C. and Tromeur-Brenner, R. *Fabergé: The Forbes Collection*, Southport, 1999, pp. 37, 270 ill. pp. 36, 39, 271.

von Habsburg, G. *Fabergé: Imperial Craftsman and His World*, London, 2000, pp. 16, 195, ill. p. 195.

Lowes, W., and McCanless, C. L. *Fabergé Eggs: A Retrospective Encyclopedia*, London, 2001, pp. xii, 3, 31, 50, 51-6, 60, 251, 252, 254, 255, 258, 259, 260, 261, 262, 263, 265, 267, 269, 274, 275, ill.

Horowitz, D., ed./Walters Art Museum, *The Fabergé Menagerie*, London, 2003, p. 16.

Миниатюра Василия Зуева с изображением коронации Николая II на пасхальном яйце «Пятнадцатая годовщина царствования»
Miniature by Vassilii Zuiev depicting the Coronation of Nicholas II from the Fifteenth Anniversary Egg

Яйцо «Ландыши»

The Lilies of the Valley Egg

Яйцо «Ландыши»

The Lilies of the Valley Egg

ЯЙЦО «ЛАНДЫШИ» - ПОДАРОК ИМПЕРАТОРА НИКОЛАЯ II СУПРУГЕ, ИМПЕРАТРИЦЕ АЛЕКСАНДРЕ ФЕДОРОВНЕ, НА ПАСХУ 1898 ГОДА; МАСТЕР МИХАИЛ ПЕРХИН, САНКТ-ПЕТЕРБУРГ.

Гильошированная поверхность яйца просвечивает сквозь розовую эмаль; венчающая его императорская корона – в алмазах и рубинах. Из изогнутых золотых ножек основания прорастают побеги ландышей, охватывающие яйцо с четырех сторон листьями прозрачной зеленой эмали. На золотых стеблях – цветы из жемчуга, акцентированного мелкими алмазами. Жемчужная кнопка сбоку приводит в действие механизм: корона поднимается и вслед за ней из яйца появляются, веерообразно раскрываясь, три миниатюрных портрета, оправленных алмазами – Николая II и детей Николая и Александры, великих княжон Ольги и Татьяны. *Каждый портрет подписан миниатюристом Иоханнесом Цейнграфом. На рифленом золотом обороте миниатюр выгравирована дата 5.IV.1898, там же помещены клейма: русские инициалы мастера-исполнителя, «Фаберже» русскими буквами и пробирное клеймо 56 (стандарт 14-каратного золота).*

ВЫСОТА В РАСКРЫТОМ ВИДЕ 20 СМ.

THE LILIES OF THE VALLEY EGG: A FABERGÉ IMPERIAL EASTER EGG PRESENTED BY EMPEROR NICHOLAS II TO HIS WIFE THE EMPRESS ALEXANDRA FEODOROVNA AT EASTER 1898, WORKMASTER MICHAEL PERCHIN, ST. PETERSBURG

The egg enameled translucent rose pink over a *guilloché* ground and surmounted by a diamond and ruby-set Imperial crown, the egg divided into four quadrants by diamond-set borders, each quadrant with climbing gold sprays of lily of the valley, the flowers formed by diamond-petaled pearls, the finely sculpted gold leaves enameled translucent green and rising from curved legs formed of wrapped gold leaves set with diamonds ending in scroll feet topped with pearls, a pearl-set knob at the side of the egg activates a mechanism which causes the crown to rise revealing a fan of three diamond-framed portrait miniatures of Tsar Nicholas II and the children of Nicholas and Alexandra, Grand Duchesses Olga and Tatiana, *each signed by the miniaturist Johannes Zehngraf*, the reeded gold backs of the miniatures engraved with the date 5.IV.1898, *marked on these backplates with Cyrillic initials of workmaster, Fabergé in Cyrillic and assay mark of 56 standard for 14 karat gold.*

HEIGHT 7⅞ IN. (20 CM) WITH RAISED PORTRAIT MINIATURES

В счете, выставленном Фаберже, данное яйцо описано следующим образом:

«Апрель 10. Розовое покрытое эмалью яйцо с тремя портретами, зеленые покрытые эмалью листья, ландыши из жемчуга с алмазами огранки «роза». Санкт-Петербург, Май 7, 1898. 6 700 р.»[1].

Яйцо «Ландыши» украшено любимыми цветами молодой императрицы и ее любимыми драгоценными камнями – жемчугом и бриллиантами. В качестве сюрприза в нем хранятся миниатюрные портреты трех самых дорогих ей людей: обожаемого супруга Николая и двух дочерей, Ольги (1895 г. р.) и Татьяны (1897 г. р.). К тому же, Фаберже выполнил это пасхальное яйцо в стиле модерн – излюбленном стиле императрицы. Без сомнения, из всех изделий российского ювелирных дел мастера она предпочитала именно это.

В течение непродолжительного периода, около пяти лет, Фаберже способствовал развитию стиля *Art Nouveau* в России. Яйцо «Ландыши» 1898 года было первым в ряду работ фирмы в данном стиле, а яйцо «Клевер», созданное в Санкт-Петербурге для императорской семьи в 1902 году (находится в Оружейной палате Кремля, Москва)[2], стало последним произведением Фаберже в стиле модерн с известной датой изготовления. Российским эквивалентом французского *Art Nouveau* и немецкого *Jugendstil* был стиль модерн, который пропагандировался объединением «Мир искусства»[3]. Застрельщиком в объединении «Мир искусства» выступил Сергей Дягилев (1872-1929). В 1885 году меценат Савва Мамонтов основал частную оперу в Москве. Он же создал условия для работы группы художников в подмосковном имении Абрамцево. В состав этой группы входили Илья Репин, Василий Поленов и Виктор Васнецов, а также молодые живописцы Константин Коровин, Валентин Серов и Михаил Врубель. Они занялись разработкой нового направления в

Fabergé's invoice lists this egg as:

"April 10. Pink enamel egg with three portraits, green enamel leaves, lilies of the valley pearls with rose-cut diamonds. St. Petersburg, May 7, 1898 6700r."[1]

The Lilies of the Valley Egg is adorned with the favorite flowers and the favorite jewels – pearls and diamonds – of the young Empress. It also contains, as its surprise, miniatures of her three favorite people in the world: her adored husband Nicholas and her two daughters, Olga (born 1895) and Tatiana (born 1897). Moreover, Fabergé designed the egg in the Tsarina's favorite style – Art Nouveau. Doubtless this egg was also one of her favorite objects by the Russian master.

For a brief period of approximately five years, Fabergé championed the cause of Art Nouveau in Russia. The present egg of 1898 marks the initial appearance of this style in his oeuvre while the Clover Egg of 1902 (Kremlin Amory Museum, Moscow)[2] is the last dateable example in this idiom created in St. Petersburg for the Imperial family. The Russian equivalent to French Art Nouveau and German *Jugendstil* was *Stil Moderne* and *Mir Iskusstva* or the World of Art Movement.[3] The driving force behind *Mir Iskusstva* was Sergei Diaghilev (1872-1929). In 1885 the art patron Savva Mamontov founded a private opera house in Moscow and an artists' colony at Abramtsevo, where a group of artists including Ilya Repin, Vassilii Polenov and Victor Vasnetsov, together with younger artists such as Konstantin Korovin, Valentin Serov and Mikhail Vrubel, developed new ideas which stood in stark contrast to the established art of the *Peredvizhniki*, or Wanderers. The dynamic Diaghilev, with the aid of St. Petersburg artists such as Léon Bakst, Alexander Benois and Evgeny Lanceray and the financial backing of Savva Mamontov and Princess Maria Tenisheva, published the group's journal, *World of Art*, which appeared for six years between 1899 and 1904. A first exhibition of the group's art took place in 1898; a second pioneering exhi-

*Выставка в особняке фон Дервиза
Санкт-Петербург, 1902 г.
Архивная фотография*

*Von Dervis exhibition, St. Petersburg, 1902
showing the Lilies of the Valley Egg.
Archival photograph*

искусстве, которое разительно отличалось от распространенного в то время течения, созданного передвижниками. Энергичный Дягилев вместе с петербургскими деятелями искусства Львом Бакстом, Александром Бенуа и Евгением Лансере при финансовой поддержке Саввы Мамонтова и княгини Марии Тенишевой начал издавать журнал «Мир искусства». Он выходил на протяжении 6 лет, с 1899 по 1904 год. Первая выставка работ участников объединения «Мир искусства» прошла в 1898 году. В начале следующего года состоялась вторая новаторская выставка в музее барона Штиглица с участием зарубежных художников: Беклина, Болдини, Дега, Либерманна, Моне и Ренуара, а также искусных мастеров Лалика, Тиффани и Галле. Временные границы интереса Фаберже к стилю модерн в точности совпадают с периодом выпуска журнала «Мир искусства».

Яйцо «Ландыши» было выставлено на Всемирной выставке 1900 года, в момент наивысшего расцвета *Art Nouveau* в Париже. Выставочный стенд Рене Лалика, оформленный в виде витрины из бронзы, по форме напоминавшей летучую мышь, произвел фурор среди его многочисленных поклонников. За свои изделия Лалик получил наивысшую награду Grand Prix и Орден Почетного Легиона. То же самое жюри, что превозносило до небес произведения Лалика, на удивление равнодушно отнеслось к работам Фаберже, представленным на выставке. Растительный орнамент яйца был охарактеризован как выполненный с «*тонким вкусом*», но подвержен критике, так как «*цветы слишком плотно прилегали к яйцу*». Один из критиков полагал, что было бы лучше, «*если бы подставка опиралась на три, а не на четыре ножки, если бы ее листья не заканчивались банальными изгибами, и если бы веточки ландыши, прилегающие к яйцу, не были бы симметричными*»[4]. Он также подверг критике еще один шедевр Фаберже, «Корзинку с ландышами» (Фонд Матильды Грей Геддингс, Музей изобразительных искусств, Новый Орлеан), описав ее следующим образом: «*Произведение лишено артистического или декоративного чувства. Перед нами фотография с натуры, без привнесения художником собственного стиля*»[5].

Интерес императрицы Александры Федоровны к стилю модерн хорошо известен. Ее брат, великий герцог Эрнст Людвиг Гессенский, основал колонию художников на Mathildenhöhe в городе Дармштадт, где они занимались созданием «совместных произведений искусства» – оформляли интерьеры, проектировали для них мебель и изделия из фарфора и керамики. Вдохновленная художественной атмосферой этого общества, императрица начала коллекционировать произведения из стекла Галле и Тиффани, а также изделия из керамики Рестранда и Дултона, многие из которых были вмонтированы в оправу Юлием Раппопортом, серебряных дел мастером фирмы Фаберже[6]. Эти вещицы стояли на карнизах и каминных полках в Палисандровой гостиной Александровского дворца вместе с сентиментальными безделушками викторианской эпохи[7].

bition was held at the Stieglitz Museum in early 1899 with participation of such foreign artists as Böcklin, Boldini, Degas, Liebermann, Monet and Renoir and such craftsmen as Lalique, Tiffany and Gallé. Fabergé's interest in this style dovetails neatly with *Mir Iskusstva*'s existence.

The Lilies of the Valley Egg was displayed at the 1900 World Fair, which marked the peak of Parisian excitement over Art Nouveau. René Lalique's stand at the fair with its bronze storefront of winged female figures engendered a furor amongst his numerous followers. He was awarded a Grand Prix and the Order of the Legion of Honor for his creations. The same jury which lauded Lalique's work to the heavens was curiously ambivalent about Fabergé's Art Nouveau submissions. The floral decoration of this egg was described as *"of delicate taste"* but criticized as *"too closely adhering to the egg."* The critic would have preferred *"three feet instead of four, leaves not terminated by banal scrolls and that the egg should have been set with asymmetrical sprays."* [4] But then the critic also found fault with another of Fabergé masterpieces, the Lilies of the Valley Basket (now in the Matilda Geddings Gray Foundation Collection, Fine Arts Museum, New Orleans), which was viewed by him as *"without artistic or decorative feeling. We have before us a photograph of nature without the artist having impressed his own style upon it."* [4]

Alexandra Feodorovna's interest in Art Nouveau is well documented. Her brother, Grand Duke Ernst Ludwig of Hesse, founded a colony of artists on the Mathildenhöhe in Darmstadt, where they endeavored to create joint works of art or *Gesamtkunstwerke* of interior design, furniture and pottery. Inspired by this artistic climate, she collected pieces of Gallé and Tiffany glass, Roerstrand and Doulton pottery, many of which were mounted for her by Fabergé's specialist silversmith, Julius Rappoport.[5] These works stood on cornices and mantelpieces in her salons at the Alexander Palace, interspersed with Victorian clutter of sentimental character.

The present egg was kept by the Empress in her private apartment in the Winter Palace on the first shelf from the top of a corner cabinet and is described in detail by N. Dementiev, Inspector of Premises of the Imperial Winter Palace, in 1909, including its mechanism (*"At the side of the egg there is a button with a single pearl which, when pressed causes the crown to rise and disclose three miniature medallions framed in rose-cut diamonds"*).[6]

The Lilies of Valley Egg is clearly visible in a pyramidal showcase, together with other eggs from the collection of Tsarina Alexandra Feodorovna, at the 1902 von Dervis mansion exhibition (p. 186). It is also mentioned in a description of the exhibition, albeit confused with the Lilies of Valley Basket, which stood next to it:
"The Empress Alexandra Feodorovna's collection contains an egg containing a bouquet of lilies of the valley surrounded by moss: the flowers are made of pearls, the leaves of nephrite, and the moss of finest gold." [7]

The Lilies of the Valley Egg was one of nine eggs sold by Antikvariat

Шестилетняя великая княжна Ольга Николаевна. Архивная фотография, 1901 г.
Grand Duchess Olga Nikolaievna, six years old. Archival photograph, 1901

Четырехлетняя великая княжна Татьяна Николаевна. Архивная фотография, 1901 г.
Grand Duchess Tatiana Nikolaievna, four years old. Archival photograph, 1901

Описываемое яйцо хранилось в личных покоях императрицы Александры Федоровны в Зимнем дворце, на верхней полке углового застекленного шкафчика. Яйцо и его механизм были подробно описаны Н. Дементьевым, главным смотрителем императорского Зимнего дворца, в 1909 году («*сбоку яйца находится кнопка с жемчужиной, при нажатии на которую корона поднимается и открываются три миниатюрных медальона, обрамленных алмазами огранки «роза»*»)[8].

Яйцо «Ландыши» хорошо различимо на фотографии пирамидальной витрины с выставки 1902 года в особняке барона фон Дервиза, где оно экспонировалось вместе с другими пасхальными яйцами из коллекции императрицы Александры Федоровны (с. 186). Яйцо упомянуто в описании выставки, хотя его и перепутали со стоявшей рядом «Корзинкой с ландышами»:

«*В коллекции императрицы Александры Федоровны имелось яйцо, украшенное букетом ландышей, окруженным мхом: цветки ландышей были выполнены из жемчугов, листья – из нефрита, а мох тонкой работы – из золота*»[9].

Яйцо «Ландыши» – одно из девяти пасхальных яиц, проданных через «Антиквариат» Эмануилу Сноумэну из фирмы «Вартски» в 1927 году. В 1934 году оно было продано вместе с «Коронационным» яйцом Чарльзу Парсону, затем его снова выкупила фирма «Вартски». Позже эта фирма продала его господину Херсту, но затем снова его приобрела. В 1979 году Кеннет Сноумэн из фирмы «Вартски» продал яйцо «Ландыши» вместе с «Коронационным» пасхальным яйцом Малькольму Форбсу за общую сумму в 2 160 000 долларов.

ПРИМЕЧАНИЯ

1. Фаберже Т., Пролер Л., Скурлов В. *Императорские пасхальные яйца*. Christie's Books, 1997, с. 136
2. Там же, с. 160f. Яйцо «Клевер», Государственный музей Московского Кремля.
3. *Мир искусства в начале XX века в России*. Аврора, Ленинград 1991.
4. фон Габсбург Г. Фаберже и Всемирная выставка в Париже 1900 г. в каталоге выставки *Фаберже: Придворный ювелир*. Гос. Эрмитаж, Санкт-Петербург/Музей декоративного искусства, Париж/Музей Виктории и Альберта, Лондон, 1993/94], с. 122.
5. Там же.
6. Там же, кат. 36, 37, 38, 39.
7. Фотография Палисандровой гостиной.
8. 1997, Архив Гос. Эрмитажа, ф. 1, оп. VIII – Г, дело 7б. Цитируется по книге Фаберже Т., Пролер Л., Скурлов В., с. 138.
9. Там же (Новое время, 9 марта 1902 года), с. 138.

to Emanuel Snowman of Wartski around 1927. Like the Coronation Egg, it too was then sold to Charles Parson in 1934 and bought back by Wartski. It was then sold by Wartski to Mr. Hirst and bought back yet again. In 1979 Kenneth Snowman of Wartski sold the egg to Malcolm Forbes together with the Coronation Egg for a total of $2,160,000.

NOTES

1. Fabergé/Proler Skurlov 1997, p. 136.
2. Kremlin Clover Egg (op. cit., p. 160f.).
3. *The World of Art Movement in early 20th century Russia*. Aurora, Leningrad, 1991.
4. Géza von Habsburg, "Fabergé and the Paris 1900 *Exposition Universelle*" in *St. Petersburg/Paris/London 1993/4*, p. 122.
5. Op. cit., cat. 36, 37, 38, 39.
6. Archive of the State Hermitage, stock I, inv. VIII-G, file 7b, nr. 189. Quoted from Fabergé/Proler/Skurlov 1997, p. 138.
7. Op. cit., p. 138 (*Novoie Vremia*, March 9, 1902).

Великие княжны Татьяна Николаевна и Ольга Николаевна в форме подшефных полков. Архивная фотография, 1912 г.
Grand Duchesses Tatiana and Olga in the uniforms of the regiments of which they were Commanders-in-Chief. Archival photograph, 1912

ПРОВЕНАНС

Императрица Александра
Федоровна.

Эммануил Сноумэн для фирмы
Вартски, Лондон, 1927 г..

Коллекция семьи Форбс,
Нью-Йорк

ВЫСТАВКИ

Париж, Всемирная Выставка,
14 апреля-12 ноября 1900 г.

Санкт-Петербург, Особняк фон
Дервиза, *Благотворительная
выставка*, 9-15 марта 1902 г.

Лондон, Белгрейв-сквер, *Выставка
Русского искусства*, 4 июня-13 июля
1935 г., № 585 каталога, с. 111.

Лондон, Вартски, *Выставка работ
Карла Фаберже, ювелира и золотых
дел мастера Российского
Императорского двора*, 8-25 ноября
1949 г., № 8 каталога, сс. 3, 10, илл.
на обложке.

Лондон, Вартски, *Выставка работ
Карла Фаберже, приуроченная ко
дню коронации*, 20 мая-13 июня
1953 г., № 285, сс. 4, 24, 25 каталога.

Лондон, Музей Виктории и
Альберта, *Фаберже, 1846-1920* (по
случаю Серебряного юбилея
королевы), 23 июня-25 сентября
1977 г., № O2, сс. 93, 132 каталога,
илл. на с. 101.

Бостон, Массачусетс, Музей
Изобразительных искусств,
*Императорские пасхальные яйца
дома Фаберже*, 10 апреля-27 мая
1979 г., воспроизведено на обложке
ненумерованного перечня.

Лос-Анджелес, Калифорния, Музей
округа Лос-Анджелес, *Сокровища
Карла Фаберже*, 6 июня-28 октября
1979 г. (без каталога).

Нью-Йорк, A La Vieille Russie,
Фаберже, 22 апреля-21 мая 1983 г.,
№ 556, сс. 18, 144 каталога, илл. на с.
143.

Форт-Уорт, Техас, Художественный
музей Кимбелл, *Фаберже, коллекция
журнала «Форбс»*, 25 июня-18
сентября 1983 г., № 190 по списку.

Балтимор, Мэриленд,
Балтиморский музей
изобразительных искусств,
*Фаберже, коллекция журнала
«Форбс»*, 22 ноября-15 апреля
1983/84 г., № 76 по списку.

Сан-Диего, Калифорния, Музей
искусств Сан-Диего / Москва,
Оружейная Палата,
Государственные Музеи
Московского Кремля, *Фаберже:*

Императорские Пасхальные яйца,
1989/90 г., № 8, 15, сс. 17, 21, 48, 86,
116 каталога, илл. на сс. 24, 27,
48, 49, 99.

Санкт-Петербург, Государственный
Эрмитаж / Париж, Музей
Декоративного искусства / Лондон,
Музей Виктории и Альберта,
1993/94 г., № 23 каталога, сс. 36, 37,
44, 78, 79, 82, 83, 118, 122, 158, 187,
188, 443, илл. на сс. 82, 187.

Нью-Йорк, Музей искусств
Метрополитан, *Фаберже в Америке*,
16 февраля-28 апреля 1996 г.,
№ 284, сс. 23, 231, 265 каталога,
илл. на с. 264.

Бруклин, Нью-Йорк, Бруклинский
художественный музей, *Сокровища
Романовых*, 15 марта-5 июля
1998 г.

Нью-Йорк, Американский Музей
естествознания, *Жемчуг*, 13
октября-14 апреля 2002 г.

*Император Николай II.
Из коронационного альбома
Николая II*
*Emperor Nicholas II, from the
Coronation Album of Nicholas II*

*Императрица Александра Федоровна.
Из коронационного альбома Николая II*
*Empress Alexandra Feodorovna,
from the Coronation Album of Nicholas II*

EXHIBITED

Paris, Exposition Universelle, April 14 -November 12, 1900.

St. Petersburg, von Dervis Mansion, *Charity Exhibition*, March 9-March 15, 1902.

London, Belgrave Square, *The Exhibition of Russian Art*, June 4-July 13, 1935, no. 585, cat. p. 111.

London, Wartski, *A Loan Exhibition of the Works of Carl Fabergé, Jeweller and Goldsmith to the Imperial Court of Russia*, November 8-November 25, 1949, no. 8, cat. pp. 3, 10, ill. on frontispiece.

London, Wartski, *Special Coronation Exhibition of the Work of Carl Fabergé*, May 20-June 13, 1953, no. 285, cat. pp. 4, 24, 25.

London, Victoria and Albert Museum, *Fabergé: 1846-1920* (held on the occasion of the Queen's Silver Jubilee), June 23-September 25, 1977, no. O2, cat. pp. 93, 132, ill. p. 101.

Boston, Massachusetts, The Museum of Fine Arts, *Imperial Easter Eggs from the House of Fabergé*, April 10-May 27, 1979, ill. on cover of unnumbered checklist.

Los Angeles, California, The Los Angeles County Museum of Art, *Treasures by Peter Carl Fabergé*, June 6-October 28, 1979.

New York, A La Vieille Russie, *Fabergé*, April 22-May 21, 1983, no. 556, cat. pp. 18, 144, ill. p. 143.

Fort Worth, Texas, The Kimbell Art Museum, *Fabergé, The Forbes Magazine Collection*, June 25-September 18, 1983, number 190 in checklist.

Baltimore, Maryland, The Baltimore Museum of Fine Art, *Fabergé, The Forbes Magazine Collection*, November 22, 1983-April 15, 1984, number 76 in checklist.

San Diego, California, San Diego Museum of Art/Moscow, Armory Museum, State Museums of the Moscow Kremlin, *Fabergé: The Imperial Eggs*, 1989/90, nos. 8, 15, cat. pp. 17, 21, 48, 86, 116, ill. pp. 24, 27, 48, 49, 99.

St. Petersburg, State Hermitage Museum/Paris, Musée des Arts Décoratifs/London, Victoria and Albert Museum, *Fabergé Imperial Jeweller*, 1993/94, no. 23, cat. pp. 36, 37, 44, 78, 79, 82, 83, 118, 122, 158, 187, 188, 443, ill. pp. 82, 187.

New York, Metropolitan Museum of Art, *Fabergé in America*, February 16 - April 28, 1996, no. 284, cat. pp. 23, 231, 265, ill. p. 264.

Brooklyn, New York, Brooklyn Museum of Art, *Jewels of the Romanovs*, March 16-July 5, 1998.

New York, American Museum of Natural History, *Pearls*, October 13-April 14, 2002.

Сверху: Механизм пасхального яйца «Ландыши» 1898 года
Above: Mechanism of 1898 Lilies of the Valley Egg.

....

Напротив: Портрет императора Николая II. Ернст Карлович Липгарт, масло, холст, 292 x 153 см. Государственный дворец-музей Царское Село
Opposite: Portrait of Emperor Nicholas II. Ernst Karlovich Liphart, oil on canvas 292 x 153 cm. State Palace Museum, Tsarskoie Selo.

Bainbridge, H. C. "Russian Imperial Easter Gifts II," *Connoisseur*, Vol. 93, no. 394, June 1934, pp. 384, 385, ill. p. 385.

Pavlovna, M. "The Russian Easter Egg," *Harpers Bazaar*, April 1938, p. 183.

Snowman, A. K. *The Art of Carl Fabergé*, 1953/55/62/64/68/74, p. 88, ill. colorplate LXXIV (case reproduced pl. 407).

"An Easter Fantasy: Fabergé Eggs," *Architectural Digest*, March/April 1973, p. 56, ill. p. 57.

Bainbridge, H. C. *Peter Carl Fabergé, Goldsmith and Jeweller to the Russian Imperial Court, His Life and Work*, London, 1949/1966, p. viii, ill. pl. nos. 52, 56.

von Habsburg, G. "Carl Fabergé: Die Glanzvolle Welt Eines Koniglichen Juweliers," *Du*, December 1977, p. 55, ill.

Waterfield, H. and Forbes, C. *Fabergé Imperial Eggs and Other Fantasies*, New York, 1978, p. 129, ill. p. 118.

Forbes, C. "Fabergé Imperial Easter Eggs in American Collections," *Antiques*, Vol. CXV, no. 6, June 1979, pp. 1237, 1238, ill. pl. XVI.

Snowman, A. K. *Carl Fabergé, Goldsmith to the Imperial Court of Russia*, London, 1979, pp. 98, 140, ill. p. 98.

von Habsburg, G. and von Solodkoff, A. *Fabergé, Court Jeweler to the Tsars*, New York, 1979/84, p. 157, ill. pl. no. 15.

Banister, J. "Rites of Spring," *Art and Antiques Weekly*, April 5, 1980, p. 38, ill. p. 37.

Sears, D. "When Fantasy Reigned," *Collector Editions Quarterly*, Spring 1980, p. 29, ill. p. 27.

Forbes, C. *Fabergé Eggs, Imperial Russian Fantasies*, New York, 1980, pp. 5, 54,63, ill. pp. 55, title page, an unnumbered page.

Gambaccini, P. "Of Baubles and Flinty-Eyed Braves," *Avenue*, February 1981, p. 89, ill.

Duthy, R. "Fabergé Still Fabulous," *Connoisseur*, July 1982, p. 113, ill.

von Solodkoff, A. "Ostereier von Faberge," *Kunst & Antiquitaten*, March/April 1983, p. 65, ill. p. 62.

Coburn, R. S. "Celebrating the Elegant Art of the Master of Eggmanship," *Smithsonian*, April 1983, p.51, ill. p. 47.

von Solodkoff, A. *Masterpieces from the House of Fabergé*, New York, 1984, pp. 13, 17, 64, 109, 126, 159, 187, ill. pp. 76, 127, 187.

Kelly, M. *Highlights from the Forbes Magazine Galleries*, New York, 1985, p. 14, ill. p. 25.

James, J. "Fabergé: The Grandest Easter Egg Hunt," *Echelon*, March 1986, p. 14, ill. p. 13.

Riley, N. "Fabergé for the Favoured," *Blue Chip*, August 1986, p. 26, ill.

Forbes, C. "Imperial Treasures," *Art & Antiques*, April 1986, p. 52, ill.

Greenspan, S. "Le Collectionneur," *Vogue Decoration*, April 1987, p. 149, ill.

Forbes, C. "A Letter on Collecting Fabergé," *The Burlington Magazine*, September 1987, p. 11.

von Habsburg, G. *Fabergé* (English edition, Munich 1986/87 catalogue), Geneva, 1987, pp. 80, 94, 97.

Lipmann, E. "Les Oeufs de la Passion," *Expression*, July/August 1987, p. 78, ill. pp. 72, 76.

Forbes, C. "Forbes' Fabulous Fabergé," *USA Today*, July 1988, pp. 37, 43, ill. p. 39.

Morrow, L. "Imperial Splendor," *Designers West*, January 1989, p. 69, ill. p. 68 and cover.

von Solodkoff, A. *Fabergé*, London, 1988, pp. 31, 34, 42, ill. p. 32.

Forrest, M. "The Ultimate Easter Eggs," *Antiques and Collecting*, March 1989, p. 51.

Forbes, M. *More Than I Dreamed*, New York, 1989, pp. 220, ill.

Moore, A. *Theo Fabergé and the St. Petersburg Collection*, London, 1989, pp. 49, 154.

Hill, G. *Fabergé and the Russian Master Goldsmiths*, New York, 1989, pp. 14, 58, ill. pl. no. 35.

Cerwinske, L. *Russian Imperial Style*, New York, 1990, p. 54, ill. on title page and p. 54, and rear endpaper acknowledgments page.

Reshetnikova, L. "Surprises From Fabergé," *Sputnik*, October 1990, p. 116, ill.

Davis, J. "The Ultimate Egg," *Alabama Poultry Newsmagazine*, Autumn 1990, p. 24, ill. p. 22.

Prat, V. "La Collection d'Oeufs de Paques de l'Excentrique Mr. Forbes," *Le Figaro*, April 13, 1990, pp. 84, 88, ill. p. 84.

Kaonis, D. "The Forbes Legacy: The Empire Without Malcolm," *The Inside Collector*, July/August 1990, p. 36, ill. p. 36 and table of contents page.

Pfeffer, S. *Fabergé Eggs: Masterpieces from Czarist Russia*, New York, 1990, pp. 13, 54, 60, 72, ill. p. 55.

Booth, J. *The Art of Fabergé*, New Jersey, 1990, pp. 90, 109, ill. pp. 90, 91, 109.

Lopato, M. "Fabergé Eggs: Re-Dating from New Evidence," *Apollo*, February 1991, pp. 92, 94, ill. p. 94.

Manroe, C. O. *Decorative Eggs*, New York, 1992, p. 89, ill. p. 90.

Mukhin, V. *The Fabulous Epoch of Fabergé*, Moscow, 1992, p. 71, ill. p. 66.

d'Antras, B. "Fabergé, Au Bonheur des Tsars," *Beaux Arts*, no. 116, October 1993, p. 77, ill. p. 76.

Connaissance des Arts, Paris, 1993, p. 15, ill.

von Habsbug, G. and Lopato, M. *Fabergé: Imperial Jeweller*, New York, 1993, no. 23, cat. pp. 36, 37, 44, 78, 79, 82, 83, 118, 122, 158, 187, 188, 443, ill. pp. 82, 187.

Dale, S. "Russian Art Nouveau," *Antique Dealer and Collectors Guide*, 1994, p. 38, ill.

Polak, M. A. "The Great Fabergé Egg Hunt," *Royalty*, March 1995, Vol. 13, no. 8, p. 36, ill.

Decker, A. "Still Fabulous Fabergé," *Art & Antiques*, February 1996, pp. 5, 56, ill. p. 56 and cover.

Murray, S. "The Forbes Fabergé Egg Collection," *Figurines & Collectibles*, August 1996, p. 31, ill. pl. 10, cover.

von Habsburg, G. *Fabergé in America*, San Francisco, 1996, pp. 23, 231, 265, ill. p. 264.

von Habsburg, G. *Fabergé Fantasies and Treasures, New York*, 1996, pp. 446, 447, ill. p. 446.

Fabergé, T., Proler, L., and Skurlov, V. *The Fabergé Imperial Easter Eggs*, London, 1997, no. 18, pp. 10, 55, 69, 90, 126, 136, 138, 235, 242, 253, ill. pp. 54, 55, 137, 235.

Welander-Berggren, E., ed./ Nationalmuseum Stockholm, *Carl Fabergé: Goldsmith to the Tsar*, Stockholm, 1997, p. 13, ill. p. 70.

Rompalske, D. "Jeweler to the Czars," *Biography*, April 1998, pp. 74, 76, ill. p. 74.

Forbes, C. and Tromeur-Brenner, R. *Fabergé: The Forbes Collection*, Southport, 1999, pp. 47, 271, ill. pp. 46, 49, 271.

von Habsburg, G. *Fabergé: Imperial Craftsman and His World*, London, 2000, p. 16.

Lowes, W., and McCanless, C. L. *Fabergé Eggs: A Retrospective Encyclopedia*, London, 2001, pp. xii, 3, 31, 53, 57, 59-63, 79, 251, 252, 254, 255, 258, 259, 261, 265, 267, 269, 275.

Яйцо «Петушок»

The Cockerel Egg

Яйцо «Петушок»
The Cockerel Egg

ЯЙЦО «ПЕТУШОК» - ПОДАРОК ИМПЕРАТОРА НИКОЛАЯ II МАТЕРИ, ВДОВСТВУЮЩЕЙ ИМПЕРАТРИЦЕ МАРИИ ФЕДОРОВНЕ НА ПАСХУ 1900 ГОДА; МАСТЕР МИХАИЛ ПЕРХИН, САНКТ-ПЕТЕРБУРГ.

Яйцо, поверхность которого покрыта прозрачной фиолетовой эмалью по гильошированному фону, установлено на круглом пьедестале и поддерживается плоскими колонками с золотой орнаментацией поверх прозрачно-перламутровой эмали. Посередине – циферблат прозрачной белой опаловой эмали, декорирован трилистниками и горошинами с зеленой прозрачной эмалью, в медальонах перламутровой эмали по лучистому фону – арабские цифры, выложенные алмазами. Обрамление циферблата выполнено из жемчуга, над ним – аркой уложен золотой лавровый венок с ягодами из алмазов и жемчуга; под циферблатом – ажурный орнамент в виде свисающей гирлянды из фруктов и сетчатых фестонов с кистями. Постамент орнаментирован золотыми картушами с оправленными алмазами в центре и гирляндами по бокам; его верхняя площадка покрыта белой эмалью под ажурным узором, а вогнутая боковая поверхность под картушами – прозрачной сиреневой эмалью. Нажатием кнопки открывается крышка кружевного орнамента, откуда на золотой площадке поднимается раскрывающий клюв и машущий крыльями петушок. Закончив петь, он возвращается внутрь яйца, и крышка закрывается. В центре крышки, под плоским алмазом – дата «1900». *На боковой стороне пьедестала – клейма: русские инициалы мастера-исполнителя, «Фаберже» русскими буквами, пробирное клеймо Якова Ляпунова (1899-1903) и проба 56 (стандарт 14-каратного золота).*

ВЫСОТА В РАСКРЫТОМ ВИДЕ 20,3 СМ.

THE COCKEREL (CUCKOO) EGG: A FABERGÉ IMPERIAL EASTER EGG PRESENTED BY EMPEROR NICHOLAS II TO HIS MOTHER THE DOWAGER EMPRESS MARIA FEODOROVNA AT EASTER 1900, WORKMASTER MICHAEL PERCHIN, ST. PETERSBURG

The body enameled translucent violet over a *guilloché* ground, supported by three slender pilasters enameled translucent oyster, the dial enameled in translucent white with stylized green flower-heads, the diamond-set Arabic numerals mounted on circular reserves enameled translucent oyster on sunburst grounds, the border of the dial set with pearls, above the dial an arch of foliage set with diamonds and pearls, below the dial an openwork apron set with diamonds and hung with tassels and swags of fruit, the shaped circular base applied with gold scrollwork and foliage, the top of the base enameled opaque white, the incurved sides of the base enameled translucent lilac. When a button at the top rear of the egg is depressed the circular pierced gold grille opens and the bird rises crowing on a gold platform, moving its wings and beak, the crowing finished it descends again into the egg and the grille closes, on the top of the grille the date 1900 is inscribed beneath a diamond, *marked on side of base with Cyrillic initials of workmaster, Fabergé in Cyrillic and assay mark of Yakov Lyapunov (1899-1903), 56 standard for 14 karat gold.*

HEIGHT 8 IN. (20.3 CM) WITH RAISED LID

Яйцо «Петушок»

The Cockerel Egg

При изготовлении яйца «Петушок» Фаберже воспользовался идеей, позаимствованной у мастеров XVIII-XIX веков, изготавливавших часы с поющими птичками («часы-кукушка»), и применил техническое решение, сходное с устройством механизмов музыкальных шкатулок с певчими птичками, выпускавшимися в Женеве в начале XIX века. Когда впервые публикация об этом яйце появилась в 1933 году, оно было названо «яйцо-часы»[1]. В 1953 году поющая птичка в яйце обозначалась как кукушка, вероятно, в соответствии с названием, которое дал этому произведению Евгений Фаберже[2]. Ошибочное утверждение оставалось в ходу в течение пятидесяти лет. Сравнительно недавно птичка с перышками была названа верно – петух или петушок, точно так, как это было сделано в счете Фаберже.

Яйцо впервые упоминается в письме Николая II к матери, которой оно предназначалось в подарок. Письмо написано 5 апреля 1900 года в Москву, где в те пасхальные дни находилась вдовствующая императрица Мария Федоровна:
«Извини, милая Мама, что я Тебе ничего не прислал на Пасху, но Фаберже не выслал подарка сюда, думая, что Ты вернешься в Гатчину! От всей души Христос Воскресе! Крепко обнимаю Тебя и все семейство. Всем сердцем любящий Тебя горячо Твой Ники»[3].

Счет от Фаберже был представлен почти на целый год позже, 13 января 1901 года:
«Пасхальное яйцо фиолетовой эмали, с петухом и часами, 1 плоский бриллиант, 188 роз, 2 рубина. Санкт-Петербург, 13 января 1901 года. 6 500 руб.»[4]

Задержка с выставлением счета может объясняться тем, что Фаберже участвовал во Всемирной выставке 1900 года в Париже как член жюри и как почетный экспонент *(hors concours)*. Выставка открылась под фанфары 14 апреля, продолжалась до 12 ноября, и за это время ее посетили около 50 миллионов человек. На площади в 112 гектаров выставили свои работы 76 тысяч производителей и мастеров. Это была крупнейшая выставка в мире[5]. Она ознаменовала высшую точку развития *Art Nouveau* – стиля, зародившегося в Париже в начале 1890-х годов и достигшего расцвета к 1897. Главным участником выставки, представившим изделия в стиле *Art Nouveau*, был Рене Лалик, талантливый художник-ювелир *(artiste-bijoutier)*.

The Cuckoo or Cockerel Egg is Fabergé's rendition of an eighteenth- and nineteenth-century singing-bird clock, technically related to the singing-bird boxes produced in Geneva in the early nineteenth century. When first published in 1933, the egg was listed as "Clock Egg."[1] In 1953, the singing bird in the egg was labeled as a cuckoo apparently based on Eugène Fabergé's identification,[2] a misnomer that remained uncorrected for fifty years. More recently the feathered bird has been correctly identified as a rooster or cockerel, as it was originally listed in Fabergé's invoice.

The egg is first mentioned in a letter of Tsar Nicholas II to its intended recipient, his mother, Dowager Empress Maria Feodorovna, April 5, 1900, who was in Moscow at Eastertime that year:
"Forgive me, dear Mama, for not sending you anything for Easter, but Fabergé did not send the present here, as he thought that you would be

Витрина Фаберже на Всемирной Выставке 1900 г.
Архивная фотография
Fabergé booth at 1900 World's Fair. Archival photograph

Фотография императора Николая II с подписью в верхнем левом углу "Ники. 1901 Фреденсборг"
Photograph of Emperor Nicholas II, signed in the upper left corner: "Nicky. 1901 Fredensborg"

Он получил в награду орден Почетного легиона и Золотую медаль. За свои работы Фаберже заслужил те же почести, его сын Евгений стал действительным членом Французской Академии, а ведущий мастер фирмы Михаил Перхин был награжден Бронзовой медалью.

Описываемое яйцо – первое из трех механических изделий Фаберже с поющими птичками. Известно, что в античные времена производились издающие трели механические птицы, которые приводились в движение сжатым воздухом или паром[6]. Первые шкатулки с заводными птичками, у которых приходили в движение клюв, крылья и хвост, как в яйце «Петушок», были изготовлены широко известной фирмой Жакэ-Дроза в середине 1770-х годов. Основными поставщиками изделий такого рода к концу XVIII столетия стали Жакэ-Дроз и Дж. Ф. Лешо из Женевы, и Анри Малларде из Лондона. На рубеже XVIII-XIX веков Женева прославилась выполненными с большим мастерством поющими птицами в золотых клетках, в оформлении которых использовалась техника эмали. Как и в случае с механизмами наручных часов, которые Фаберже заказывал фирме Генри Мозера в Ле Локле, механизм описываемого яйца, скорее всего, был произведен в Швейцарии. Механизм поющей птички прост в устройстве, независим от часового механизма и приводится в движение нажатием кнопки. После того, как приоткрывается ажурная золотая крышка на верхушке яйца, появляется покрытая перышками птичка, которая начинает двигать клювом, хлопать крылышками и кукарекать при помощи гофрированной мембраны[7].

Яйцо исполнено в необычном сочетании стилей: на лицевой стороне размещены композиция из листьев аканта и лавра, завитков и переплетающихся орнаментов, и гирлянды из фруктов; в оформлении яйца использованы наклонные пилястры с накладным орнаментом в стиле эпохи Регентства; на задней стенке яйца – накладка с причудливым узором, сочетающимся с арабесками крышечки и навеянным гравировками начала XVII века и узорами на серебряных изделиях, изготовленных в Аугсбурге в тот период.
Описание яйца «Петушок» включено в список конфискованных сокровищ, переданных из Аничкова дворца в Кремль в 1917 году: «часы в форме яйца, покрытого лиловой эмалью, на трех ножках, украшенных жемчужинами и алмазами»[8]. Оно входит и в перечень 1922 года, составленный при передаче драгоценностей из Кремля в Гохран: «золотое яйцо/часы с тремя бриллиантами, алмазами огранки «роза» и жемчугом»[9]. На архивной фотографии видна каплевидная жемчужина, которая первоначально была подвешена на кольце под циферблатом.

Яйцо-часы «Петушок» было конфисковано Временным правительством в 1917 году и передано в Кремль. Оно оказалось среди девяти яиц, проданных через «Антиквариат» в 1927 году Эмануилу Сноумэну, владельцу фирмы «Вартски»; затем,

returning to Gatchina. With all my heart: Christ is risen! I warmly embrace you and the whole family. Your son, who loves you from the bottom of his heart, Nicky." [3]

Fabergé's invoice was submitted almost one year late, January 13, 1901: *"Easter egg of mauve enamel, with rooster and clock with one lozenge diamond, 188 rose-cut diamonds, 2 rubies. St. Petersburg, January 13, 1901   6500 rubles."* [4]

The delay may have been due to Fabergé's involvement as member of the Jury and exhibitor *hors concours* at the 1900 Paris World Fair, which opened with much fanfare on April 14 and closed November 12, having been visited by some fifty million spectators. Covering over 270 acres and with 76,000 exhibitors, it was the greatest exhibition of its kind ever held.[5] The fair marked the apogee of art nouveau, a style that had emerged in Paris in the early 1890s and was flourishing by 1897. Its chief exponent was René Lalique, the brilliant *artiste-bijoutier*, who was awarded the Legion of Honor and a Grand Prix for his exhibits. Fabergé, too, received the same high distinction and a Gold Medal for his exhibits, his son Eugène was created Officer of the *Académie Française* and the firm's head workmaster, Michael Perchin, was awarded a Bronze Medal.

The present egg is the first of three singing-bird mechanisms in Fabergé's oeuvre. Automated singing birds driven by compressed air or steam were apparently known in Antiquity.[6] The first automated singing-bird boxes with movement of the beak, wings and tail, as in the present case, were produced by the well-known firm of Jacquet-Droz, beginning in the mid-1770s. Jacquet-Droz and J. F. Leschot in Geneva and Henri Maillardet in London became the chief purveyors of these articles towards the end of the century. Around 1800 Geneva became famous for its exquisitely made enameled gold cages with singing birds. As in the case of watch mechanisms, which Fabergé generally procured from the firm of Henri Moser in Le Locle, the

Яйцо «Петушок» с кулоном из жемчуга (утерян).
Архивная фотография, ок. 1914 г.
Cuckoo Egg showing the original (now lost) pendant pearl
Archival photograph c. 1914

Императрица Мария Федоровна. Архивная фотография
Empress Maria Feodorovna. Archival photograph

примерно в 1949, его купила у Сноумэна госпожа Изабелла Лоу. Яйцо вновь было приобретено у нее фирмой «Вартски» в 1953 году и продано в 1970 Роберту Смиту из Вашингтона. Оно было продано по его поручению на аукционе «Кристи» в Женеве в 1973 за 227 700 долларов Бернарду С. Соломону из Лос-Анжелеса. Последний продал его на аукционе «Сотбис» в Нью-Йорке в 1985 году за 1 760 000 долларов Малькольму Форбсу.

ПРИМЕЧАНИЯ

1. Бейнбридж, Г. С. *Дважды семь.* Лондон, 1933, с. 175.
2. Сноумэн А. К. *Искусство Фаберже.* Faber and Faber, London, 1953, с. 90. Издание данной книги в США: Boston Book and Art Shop (переиздания с исправлениями и дополнениями в 1962, 1964, 1968).
3. Ульструп П. «Дом Романовых и Дом Фаберже», выставка *Сокровища России и императорские дары*, Королевская Серебряная Палата, 2002, с. 183 (ГАРФ, ф. 642).
4. Фаберже Т., Пролер Л., Скурлов В. *Императорские пасхальные яйца.* Christie's Books, 1997, с. 146.
5. фон Габсбург Г. Фаберже и Всемирная выставка в Париже 1900 г. в каталоге выставки *Фаберже: Придворный ювелир.* Гос. Эрмитаж, Санкт-Петербург/Музей декоративного искусства, Париж/Музей Виктории и Альберта, Лондон, 1993/94], сс. 116-125.
6. О механизмах певчих птичек см. Чапуи А., Жели Е. *Мир автоматов, гл. XVIII (Певчие птички)*, сс. 77-138.
7. фон Габсбург Г. «Часы Петра Карла Фаберже» в журнале «Антикварные часы», январь 1981 , сс. 12-26. На рис. 23 приведен вид часового механизма яйца.
8. Мунтян, там же, с. 25 (Архив Оружейной палаты Московского Кремля, ф. 20, оп. 1917, д. 5, л. 117).
9. Там же. (Архив Оружейной палаты Московского Кремля, ф. 23, оп. 1920. 1922).

mechanism of the present Easter egg may well also be of Swiss manufacture. The singing-bird mechanism is simple, independent of the clock movement and activated by depressing a button. Thereupon the pierced gold grille at the egg's apex opens, the feathered bird appears, moving its beak and wings, while a singing sound is produced by bellows.[7]

The egg is designed in an interesting medley of styles, the front with a combination of acanthus foliage, scrolls and strapwork, laurel foliage and swags of fruits of indecisive origin; the angled pilasters have Régence-style applications, the back is applied with, and the cover of the grille pierced with, elaborate arabesques often found in early seventeenth-century engravings and on Augsburg silver of this period.

The Cockerel Egg is listed among the confiscated treasures transferred from the Anichkov Palace to the Kremlin in 1917 as: *"clock in the form of an egg with lilac enamel on three feet decorated with pearls and brilliants"*[8] and again in a list of 1922 when transferred from the Kremlin to the Gokhran as: *"gold egg/clock with three diamonds, roses and pearls."*[9] An archival photograph shows a drop pearl originally suspended by a ring under the dial.

The Cockerel Egg was confiscated by the Provisional Government in 1917 and transferred to the Kremlin. It was one of nine eggs sold by Antikvariat to Emanuel Snowman of Wartski around 1927, sold by them to Mrs. Isabella Lowe around 1949, reacquired from her in 1953 and sold in 1970 to Robert Smith of Washington, D.C. The egg was sold at auction on his behalf at Christie's, Geneva, in 1973 for a record of $227,700 to Bernhard C. Solomon of Los Angeles and sold by Solomon at Sotheby's, New York, in 1985 for a record $1,760,000 to Malcolm Forbes.

NOTES

1. Bainbridge 1933, p. 175.
2. Snowman 1953, p. 90.
3. Preben Ulstrup, "The House of Romanov and the House of Fabergé" in *Treasures of Russia – Imperial Gifts*, 2002, p. 183 (Russian State Archive, Moscow [GARF] 642).
4. Fabergé/Proler/Skurlov, 1997, p. 146.
5. See Géza von Habsburg, "Fabergé and the Paris 1900 *Exposition Universelle*" in *St. Petersburg/Paris/London 1993/4*, pp. 116-125.
6. For singing-bird mechanisms, see Alfred Chapuis and Edouard Gélis, *Le Monde des Automates*, chapter XVIII (Les Oiseaux Chantants), pp. 77-138.
7. See Géza von Habsburg, "Die Uhren des Peter Carl Fabergé" in *Alte Uhren*, January 1, 1981, pp. 12-26. See fig. 23 for a view of this egg's mechanism.
8. Muntian, op. cit., p. 25 (Archive of the Kremlin Armory Museum, stock 20, inv. 1917, file 5, p. 117).
9. Ibid. (Archive of the Kremlin Armory, arch 23, fol. 20, 1922).

ПРОВЕНАНС

Вдовствующая Императрица
Мария Федоровна

Эммануил Сноумэн для фирмы
Вартски, Лондон, около 1927 г.

Изабелла С. Лоу

Частная коллекция, США

"Кристи", Женева, 20 ноября 1973
г., лот 355.

Г-н и г-жа Бернард С. Соломон,
Лос-Анджелес

"Сотбис", Нью-Йорк, 11 июня 1985
г., лот 478.

Коллекция семьи Форбс, Нью-Йорк

PROVENANCE

Dowager Empress Maria Feodorovna

Purchased by Emanuel Snowman
for Wartski, London, circa 1927

Isabella S. Low

Private Collection, USA

Christie's, Geneva, November 20,
1973, Lot 355

Mr. and Mrs. Bernard C. Solomon,
Los Angeles

Sotheby's, New York, June 11, 1985,
Lot 478

The Forbes Collection, New York

ВЫСТАВКИ

Лондон, Вартски, *Выставка работ
Карла Фаберже, ювелира и золотых
дел мастера Российского
Императорского двора*, 8-25 ноября
1949 г., № 315, сс. 3, 24 каталога.

Лондон, Вартски, *Выставка работ
Карла Фаберже, приуроченная ко
дню коронации*, 20 мая-13 июня
1953 г., № 287, сс. 25-26 каталога.

Нью-Йорк, A La Vieille Russie,
*Искусство золотых дел мастера и
ювелира*, 6-23 ноября 1968 г., № 370,
с. каталога 139, илл. на с. 138.

Лондон, Музей Виктории и
Альберта, *Фаберже, 1846-1920 (по
случаю Серебряного юбилея
королевы)*, 23 июня-25 сентября
1977 г., № M14, с. 85 каталога, илл.
на с. 88.

Хельсинки, Музей прикладного
искусства, *Карл Фаберже и его
современники*, 16 марта-8 апреля
1980, № 14, илл. на с. 16 каталога.

Нью-Йорк, A La Vieille Russie,
Фаберже, 22 апреля-21 мая 1983 г.,
№ 558, сс. 22, 144 каталога,
илл. на с. 146.

Форт-Уорт, Техас, Художественный
музей Кимбелл, *Фаберже, коллекция
журнала «Форбс»*, 25 июня-18
сентября 1983 г., № 191 по списку.

Сан-Диего, Калифорния, Музей
искусств Сан-Диего / Москва,
Оружейная Палата,
Государственные Музеи
Московского Кремля, *Фаберже:
Императорские Пасхальные яйца*,
1989/90 г., № 12, 19, сс. 14, 22, 56, 101
каталога, илл. на сс. 56, 57, 101.

Чикаго, Иллинойс, Музей Филд,
Жемчуг, 28 июня-5 января
2002/03 г., без илл.

EXHIBITED

London, Wartski, *A Loan Exhibition of
the Works of Carl Fabergé, Jeweller and
Goldsmith to the Imperial Court of
Russia*, November 8-November 25,
1949, cat. no. 315, cat. pp. 3, 24.

London, Wartski, *Special Coronation
Exhibition of the Work of Carl Fabergé*,
May 20-June 13, 1953, no. 287, cat.
pp. 25-26.

New York, A La Vieille Russie, *The Art
of the Goldsmith and the Jeweler*,
November 6-November 23, 1968, no.
370, cat. p. 139, ill. p. 138.

London, Victoria and Albert Museum,
Fabergé: 1846-1920 (held on the occasion of the Queen's Silver Jubilee),
June 23-September 25, 1977, no. M14,
cat. p. 85, ill. p. 88.

Helsinki, The Museum of Applied
Arts, *Carl Fabergé and his
Contemporaries*, March 16-April 8,
1980, cat. no. 14, cat. p. 16, ill.

New York, A La Vieille Russie,
Fabergé, April 22-May 21, 1983, no.
558, cat. pp. 22, 144, ill. p. 146.

Fort Worth, Texas, The Kimbell Art
Museum, *Fabergé, The Forbes
Magazine Collection*, June 25-
September 18, 1983, no. 191
in checklist.

San Diego, California, The San Diego
Museum of Art/Moscow, Armory
Museum, State Museums of the
Moscow Kremlin, *Fabergé, the
Imperial Eggs*, 1989-1990, nos. 12,
19, cat. pp. 14, 22, 56, 101, ill.
pp. 56, 57, 101.

Chicago, Illinois, The Field Museum,
Pearls, June 28, 2002-January 5, 2003,
not ill.

Bainbridge, H. C. *Twice Seven*, London, 1933, p. 175, ill. pl. no. V.

Bainbridge, H. C. "Russian Imperial Easter Gifts," *Connoisseur*, Vol. 93, no. 393, May 1934, pp. 302, 303, ill. p. 302.

Pavlovna, M. "The Russian Easter Egg," *Harpers Bazaar*, April 1938, p. 183.

Snowman, A. K. *The Art of Carl Fabergé*, London, 1953/55, p. 80, ill. pl. XXVI, 1962/64/68/74, p. 90, ill. pl. LXXV.

von Habsburg, G. "Carl Fabergé: Die glanzvolle Welt eines Koniglichen Juweliers," *Du*, Vol. 37, no. 442, December 1977, p. 87, ill. p. 86.

Waterfield, H. and Forbes, C. *Fabergé Imperial Eggs and Other Fantasies*, New York, 1978, ill. p. 119 and backcover.

Forbes, C. "Fabergé Imperial Easter Eggs in American Collections," *Antiques*, Vol. 115, no. 6, June 1979, pp. 1241, 1242, ill. pl. XXII.

Snowman, A. K. *Carl Fabergé, Goldsmith to the Imperial Court of Russia*, London/New York, 1979, p. 93, ill.

von Habsburg, G. and von Solodkoff, A. *Fabergé, Court Jeweler to the Tsars*, New York, 1979, pp. 139, 140, 157, ill. pl. no. 157, index as pl. no. 17.

Bannister, J. "Rites of Spring," *Art & Antiques Weekly*, Vol. 40, no. 6, April 5, 1980, p. 38.

Maloney, J. F. "Eclectic Describes West Coast Collection," *Antique Monthly*, October 1980, pp. 12C, 14C, 15C.

Forbes, C. *Fabergé Eggs, Imperial Russian Fantasies*, New York, 1980, p. 16, ill. on an unnumbered page.

Boone, G. D. "The Gray Letter," June 28, 1982, Vol. VII, no. 26, p. 102.

Duthy, R. "Fabergé: Still Fabulous," *Connoisseur*, Vol. 211, no. 845, July 1982, p. 116.

von Solodkoff, A. "Ostereier von Fabergé," *Kunst & Antiquitaten*, Vol. II, no. 83, March/April 1983, p. 63, ill.

von Solodkoff, A. *Masterpieces from the House of Fabergé*, New York, 1984, pp. 13, 65, 69, 109, 126, ill. pp. 80, 187, 1989 pp. 13, 65, 69, 81, 109, ill. pp. 80, 187.

Palm Beach Daily News, May 11, 1985, Vol. XCI, no. 249, p. 1, ill.

Bohlin, V. "Rare Imperial Eggs from Czarist Russia on the Auction Block," *Boston Globe*, May 19, 1985, A10.

Reif, R. "Eggs by Fabergé," *New York Times*, May 26, 1985, p. H21.

Barclay, D. "Will Malcolm Forbes 'Out-Egg' the Russians with Fabergé Purchase?" *Courier News*, June 11, 1985.

McGill, D. C. "Forbes 11, Kremlin 10 in Fabergé Egg Race," *New York Times*, June 12, 1985, Sec. 3, p. 21, col. 5.

Beckett, A. "£1.25m for Fabergé Egg," *The London Daily Telegraph*, June 13, 1985, p. 14.

G. Norman, "Forbes Goes to Work on $1.7m Fabergé Gold Egg," *The Times* (London), June 13, 1985, p.12C.

Reif, R. "Egg's Underbidder Named," *New York Times*, June 21, 1985, p. C25.

White, E., ed., *Sotheby's Newsletter*, June/July 1985, p. 1, ill.

Antiques, August 1985, Vol. CXXVIII, no. 2, p. 285, ill.

White, E. "Review of the Season, 1984-1985," *Sotheby's Newsletter*, August 1985, p. 12, ill.

England, A. O. *The Antique Press*, September 1, 1985, pp. 4-5, ill. p. 5.

Melikian, S. "Objects by Fabergé 'Workmasters' Draw Attention," *International Herald Tribune*, September 7-8, 1985, p. 9.

Seggerman, H-L. "Fabergé," *Art & Auction*, Vol. 8, no. 3, September 1985, pp. 112-113, ill. p. 112. *Sotheby's International Preview*, September/October 1985, ill. p. 39.

Prat, V. "Fabergé: Une Douzaine d'Oeufs pour Dix Milliards," *Le Figaro Magazine*, November 2, 1985, pp. 134-135, ill. p. 133.

Michel, F. "Carl Fabergé, Les Plaisirs de l'Inutile," *Beaux Arts*, November 1985, p. 35, ill.

Hoffman, J. "The Capitalist Jewels of Malcolm Forbes," *New Jersey Monthly*, December 1985, pp. 55, 57, 59, ill. p. 55, table of contents, and cover.

Fogg, G., ed., *Art at Auction: The Year at Sotheby's 1984-85*, New York/London, 1985, p. 8, ill. p. 9.

Kelly, M. *Highlights from the Forbes Magazine Galleries*, New York, 1985, pp. 13-14, ill. p. 13.

Blackerby, C. "Fabergé Eggs Steeper by the Dozen," *The Palm Beach Post*, March 27, 1986, p. C1-C2.

Arnold, K. "Eggs, Money Side Up," *Savvy*, March 1986, pp. 76, 78, ill. p. 78.

James, J. "Fabergé: The Grandest Easter Egg Hunt," *Echelon*, Vol. 8, no. 3, March 1986, pp. 10, 12, 14, ill. p. 11.

Forbes, C. "Imperial Treasure: A Modern Czar's Son Tells of the Great Easter Egg Hunt," *Art & Antiques*, April 1986, p. 86, ill. p. 52.

Seggerman, H-L. "The Thirty-seven Million Dollar Egg," *Art & Auction*, April 1986, pp. 20, 34, ill. p. 22.

Ipsen, S. W. "Czars Raised Easter Egg Giving to Unmatched Heights," *The Mountain Eagle*, April/May 1986, p. 12, ill. pp. 1, 12.

Riley, N. "Fabergé for the Favoured," *Blue Chip, the Magazine for Clients of Kleinwort Grieveson*, Vol. 1, no. 2, August 1986, pp. 26, 28, ill. pp. 25, 26.

"Those Fabulous Fabergé Eggs," *Ahlan Wasahlan*, August 1986, pp. 20, 23-24, ill. pp. 20, 21.

Klever, U. "Des Zaren Goldene Freuden," *Westermanns, Das Kulturmagazin*, December 1986, p. 69, ill. p. 70.

von Habsburg, G. "Fabergé – Hofjuwelier der Zaren," *Artis, Das Aktuelle Kunstmagazin*, December 1986, p. 47.

von Solodkoff, A. *Fabergé Clocks*, London, 1986, pp. 3, 5, ill. p. 37.

von Habsburg, G. *Fabergé* (English edition, Munich 1986/87 catalogue), Geneva/New York, 1987/1988, pp. 94, 104.

Forbes, C. "Letter on Collecting Fabergé," *Burlington Magazine*, Vol. 129, no. 1014, September 1987, p. 12.

Collection Thyssen-Bornemisza, *Fabergé Fantasies from The Forbes Magazine Collection*, Lugano, 1987, pp. 16, 19.

Bischoff, J. "La Grande Paque Russe," *Construire*, April 16, 1987, ill.

Paris, Musée Jacquemart-André, *Fabergé, Orfèvre à la Cour des Tsars*, Paris, 1987, cat. pp. 12, 14.

Lipmann, E. "Les Oeufs de la Passion," *Expression*, July/August 1987, p. 78, ill. pp. 72, 77.

Gross, M. "Indulgences of the Rich and Famous," *News/Sun-Sentinel*, October 24, 1987, Section D, ill.

Freeman, M. "Fabergé Egg Hunt," *The Courier-News*, February 27, 1988, ill. p. B1.

Forbes, C. "Forbes' Fabulous Fabergé," *USA Today*, Vol. 117, July 1988, p. 43.

von Solodkoff, A. *Fabergé*, London, 1988, pp. 28, 37, 42, 96, 98, ill. p. 29.

Cochard, G. "Les Oeufs de Fabergé...pour Celebrer les Paques Impériales," *Point de Vue*, March 31, 1989, p. 40, ill. p. 41.

Forbes, M. *More Than I Dreamed*, New York, 1989, p. 220, ill.

Forrest, M. "The Ultimate Easter Eggs," *Antiques & Collecting Hobbies*, Vol. 94, March 1989, p. 52. "The Rich, the Dead & the Expensive," *Art & Auction*, May 1989, p. 222, ill.

"Inside Track," *Amtrak Express*, August/September 1989, ill. p. 47.

House & Garden, November 1989, ill. p. 44.

Hill, G. *Fabergé and the Russian Master Goldsmiths*, New York, 1989, pp. 13, 14, 22, 58, ill. pl. no. 38.

Moore, A. *Theo Fabergé and the St. Petersburg Collection*, London, 1989, pp. 49, 154.

Prat, V. "La collection d'oeufs de Pâques de l'excentrique Mr. Forbes," *Figaro Magazine*, no. 48 (n.s.), April 13, 1990, p. 88.

Davidson, A. "An Egg in a Million," *British Airways High Life*, April 1990, ill. p. 46.

Kaonis, D. "The Forbes Legacy: The Empire without Malcolm," *The Inside Collector*, July/August 1990, p. 36, ill. p. 36 and table of contents page.

Reshetnikova, L. "Surprises from Fabergé," *Sputnik: Monthly Digest of Soviet Press*, October 1990, p. 112, ill.

Euteneuer, J. "The Fabulous Fabergé Collection," *Boca Raton*, Mid-Winter 1990, p. 210, ill. p. 150 and table of contents.

Cerwinske, L. *Russian Imperial Style*, New York, 1990, pp. 54–55, ill.

Pfeffer, S. *Fabergé Eggs: Masterpieces from Czarist Russia*, New York, 1990, pp. 13, 66, ill. p. 67.

Davis, J. "The Ultimate Egg. History Professor is 'Eggspert' [*sic*] on Fabergé Art," *Alabama Poultry Newsmagzine*, Vol. 8, no. 3, Autumn 1990, p. 25.

Booth, J. *The Art of Fabergé*, New Jersey, 1990, pp.79, 97, 98, 109, 175, 176, ill. pp. 78, 109.

Berry, H. L. "Reflections of Imperial Russia," *The Washington Post*, May 23, 1991, ill. p. 17.

Dragadze, P. "The Fall of the House of Habsburg," *Connoisseur*, October 1991, p. 112.

von Habsburg, G. and Lopato, M. *Fabergé: Imperial Jeweller*, New York, 1993, pp. 44, 83, 158.

Kelly, M. *Imperial Surprises: A Pop-up Book of Fabergé Masterpieces*, New York, 1994, p. 12, ill.

Kelly, M. "Clocks Fit for a Czarina," *Chronos*, Summer/Fall 1995, pp. 50, 52, ill. p. 50.

Polak, M. A. "The Great Fabergé Egg Hunt," *Royalty*, March 1995, Vol. 13, no. 8, p. 36, ill.

Murray, S. "The Forbes Fabergé Egg Collection," *Figurines & Collectibles*, Vol. 2, no. 3, August 1996, pp. 68, 71, ill. p. 68.

von Habsburg, G. *Fabergé in America*, San Francisco, 1996, pp. 193, 194, 231.

von Habsburg, G. *Fabergé Fantasies and Treasures*, New York, 1996, p. 231.

Fabergé, T., Proler, L., and Skurlov, V. *The Fabergé Imperial Easter Eggs*, London, 1997, no. 21, pp. 8, 10, 69, 90, 146, 149, 234, 255, ill. pp. 147, 148, 149, 234.

Welander-Berggren, E., ed./ Nationalmuseum Stockholm, *Carl Fabergé: Goldsmith to the Tsar*, Stockholm, 1997, p. 13.

Rompalske, D. "Jeweler to the Czars," *Biography*, April 1998, p. 76.

Forbes, C. and Tromeur-Brenner, R. *Fabergé: The Forbes Collection*, Southport, 1999, pp. 52, 272, ill. p. 53.

von Habsburg, G. *Fabergé: Imperial Craftsman and His World*, London, 2000, p. 16.

Lowes, W., and McCanless, C. L. *Fabergé Eggs: A Retrospective Encyclopedia*, London, 2001, pp. 67–71, 247, 248, 254, 255, 257, 258, 260, 261, 262, 265, ill.

Яйцо «Лавровое дерево»

The Bay Tree Egg

ЯЙЦО «ЛАВРОВОЕ ДЕРЕВО» - ПОДАРОК ИМПЕРАТОРА НИКОЛАЯ II МАТЕРИ, ВДОВСТВУЮЩЕЙ ИМПЕРАТРИЦЕ МАРИИ ФЕДОРОВНЕ, НА ПАСХУ 1911 ГОДА.

Яйцо исполнено в форме подстриженного дерева с плотной кроной нефритовых листьев с цветами и фруктами из драгоценных камней, с лепестками белой эмали: алмазов цвета шампанского, аметистов, бледных рубинов и цитринов. В листве спрятано отверстие для ключа и крохотный рычаг, приведение в действие которого поднимает круглую крышку на верхушке дерева, после чего изнутри появляется певчая птица, которая машет крыльями, поворачивает голову и поет, открывая клюв. Резьба по золотому стволу имитирует кору. Дерево «растет» из золотой почвы, насыпанной в квадратную кадку из белого кварца, декорированную золотой трельяжной решеткой с головками цветов на скрещениях и накладной гирляндой лавра прозрачной зеленой эмали с ягодами из рубинов-кабошонов, из которых центральный окружен алмазами. Каждая ножка кадки также украшена рубинами с алмазами, помещенными в золотые розетки, по углам кадка завершена жемчужинами. Двухступенный постамент и стоящие по углам ребристые тумбы выполнены из нефрита; тумбы с золотыми цоколями, накладной орнаментацией и навершиями, увенчанными жемчужинами в чашечке из листьев прозрачной зеленой эмали. Та же эмаль применена к листве на цепях между тумбами, звенья которой акцентированы жемчужинами. *На нижней окантовке кадки надпись по-русски и дата: «Фаберже, 1911».*

ВЫСОТА 29,8 СМ В РАСКРЫТОМ ВИДЕ.

✱ THE BAY TREE EGG: A FABERGÉ IMPERIAL EASTER EGG PRESENTED BY EMPEROR NICHOLAS II TO HIS MOTHER THE DOWAGER EMPRESS MARIA FEODOROVNA AT EASTER 1911

The topiary tree formed as a profusion of carved nephrite, finely veined leaves and jeweled fruit and flowers on an intricate framework of branches, the fruit formed by champagne diamonds, amethysts, pale rubies and citrines, the flowers enameled white and set with diamonds, a keyhole and a tiny lever, hidden among the leaves, when activated open the hinged circular top of the tree and a feathered songbird rises, flaps its wings, turns its head, opens its beak and sings, the gold trunk chased to imitate bark and planted in gold soil is contained in a white quartz tub applied with a gold trellis chased with flowerheads at the intersections and further applied with swags of berried laurel enameled translucent green and pinned by cabochon rubies, the central rubies edged by diamonds, each foot of the tub also applied with chased gold rosettes set with cabochon rubies and diamonds, the corners of the tub with pearl finials, the square carved nephrite base in two steps with a miniature nephrite fluted column at each corner set with chased gold mounts, each column with a reeded gold cap surmounted by a pearl nestled in translucent green enamel leaves, the swinging gold chains between the columns formed as pearl flowers with translucent green enamel leaves, *inscribed Fabergé in Cyrillic with the date 1911 on lower front rail of the tub.*

HEIGHT 11¼ IN. (29.8 CM) WITH RAISED TOP

Яйцо «Лавровое дерево»

The Bay Tree Egg

1911

В документах 1935 года яйцо числилось как «Лавровое дерево», с 1947 оно ошибочно называлось «Апельсиновым деревом». Описываемое яйцо было преподнесено императором Николаем II матери, вдовствующей императрице Марии Федоровне, 12 апреля 1911 года. Недавно оно вновь было верно названо «Лавровым деревом» на основе подлинного счета Фаберже:

«9 апреля. 1 большое яйцо в форме выполненного из золота лаврового дерева с 325 листьями из нефрита, 110 маленькими белыми цветами из опалесцирующей эмали, 25 бриллиантами, 20 рубинами, 53 жемчужинами, 219 алмазами огранки «роза» и 1 крупным бриллиантом огранки «роза». Внутри дерева находится заводная певчая птица. [Стоит] в квадратной кадке из белого мексиканского оникса на постаменте из нефрита. По углам постамента стоят 4 тумбы из нефрита, между которыми свисают гирлянды из зеленых, покрытых эмалью листьев с жемчужинами. Санкт-Петербург, 13 июня 1911 года». 12 800 руб.[1]

Кроме того, под именем «Лавровое дерево» оно было включено в список предметов, принадлежавших вдовствующей императрице Марии Федоровне и переправляемых из Аничкова дворца в Оружейную палату Кремля (*«лавровое дерево из нефрита на постаменте, оправленное в золото, инкрустированное драгоценными камнями различных цветов, с певчей птицей»*)[2], а также в перечень ценностей, переданных в Совнарком в 1922 году (*«1 дерево из нефрита с певчей птицей, с украшениями из золота, алмазами огранки «роза», топазами, жемчугом и рубинами»*)[3].

Прототипом для яйца «Лавровое дерево» послужило дерево с певчей птичкой, выполненное в XVIII веке во многих экземплярах, о чем существует немало свидетельств. Аналогичное дерево с заводной певчей птичкой было продано на аукционе «Сотбис», проходившем в Mentmore Tower 18 мая 1977 г., лот 49 (справа). Очевидно, что деревья с певчими птичками были известны уже в XVI веке. Агостино Рамелли[4] приводит пример дерева с поющей птичкой, которое он

First known in 1935 as a Bay Tree Egg, this egg which had since 1947 been incorrectly labeled as an Orange Tree, was given by Tsar Nicholas to his mother the Dowager Empress on April 12, 1911. It has recently been correctly identified as a bay tree, based on the original Fabergé invoice:

"9 April. 1 large egg shaped as a gold bay tree with 325 nephrite leaves, 110 opalescent white enamel small flowers, 25 diamonds, 20 rubies, 53 pearls, 219 rose-cut diamonds, 1 large rose-cut diamond. Inside the tree is a mechanical song-bird. [It stands] in a rectangular tub of white Mexican onyx on a nephrite base, with 4 nephrite columns at the corners suspending green enamel swags with pearls St. Petersburg, June 13, 1911. 12,800 rubles."[1]

In addition, it is identified as a bay tree when catalogued among the items removed from the Anichkov Palace of the Dowager Empress to the Kremlin Armory (*"Nephrite bay tree on base, gold mounted with varicolored precious stones and with song bird"*)[2] and again among the treasures transferred to Sovnarkom in 1922 (*"1 nephrite tree with singing-bird, gold ornaments, rose-cut diamonds, topazes, pearls and rubies"*).[3]

The model for the Bay Tree Egg is an eighteenth-century singing-bird tree of which numerous examples are recorded. A similar mechanical singing-bird tree was sold by Sotheby's at the Mentmore Tower Sale,

Дерево с заводной певчей птичкой, изготовленное во Франции в XVIII веке, проданное на аукционе "Сотбис", проходившем в Mentmore Tower 18 мая 1977 года
Eighteenth century French mechanical singing bird tree, sold by Sotheby's at the Mentmore Tower Sale, May 18, 1977

описывает как *"une sorte de vase qui donnera grand plaisir et contentement à toute personne qui se délectera de voir entendre les sifflets etc."* Эта игрушка приводилась в движение сжатым воздухом, птицы хлопали крыльями и открывали клювы, а их пение имитировалось звуками флейты. В 1709 году устройство такого типа было описано[5] в Базеле, Швейцария, как *"un arbre artificiel où il est représenté dans cet arbre 24 oiseaux de différante spèce avec un coq et une poule chantant chacun leur chant diférent comme s' il estoit naturel."*†

Интересно заметить, что можно провести параллель между изделиями Фаберже и современной ювелиру архитектурой: купол Венского Выставочного зала Сецессион, построенный Джозефом Ольбрихом в 1897-98 годах, также украшен растительным орнаментом (см. илл. ниже). Связь произведений Фаберже с Венским Сецессионом и с Wiener Werkstaette, основанным в 1903 году, еще предстоит проанализировать. Бесспорно, что лаконичные геометрические формы Джозефа Хоффмана оказали воздействие на поздние работы российского мастера.

Яйцо «Лавровое дерево» было конфисковано Временным правительством в 1917 году и передано из Аничкова дворца в московский Кремль. Это одно из девяти императорских пасхальных яиц, которые были проданы через «Антиквариат» владельцу фирмы «Вартски» примерно в 1927 году. С тех пор оно переходило из рук в руки пяти разных владельцев и, наконец, было продано госпожой Милдред Каплан Малькольму Форбсу в 1965 году за 35 тысяч долларов.

ПРИМЕЧАНИЯ

*«изделие, похожее на вазон, которое доставит великое удовольствие и удовлетворение всем, кто пожелает насладиться его видом и пением птицы» (с фр.)
† «искусственное дерево, на ветках которого сидят 24 птицы различных видов, среди которых есть петух и курочка, поющие, как и в природе, каждый по-своему» (с фр.)
1. Фаберже Т., Пролер Л., Скурлов В. *Императорские пасхальные яйца.* Christie's Books, 1997, стр. 197 (ГАРФ, ф. 468, оп. 32, д. 1663, л. 83).
2. Там же (Архив Оружейной палаты Московского Кремля, ф. 20, оп. 1917, д. 5).
3. Там же (Архив Оружейной палаты Московского Кремля, ф. 20, оп. 23-1922, начата 26 янв. 1922, окончена 22 авг. 1922).
4. Рамелли, А. *Le Diverse e artificiose machine.* Париж, 1588. Илл. в книге Alfred Chapuis and Edouard Gélis, *Le Monde des Automates*, Geneva 1984, Vol. II [Чапуи А., Жели Е. Мир автоматов, т. 2, с. 81 (Певчие птички), Женева, 1984], с. 81.
5. Там же, с. 85.

May 18, 1977, lot 49 (ill. on p. 218). Singing-bird trees were apparently already known in the sixteenth century. Agostino Ramelli[4] illustrates a vase with a singing-bird tree, which he describes as *"une sorte de vase qui donnera grand plaisir et contentement à toute personne qui se délectera de voir entendre les sifflets etc.."* This model was driven by air, the birds beat their wings and opened their beaks, while their song was imitated on flutes. In 1709, an automaton was described in Basel, Switzerland, as *"un arbre artificiel où il est représenté dans cet arbre 24 oiseaux de différante spèce avec un coq et une poule chantant chacun leur chant diférent comme s'il estoit naturel."* [5]

Interestingly, there is also a parallel in contemporary architecture, the cupola of the Vienna Secession Exhibition Hall, built by Joseph Maria Olbrich in 1897-98, which shows a related foliate openwork dome (see ill. below). Fabergé's connection to the Viennese Secession and to the Wiener Werkstätte, founded in 1903, need yet to be analyzed. There seems to be no doubt that the sparse geometric forms of Joseph Hoffman made their mark on the late oeuvre of the Russian master.

The egg was confiscated by the Provisional Government in 1917 and transferred from the Anichkov Palace to the Kremlin. It was one of nine eggs sold by Antikvariat to Emanuel Snowman of Wartski around 1927. It has since passed through the hands of five different owners and was sold by Mrs. Mildred Kaplan to Malcolm Forbes in 1965 for $35,000.

NOTES

1. Fabergé/Proler/Skurlov 1997, p. 197 (Russian State Archive, Moscow stock 468, inv. 32, file 1663, p. 83 v.).
2. Op. cit. (Moscow Kremlin Armory, stock 20, inv. 1917, file 5).
3. Op. cit. (Moscow Kremlin Armory, stock 20, file 23, 1922, begun 26 January 1922, completed August 22, 1922).
4. Agostino Ramelli, *Le Diverse e artificiose machine.* Paris, 1588. Engraving illustrated in Alfred Chapuis and Edouard Gélis, *Le Monde des Automates*, Geneva 1984, Vol. II, p. 81 ("Les oiseaux chantants").
5. Op. cit., p. 85.

Купол Выставочного зала Сецессион, построенного Джозефом Мария Ольбрихом, Вена, июль 1897 года
Dome of the Secession Building, Joseph Maria Olbrich, Vienna, 1897/8

Вдовствующая императрица Мария Федоровна с сестрой, английской королевой Александрой, в Видере. Обратите внимание на подстриженное дерево, напоминающее пасхальное яйцо «Лавровое дерево», которое стоит наверху застекленного шкафчика в центре комнаты. Архивная фотография

Dowager Empress Maria Feodorovna with her sister Queen Alexandra of Great Britain at Hvidore. Note the topiary similar to the Bay Tree Egg sitting on top of the vitrine in the middle of the room. Archival photograph

Лондон, Белгрейв-сквер, *Выставка Русского искусства*, 4 июня-13 июля 1935 г., № 582 каталога, с. 110.

Нью-Йорк, A La Vieille Russie, *Искусство Петера Карла Фаберже*, 25 октября-7 ноября 1961 г., № 294, каталога, сс. 16, 92, илл. на с. 93.

Нью-Йорк, A La Vieille Russie, *Искусство золотых дел мастера и ювелира*, 6-23 ноября 1968 г., с. каталога 138, илл. 369.

Нью-Йорк, Нью-Йоркский Культурный центр, *Фаберже из коллекции журнала «Форбс»*, 11 апреля – 22 мая 1973 г., № 5, с. 3, 8, 11, 36, 110 каталога, илл. на с. 36, 37.

Лондон, Музей Виктории и Альберта, *Фаберже, 1846-1920* (по случаю Серебряного юбилея королевы), 23 июня-25 сентября 1977 г., № L4, сс. 71, 72 каталога, илл. на с. 81.

Нью-Йорк, A La Vieille Russie, *Фаберже*, 22 апреля-21 мая 1983 г., № 561, сс. 16, 22, 148 каталога, илл. на с. 149.

Форт-Уорт, Техас, Художественный музей Кимбелл, *Фаберже, Коллекция журнала «Форбс»*, 25 июня-18 сентября 1983 г., № 194 по списку.

Балтимор, Мэриленд, Балтиморский музей изобразительных искусств, *Фаберже, коллекция журнала «Форбс»*, 22 ноября-15 апреля 1983/84 г., № 77 по списку.

Детройт, Мичиган, Художественный институт Детройта, *Фаберже, коллекция журнала «Форбс»*, 27 июня-12 августа 1984 г., № 137 по списку.

Лугано, Коллекция Тиссен-Борнемиса, Вилла Фаворита, *Фантазии Фаберже, из коллекции журнала «Форбс»*, 14 апреля-7 июня 1987 г., № 121, сс. 11, 14, 16, 18, 117 каталога, илл. на сс. 116, 117, а также на обложке.

Париж, Музей Жакмар-Андре, *Фаберже, ювелир царского двора*, 17 июня-31 августа 1987 г., № 121, сс. 12, 14, 113 каталога, илл. на сс. 112, 113.

Лондон, Королевская Академия художеств, Ярмарка Дома Берлингтон, сентябрь 1987 г. (без каталога).

Лондон, Эрмитаж, *Императорские подарки Фаберже*, 8-15 сентября 1987 г. (без каталога).

Сан-Диего, Калифорния, Музей искусств Сан-Диего / Москва, Оружейная Палата, Государственные Музеи Московского Кремля, *Фаберже: Императорские Пасхальные яйца*, 1989/90 г., № 20 сс. 17, 22, 72, 109 каталога, илл. на сс. 18, 72, 73, 109.

Нью-Йорк, Музей искусств Метрополитан / Сан-Франциско, Калифорния, Мемориальный музей де Янг / Ричмонд, Виржиния, Virginia Музей изобразительных искусств / Новый Орлеан, Луизиана, Музей искусств Нового Орлеана / Кливленд, Огайо, Музей искусств Кливленда, *Фаберже в Америке*, 1996/97 г., № 286, сс. 230, 267 каталога, илл. на с. 267.

Уилмингтон, Делавер, центр искусств «Ферст ЮСЭй Риверфронт», *Фаберже*, 8 сентября-18 февраля 2000/01 г., № 548 каталога, илл.

Балтимор, Мэриленд, Музей искусств Уолтерс, *Зверинец Фаберже*, 14 февраля-25 мая 2003 г., № 24, с. 82 каталога, илл. на с. 83.

London, Belgrave Square, *The Exhibition of Russian Art*, June 4-July 13, 1935, no. 582, cat. p. 110.

New York, A La Vieille Russie, *The Art of Peter Carl Fabergé*, October 25-November 7, 1961, no. 294, cat. pp. 16, 92, ill. p. 93.

New York, A La Vieille Russie, *The Art of the Goldsmith and the Jeweler*, November 6-November 23, 1968, cat. p. 138, ill. plate no. 369.

New York, The New York Cultural Center, *Fabergé from the Forbes Magazine Collection*, April 11-May 22, 1973, no. 5, cat. pp. 3, 8, 11, 36, 110, ill. cat. pp. 36-37.

London, Victoria and Albert Museum, *Fabergé: 1846-1920* (held on the occasion of the Queen's Silver Jubilee), June 23-September 25, 1977, no. L4, cat. pp. 71-72, ill. p. 81.

New York, A La Vieille Russie, *Fabergé*, April 22-May 21, 1983, no. 561, cat. pp. 16, 22, 148, ill. p. 149.

Fort Worth, Texas, The Kimbell Art Museum, *Fabergé, The Forbes Magazine Collection*, June 25 – September 18, 1983, checklist no. 194.

Baltimore, Maryland, The Baltimore Museum of Fine Art, *Fabergé, The Forbes Magazine Collection*, November 22, 1983-April 15, 1984, checklist no. 77.

Detroit, Michigan, The Detroit Institute of Arts, *Fabergé, The Forbes Magazine Collection*, June 27-August 12, 1984, checklist no. 137.

Lugano, The Thyssen-Bornemisza Collection, Villa Favorita, *Fabergé Fantasies from the Forbes Magazine Collection*, April 14-June 7, 1987, no. 121, pp. 11, 14, 16, 18, 117, ill. pp. 116, 117, and cover.

Paris, Musée Jacquemart-André, *Fabergé, Orfèvre à la Cour des Tsars*, June 17-August 31, 1987, no. 121, pp. 12, 14, 113, ill. pp. 112, 113.

London, The Royal Academy of Arts, The Burlington House Fair, September 1987 (no cat.).

London, Ermitage, *Fabergé Imperial Presents*, September 8-15, 1987 (no cat.).

San Diego, California, San Diego Museum of Art/Moscow, Armory Museum, State Museums of the Moscow Kremlin, *Fabergé: The Imperial Eggs*, 1989/90, no. 20, cat. pp. 17, 22, 72, 109, ill. pp. 18, 72, 73, 109.

New York, Metropolitan Museum of Art/San Francisco, California, H. M. De Young Memorial Museum/Richmond, Virginia, Virginia Museum of Fine Arts/New Orleans, Louisiana, New Orleans Museum of Art/Cleveland, Ohio, The Cleveland Museum of Art, *Fabergé in America*, 1996/7, no. 286, cat. pp. 230, 267, ill. p. 267.

Wilmington, Delaware, First USA Riverfront Arts Center, *Fabergé*, September 8, 2000-February 18, 2001, cat. no. 548, ill.

Baltimore, Maryland, Walters Art Museum, *The Fabergé Menagerie*, February 14-May 25, 2003, no. 24, cat. p. 82, ill. p. 83.

Фотография вдовствующей императрицы Марии Федоровны на балконе дворца в Киеве. Снимок сделан ее дочерью великой княгиней Ольгой в 1915 году. В правом нижнем углу подпись «Мария»

Photograph of Dowager Empress Maria Feodorovna on the balcony of the Kiev Palace, taken by her daughter Grand Duchess Olga in 1915, signed "Maria" in the lower right corner

Bainbridge, H. C. "Russian Imperial Easter Gifts," *Connoisseur*, Vol. 93, no. 393, May 1934, pp. 304, 305, ill. p. 305.

Snowman, A. K. *The Art of Carl Fabergé*, 1953/62/64/68/74, p. 102, ill. plate 363, and plate LXXVIII.

Guth, P. "Carl Faberge," *Connaissance des Arts*, Vol. I, no. 24, February 15, 1954, p. 43, ill.

"An Easter Fantasy: Fabergé Eggs," *Architectural Digest*, March/April 1973, p. 56, ill. p. 57.

Watts, W. H. "Jeweler to the Czars: Peter Carl Fabergé," *Palm Beach Life*, March 1978, p. 38, ill. p. 39.

Waterfield, H. and Forbes, C. *Fabergé Imperial Eggs and Other Fantasies*, New York, 1978, pp. 8, 11, 13, 26, 28, 125, 130, 132, 133, 138, ill. pp. 27, 125, 138, cover.

Brown, E. "When Easter Time was Fabergé Time," *The New York Times Magazine*, April 15, 1979, pp. 64, 68, ill. p. 64.

Forbes, C. "Fabergé Imperial Easter Eggs in American Collections," *Antiques*, Vol. 115, no. 6, June 1979, p. 1238, 1240, ill. plate XIX.

Snowman, A. K. *Carl Fabergé, Goldsmith to the Imperial Court of Russia*, London, 1979, p. 113, ill. p. 112.

Poindexter, J. "A Collection of Imperial Splendors," *United Mainliner*, October 1979, p. 69, ill. p. 68.

Banister, J. "Rites of Spring," *Art and Antiques Weekly*, April 5, 1980, p. 38, ill. p. 38.

Forbes, C. *Fabergé Eggs, Imperial Russian Fantasies*, New York, 1980, pp. 5, 22, 67, ill. p. 23.

Hess, A. "Forbes's Fabulous Fabergé," *Saturday Review*, August 1980, p. 44, ill. p. 45.

Sears, D. "When Fantasy Reigned," *Collector Editions Quarterly*, Spring 1980, pp. 28, 29, ill. p. 28.

Amaya, M. "The Forbes Magazine Collection," *The Connoisseur*, April 1980, p. 266, ill. p. 268.

Gambaccini, P. "Of Baubles and Flinty-Eyed Braves," *Avenue*, February 1981, p. 88.

Coburn, R. S. "Celebrating the Elegant Art of the Master of Eggmanship," *Smithsonian*, April 1983, p. 53, ill.

von Habsburg, G. and von Solodkoff, A. *Fabergé, Court Jeweler to the Tsars*, New York, 1979/84, pp. 107, 117, 131, 139, 157, ill. pl. no. 139, index plate no. 28, dust jacket (1984 edition).

von Solodkoff, A. *Masterpieces from the House of Fabergé*, New York, 1984, pp. 12, 48, 65, 69, 126, ill. pp. 97, 187.

Kelly, M. *Highlights from the Forbes Magazine Galleries*, New York, 1985, p. 14, ill. pp. 20-21.

Forbes, C. "Imperial Treasures," *Art & Antiques*, April 1986, p. 86.

Riley, N. "Fabergé for the Favoured," *Blue Chip*, August 1986, p. 27, ill.

von Habsburg, G. *Fabergé* (English book edition of Munich 1986/87 catalogue), Geneva, 1987, pp. 95, 97, 104, ill. p. 96.

Greenspan, S. "Le Collectionneur," *Vogue Decoration*, April 1987, p. 160.

von Wurttemberg, A. H. "Fabergé Fantasies," *Weltkunst*, May 15, 1987, pp. 1402-1403, ill. p. 1402.

de la Brosse, S. "The Czar's Golden Eggs," *Paris Match*, May 1987, p. 94, ill.

Lipmann, E. "Les Oeufs de la Passion," *Expression*, No. 6, July/August 1987, p. 78, ill. pp. 72, 76.

Forbes, C. "A Letter on Collecting Fabergé," *Burlington Magazine*, Vol. 129, no. 1014, September 1987, p. 11, ill. p. 10.

Forbes, C. "Forbes' Fabulous Fabergé," *USA Today*, July 1988, p. 36, ill. p. 41.

von Solodkoff, A. *Fabergé*, London, 1988, pp. 28, 42, ill. p. 28.

Forbes, M. *More Than I Dreamed*, New York, 1989, pp. 220, 221, ill. pp. 220, 221.

Morrow, L. "Imperial Splendor," *Designers West*, January 1989, p. 66, ill.

Forrest, M. "The Ultimate Easter Eggs," *Antiques and Collecting Hobbies*, Vol. 94, March 1989, p. 52, ill. p. 51.

Hill, G. *Fabergé and the Russian Master Goldsmiths*, New York, 1989, pp. 14, 60, ill. plate no. 52, and title page.

Reshetnikova, L. "Surprises From Fabergé," *Sputnik*, October 1990, p. 113, ill.

Moore, A. *Theo Fabergé and the St. Petersburg Collection*, London, 1989, pp. 49, 155.

Prat, V. "La Collection d'Oeufs de Pâques de l'Excentrique Mr. Forbes," *Le Figaro*, No. 48, April 13, 1990, p. 88, ill.

Davis, J. "The Ultimate Egg," *Alabama Poultry Newsmagazine*, Vol. 8, no. 3, Autumn 1990, p. 24.

Kaonis, D. "The Forbes Legacy: The Empire Without Malcolm," *The Inside Collector*, Vol. 1, no. 2, July/August, 1990, ill. p. 36.

Pfeffer, S. *Fabergé Eggs: Masterpieces from Czarist Russia*, New York, 1990, pp. 13, 96, ill. p. 97.

Cerwinske, L. *Russian Imperial Style*, New York, 1990, p. 55, ill.

Booth, J. *The Art of Fabergé*, New Jersey, 1990, pp. 109, 174, ill. p. 109.

Manroe, C. O. *Decorative Eggs*, New York, 1992, pp. 84, 89, ill. p. 88.

Snowman, A. K. *Fabergé: Lost and Found*, New York, 1993, ill. p. 2.

von Habsburg, G. and Lopato, M. *Fabergé: Imperial Jeweller*, New York, 1993, pp. 48, 83, 158, 164.

Kelly, M. *Imperial Surprises: A Pop-up Book of Fabergé Masterpieces*, New York, 1994, unpaginated page.

Polak, M. A. "The Great Fabergé Egg Hunt," *Royalty*, March 1995, Vol. 13, no. 8, p. 36, ill.

Decker, A. "Still Fabulous Fabergé," *Art & Antiques*, Vol. 19, no. 2, February, 1996, pp. 52, 57, ill. p. 52.

Murray, S. "The Forbes Fabergé Egg Collection," *Figurines & Collectibles*, Vol. 2, no. 3, August 1996, pp. 68, 71, ill. p. 69.

von Habsburg, G. *Fabergé Fantasies and Treasures*, New York, 1996, p. 20, ill. plate 3.

von Habsburg, G. *Fabergé in America*, San Francisco, 1996, pp. 230, 267, ill. p. 267.

Fabergé, T., Proler, L., and Skurlov, V. *The Fabergé Imperial Easter Eggs*, London, 1997, no. 39, pp. 11, 68, 69, 90, 197-198, 235, 248, 255, 256, ill. pp. 68, 198, 199, 235.

Welander-Berggren, E., ed./ Nationalmuseum Stockholm, *Carl Fabergé: Goldsmith to the Tsar*, Stockholm, 1997, p. 16, ill. p. 70.

Rompalske, D. "Jeweler to the Czars," *Biography*, April 1998, p. 76.

Forbes, C. and Tromeur-Brenner, R. *Fabergé: The Forbes Collection*, Southport, 1999, pp. 61, 272, ill. p. 60, 272.

von Habsburg, G. *Fabergé: Imperial Craftsman and His World*, London, 2000, pp. 18, 222, ill. p. 222.

Lowes, W., and McCanless, C. L. *Fabergé Eggs: A Retrospective Encyclopedia*, London, 2001, pp. xi, 4, 68, 82, 95, 107-111, 112, 249, 252, 253, 256, 257, 258, 261, 262, 263, 265, 269, ill.

Horowitz, D., ed./Walters Art Museum, *The Fabergé Menagerie*, London, 2003, pp. 20, 22, 82, ill. p. 83.

Яйцо «Пятнадцатая годовщина царствования»

The Fifteenth Anniversary Egg

Яйцо «Пятнадцатая годовщина царствования»

The Fifteenth Anniversary Egg

ЯЙЦО «ПЯТНАДЦАТАЯ ГОДОВЩИНА ЦАРСТВОВАНИЯ» - ПОДАРОК ИМПЕРАТОРА НИКОЛАЯ II СУПРУГЕ, ИМПЕРАТРИЦЕ АЛЕКСАНДРЕ ФЕДОРОВНЕ, НА ПАСХУ 1911 ГОДА; МАСТЕР ГЕНРИХ ВИГСТРЕМ, САНКТ-ПЕТЕРБУРГ

Яйцо поделено по горизонтали и вертикали поясами лавровых листьев зеленой эмали, на пересечениях крестообразно перехваченных усыпанными алмазами лентами. Они образуют восемнадцать панелей, шестнадцать из которых несут *миниатюры придворного миниатюриста Василия Зуева,* состоящих из семи овальных портретов императорской семьи и девяти исторических сцен царствования Николая II. На портретах – император Николай II, императрица Александра Федоровна, цесаревич Алексей Николаевич, великие княжны Ольга Николаевна, Татьяна Николаевна, Мария Николаевна и Анастасия Николаевна. Исторические сцены изображают: момент святого коронования; церемониальную процессию к Успенскому собору; церемониальный прием для членов Государственной Думы в Зимнем дворце; Хаус тен Босх в Гааге, место Первой Мирной конференции; обретение мощей Святого Серафима Саровского; открытие памятника Петру Великому в Риге; открытие памятника в Полтаве, приуроченное к Двухсотлетию Полтавской битвы; Музей императора Александра III; открытие Моста Александра III в Париже в присутствии Его Императорского Величества. Под портретами Николая и Александры – медальоны, где под плоским алмазом видны даты: «1894», год венчания Николая и Александры и «1911», год Пятнадцатой годовщины коронации; обе даты над лентой с надписью *Фаберже* русскими буквами. На верху яйца помещена императорская монограмма Александры Федоровны под крупным плоским алмазом, по кругу обрамленным мелкими. Снизу яйцо также украшено крупным алмазом в окружении мелких. Поле вокруг овальных миниатюр, а также верх и низ яйца покрыты прозрачной перламутровой эмалью по гильошированному фону. *Изнутри яйцо маркировано клеймами инициалов мастера-исполнителя, Санкт-Петербургским пробирным клеймом 1908-1917 и 72 пробой 18-каратного золота. Вместе с яйцом сохранилась и первоначальная, покрытая бархатом, яйцеобразная коробка, на подкладке крышки – черный штамп фирмы: под двуглавым орлом, по-русски: Фаберже / Санкт-Петербург / Москва / Лондон. Золотой треножник – без клейм.*

ВЫСОТА 13 см.

THE FIFTEENTH ANNIVERSARY EGG: A FABERGÉ IMPERIAL EASTER EGG PRESENTED BY EMPEROR NICHOLAS II TO HIS WIFE THE EMPRESS ALEXANDRA FEODOROVNA AT EASTER 1911, WORKMASTER HENRIK WIGSTROM, ST. PETERSBURG

The shell of the egg with eighteen panels bordered by green enameled leafage wrapped with diamond-set ribbons at the intersections and enclosing sixteen miniatures *by court miniaturist Vassilii Zuiev,* comprising seven oval portrait miniatures of the Imperial family within diamond-set borders: Tsar Nicholas II, the Empress Alexandra Feodorovna, the Tsarevich Alexis Nikolaevich, Grand Duchesses Olga Nikolaievna, Tatiana Nicholaievna, Maria Nikolaievna and Anastasia Nikolaevna; and nine historical scenes from the reign of Nicholas II: The Moment of the Holy Coronation, The Ceremonial Procession to the Uspensky Cathedral, The Ceremonial Reception of the Members of the First State Duma in the Winter Palace, Huis ten Bosch in the Hague – the site of the first Peace Conference, The Transfer of the Relics of St. Seraphim of Sarov, The Unveiling of the Peter the Great Monument in Riga, The Opening of the Monument in Poltava Commemorating the Two Hundreth Anniversary of the Battle of Poltava, The Museum of the Emperor Alexander III and The Opening of the Alexander III Bridge in Paris at which His Imperial Majesty was to have been present; also with two oval reserves within diamond-set borders beneath the miniatures of Nicholas and Alexandra enclosing the dates 1894, the date of the wedding of Nicholas and Alexandra, and 1911, the fifteenth anniversary of the coronation, each date above a ribbon inscribed *Fabergé* in Cyrillic, the top of the egg inscribed with the Imperial monogram of Alexandra Feodorovna below a table diamond encircled by a diamond-set border, the bottom of the egg mounted with a diamond also encircled by a diamond-set border, the surrounds of the oval portrait miniatures and the top and the bottom of the egg enameled translucent oyster over a *guilloché* ground, *the interior of the egg marked with initials of workmaster and 1908-1917 assay mark for St. Petersburg, 72 standard for 18 karat gold.* With original fitted velvet-covered egg-shaped box, *the lid lining black-stamped in Cyrillic, Fabergé/St. Petersburg/Moscow /London below the Imperial eagle.* Also with gold tripod stand, *unmarked.*

HEIGHT 5⅛ IN. (13 CM)

Яйцо «Пятнадцатая годовщина царствования»
The Fifteenth Anniversary Egg

Яйцо «Пятнадцатая годовщина царствования» прекрасно демонстрирует как самые важные события частной жизни венценосной четы, так и ее достижения в управлении государством. Пятнадцать лет, пролегающие между двумя датами, изображенными на оболочке яйца, 1894 и 1911, – это и 17 лет счастливой супружеской жизни (Николай и Александра поженились 12 ноября 1894 года), отмеченной рождением пяти замечательных детей, и 17 лет относительно успешного правления. Тем не менее, оглядываясь на прошлое с позиций сегодняшнего дня, можно разглядеть и трагические «подводные течения», которые привели к известным печальным событиям.

Фаберже представил счет на описываемое яйцо 9 апреля 1911 года:

«Большое яйцо из золота. Стиль Людовика XVI, покрыто опалесцирующей белой эмалью с зелеными, покрытыми эмалью гирляндами, украшено 929 алмазами огранки «роза»,
1 бриллиантом, 1 большим бриллиантом огранки «роза».
16 миниатюр В.И. Зуева:
Портреты:
- Государя Императора
- Государыни Императрицы
- Государя Наследника Цесаревича
- Великие Княжны: Ольга Николаевна, Татьяна Николаевна,
- Мария Николаевна, Анастасия Николаевна.

- Шествие в Успенский Собор
- Священное коронование Их Величеств
- Тронная речь императора
- Перенесение мощей преподобного Серафима Саровского
- Дворец мира в Гааге
- Музей Императора Александра III

The Fifteenth Anniversary Egg is the egg that best depicts a number of both intensely private family moments and public achievements of the Tsar and Tsarina. The fifteen years spanned by the two dates on the egg, 1894 and 1911, are both seventeen years of happily married life (they were married on November 12/26th, 1894) with five beautiful children, coupled with fifteen years of a relatively successful reign. Nevertheless, with hindsight, there is a constant tragic undercurrent to many of the events depicted.

Fabergé's invoice was entered April 9, 1911:
"Large gold egg. Louis XVI style, of opalescent white enamel with green enamel wreaths, 929 rose-cut diamonds, 1 diamond, 1 large rose-cut.
16 miniatures by Zuiev:
Portraits:
- His Majesty the Emperor
- Her Majesty the Empress
- His Highness the Heir-Tsarevich
- The Grand Duchesses: Olga Nikolaievna, Tatiana Nikolaievna,
- Maria Nikolaievna, Anastasia Nikolaievna

- The Procession in the Cathedral of the Dormition
- The Holy Coronation of their Majesties
- The Emperor's speech from the Throne
- Translation of the Relic of Saint Seraphim of Sarov
- The Peace Palace in The Hague
- The Emperor Alexander III Museum
- The Emperor Alexander III Bridge in Paris
- The Unveiling of the monument to Peter I in Riga
- The Poltava Festivities (Swedish Grave)
- Two medallions with dates 1894 and 1911   16,600 rubles

St. Petersburg, June 13, 1911" [1]

1

2

3

4

5

6

7

8

9

рис. 1 *Открытие памятника Петру I в Риге*
FIG. 1 *The Unveiling of the monument to Peter I in Riga*

рис. 2 *Святейшая коронация Их Величеств*
FIG. 2 *The Holy Coronation of their Majesties*

рис. 3 *Перенесение останков преподобного Серафима Саровского*
FIG. 3 *Transference of Relics of Saint Seraphim of Sarov*

рис. 4 *Великая княжна: Ольга Николаевна*
FIG. 4 *The Grand Duchess: Olga Nikolaievna*

рис. 5 *Его Величество император*
FIG. 5 *His Majesty the Emperor*

рис. 6 *Медальон с цифрами 1911*
FIG. 6 *Medallion with date 1911*

рис. 7 *Музей императора Александра III*
FIG. 7 *The Emperor Alexander III Museum*

рис. 8 *Процессия в Успенском соборе*
FIG. 8 *The Procession in the Cathedral of the Dormition*

рис. 9 *Мост императора Александра III в Париже*
FIG. 9 *The Emperor Alexander III Bridge in Paris*

10

13

16

11

14

17

12

15

18

рис. 10 *Великая княжна: Татьяна Николаевна*
FIG. 10 *The Grand Duchess: Tatiana Nikolaievna*

рис. 11 *Ее Величество императрица*
FIG. 11 *Her Majesty the Empress*

рис. 12 *Медальон с цифрами 1894*
FIG. 12 *Medallion with date 1894*

рис. 13 *Дворец Мира в Гааге*
FIG. 13 *The Peace Palace in The Hague*

рис. 14 *Тронная речь императора*
FIG. 14 *The Emperor's speech from the Throne*

рис. 15 *Празднование годовщины Полтавской битвы*
(Шведская могила)
FIG. 15 *The Poltava Festivities (Swedish Grave)*

рис. 16 *Великая княжна: Мария Николаевна*
FIG. 16 *The Grand Duchess: Maria Nikolaievna*

рис. 17 *Его Высочество Цесаревич*
FIG. 17 *His Highness the Heir-Tsarevich*

рис. 18 *Великая княжна: Анастасия Николаевна*
FIG. 18 *The Grand Duchess: Anastasia Nikolaievna*

Коронационная процессия 1896 г. Архивная фотография
Coronation procession 1896. Archival photograph

- Мост Императора Александра III в Париже
- Открытие памятника Императору Петру I в Риге
- Полтавские торжества. Шведская могила
-Две виньетки 1894 – 1911 годов
16 600 руб.

Санкт-Петербург, 13 июня 1911 года»[1].

Семь прекрасно исполненных овальных миниатюр Василия Зуева изображают всех членов сплоченной семьи – несомненно, счастливых родителей, четырех очаровательных дочерей и сына. Лишь немногие были посвящены в тайну глубоких страданий отца и матери, вызванных тяжелой болезнью наследника трона, – гемофилией. Со временем эта болезнь стала причиной появления на сцене истории Григория Распутина, что привело к трагическим последствиям для всей императорской семьи.

Две сцены из коронационных торжеств 1896 года, высочайший выход в Успенский собор и коронация императора, запечатлели ярчайшие из славных мгновений в жизни императорской четы. Однако смерть обожаемого отца застала молодого цесаревича Николая Александровича, не подготовленного к управлению государством, врасплох. Этот робкий человек, предпочитавший частную жизнь, чувствовавший себя счастливым в узком семейном кругу, против воли оказался под слепящим светом рампы. В начале своего царствования он испытывал серьезное давление со стороны трех властных дядьев и с трудом переносил бремя государственных обязанностей, поглощавших его время. Вслед за коронационной церемонией наступил день трагических событий на Ходынском поле, где из-за некомпетентности генерал-губернатора Москвы, дяди императора великого князя Сергея Александровича, погибло более 1000 человек, раздавленных толпой. Это было воспринято как мрачное предзнаменование для царствования Николая II.

Следующее в хронологическом порядке событие, изображенное на миниатюре, связано с домом фон Боша в Гааге, в котором проходила мирная конференция, созванная по инициативе Николая II в мае 1899 года. Участники встречи должны были выработать соглашение по поводу средств ведения войны и учредить постоянно действующий арбитражный суд. Тогда Николай II заслужил титул «царя-миротворца». К сожалению, наращивание вооружений, которое осуждал император, вскоре вовлекло его самого в катастрофическую русско-японскую войну, а впоследствии ему пришлось воевать в союзе с Францией против своего агрессивного кузена кайзера Вильгельма II во время Первой мировой войны, приведшей к крушению обеих могущественных империй.

The seven exquisite oval family miniatures by Vassilii Zuiev show all the family united, the apparently happy parents, the four beautiful daughters and the handsome son. Few were those who were initiated into the intense suffering of the parents occasioned by the Heir to the Throne's hemophilia. The boy's illness would in due course bring Rasputin on the scene with tragic consequences for the Imperial family.

The two scenes from the Coronation festivities of 1896, the procession to Uspensky Cathedral and the Coronation of the Tsar were moments of glory for the Imperial couple. Yet the young Tsarevich Nicholas was unprepared for his adored father's sudden death. This shy, intensely private man, most happy in the circle of his close family was thrust, unwillingly, into the limelight. He was initially terrorized by his overbearing three uncles and disliked his time-consuming, frustrating duties. The Coronation ceremonies were followed the next day by the tragic events on Khodynka Meadow with over 1,000 dead, crushed, due to the incompetence of the Governor General of Moscow, the Tsar's uncle Grand Duke Sergei. This was generally interpreted as a bad omen for Nicholas' reign.

Next in chronological order, is the miniature of the Huis ten Bosch at The Hague, the house at which the Peace Conference called by Nicholas in May 1899 was held. The participants were to agree on rules of warfare and establish a permanent court of arbitration. At this time the Tsar earned himself the title of "The Peacemaker." Sadly, the arms race deplored by Nicholas was to involve the Tsar himself in a disastrous Russo-Japanese War and lead him to fight his own belligerent cousin Kaiser Wilhelm II at the side of Russia's great French ally during the First World War, which ended with the disappearance of both great Empires.

The miniature of the Pont Alexandre III in Paris is shown with the Grand Palais in the background. Both buildings, which still stand today, were finished in time for the opening of the World Fair in early 1900. Nicholas and Alexandra had laid the foundation stone of the bridge in 1896, a visible symbol of the Franco-Russian alliance, among much fanfare. The Tsar and Tsarina were to have inaugurated the finished bridge at the opening of the World Fair on April 14, 1900, but were unable to attend – some said that the Tsarina feared an assassination attempt. Instead, the bridge was inaugurated in their name by the Russian Ambassador, Prince Ouroussov.

Following the humiliating defeat at the hand of the Japanese in early 1905, the cruelly suppressed uprising of January 22, 1905 (Bloody Sunday), the ensuing strikes and the assassination of Grand Duke Sergei, a Manifest was issued on October 30, 1905 transforming Russia from an absolute autocracy into a semi-constitutional monarchy. In May 1906 Nicholas gave his famous speech opening the Duma in the

На одной из миниатюр изображен мост Александра III в Париже на фоне Grand Palais. Оба сооружения, сохранившиеся до сегодняшнего дня, были построены к открытию Всемирной выставки в 1900 году. В 1896 году во время пышной церемонии император Николай II и императрица Александра Федоровна заложили первый камень в основание моста как наглядный символ франко-русского союза. Русский монарх с супругой должны были приехать на официальную церемонию открытия завершенного моста, которая состоялась в один день с открытием Всемирной выставки в Париже, 14 апреля 1900 года. Однако они не смогли принять участия в этом событии. Поговаривали, что императрица боялась попытки покушения на жизнь Царя. Мост был торжественно открыт русским послом во Франции, князем Урусовым.

Вслед за жестоко подавленным революционным выступлением петербургских рабочих 9 января 1905 года («Кровавое воскресенье»), вызвавшим забастовки по всей стране, убийством великого князя Сергея Александровича и унизительным поражением в войне с Японией в мае 1905 года, Николай II был вынужден 17 октября издать Манифест, превративший Россию из абсолютной монархии в полуконституционную. Двадцать седьмого апреля 1906 года император выступил со знаменитой речью на церемонии открытия Государственной Думы в Тронном, Георгиевском зале Зимнего дворца. Миниатюра Зуева – копия с фотографии, сделанной в тот день. Как это ни печально, был упущен уникальный шанс, который мог бы изменить весь ход истории страны. Несмотря на то, что дарование гражданских свобод многие шумно приветствовали, император и императрица посчитали, что Дума требует слишком многого, и она была распущена.

Музей русского искусства императора Александра III, или Русский музей находится в здании Михайловского дворца, построенного в 1819-1825 годах в стиле русского ампира по проекту Карло Росси. Он был возведен для великого князя Михаила Павловича, брата императора Александра I. В 1893 году император Александр III решил создать в Петербурге музей русского искусства – аналог московской Третьяковской галереи. После смерти отца Николай II считал своим долгом завершить этот проект. С 1895 года начались работы по перестройке интерьеров здания под музей, и в 1898 состоялось его открытие. Изначально во дворце-музее была размещена коллекция русского искусства, состоящая из 2 500 работ, в которую вошли произведения, хранившиеся в императорских дворцах, Эрмитаже, Академии художеств и частных коллекциях. Новый музей стал доступен для широкой публики. Среди его художественных сокровищ были работы Ильи Репина, Константина Маковского, Василия Сурикова и

Throne Room, St. George Hall, in the Winter Palace on April 27, 1906. Zuiev's miniature is a copy of the photograph recording this occasion. Sadly, this historic opportunity, which could have changed the course of history and which was joyfully welcomed by many, was missed, when the Duma, after what the Tsar and Tsarina found were too great demands, was dissolved.

The Museum of Tsar Alexander III or Russian Museum is located in the New Michael Palace erected in 1819-1825 in the Tuscan style from designs by Carlo Rossi. It was built for the brother of Alexander I, Grand Duke Michael Pavlovich. In 1893 Tsar Alexander III decided to give St. Petersburg a museum of Russian art, the equivalent to Moscow's Tretiakov Gallery. After his father's death, Nicholas II saw the project to its completion. The building was converted into a museum beginning in 1895 and opened in 1898. It originally contained a collection of 2,500 Russian works of art assembled from Imperial palaces, the Hermitage, the Academy of the Arts and private collections and was open free to the public. Among its many treasures were paintings by Repin, Konstantin Makovsky, Surikov and Serov. Its first director was Grand Duke George Michailovich assisted by Count D. I. Tolstoi. Today the museum contains over 370,000 works of art.

Following the birth of four daughters in 1895, 1897, 1899 and 1901, the Tsar and Tsarina, on the suggestion of Monsieur Philippe (Philippe Nizier Vachot), a hypnotist and apparent curer of nervous diseases, pressed for the Canonization of Seraphim of Sarov (1759-1833), a hermit and monk associated with many miraculous healings, including of two members of the Imperial family. Zuiev's miniature shows the translation of the remains of the Saint into the cathedral of Sarov on July 19, 1903 in the presence of the Tsar, who recorded in his diary that they carried the coffin on a litter in a procession this time with the relics visible. *"One felt enormously inspired."* [2] The Tsarina prayed for the Saint's intercession: the long-awaited male heir was born in 1904. She was convinced that it was *"Seraphim who had brought it about."* [3] His birth, greeted with immense relief and joy, was to prove a mixed blessing. The ill health of the hemophiliac boy brought Rasputin on the scene, whose influence on the Tsarina and on Russian politics was to speed up the downfall of the Romanov dynasty.

The year 1909 marked the bicentenary of the Battle of Poltava, in which Peter the Great with an army of 42,000 men and seventy-two cannons defeated King Charles XII of Sweden with his 27,000 soldiers and only four cannon on June 27, 1709. Thus ended the Great War of the North, establishing the position of Russia in Europe and giving Russia control over the Balkan States. To mark the occasion a large stone cross was erected over the so-called Swedish Grave, a mound sixty-five feet high, where the 1,345 Russian soldiers who died in the battle were buried. The remaining 16,000 Swedes surrendered three

Портрет великих княжен Ольги, Татьяны, Марии и Анастасии. Архивная фотография, около 1905 г.
Portrait of Grand Duchesses Olga, Tatiana, Maria and Anastasia. Archival photograph, circa 1905

Валентина Серова. Первым директором музея стал Великий князь Георгий Михайлович, а его помощником – Д.И. Толстой. Сегодня собрание Русского музея насчитывает более 370 тысяч предметов искусства.

После рождения четырех дочерей в 1895, 1897, 1899 и 1901 годах императорская чета, по совету г-на Филиппа Низьера Вашо, гипнотизера и спирита, претендовавшего на роль целителя нервных болезней, стала добиваться канонизации старца Серафима Саровского (1759-1833). Этому монаху-отшельнику приписывалось множество чудесных исцелений, в том числе и двух членов императорской фамилии. На миниатюре Зуева изображено перенесение мощей Святого Серафима в Успенский собор 19 июля 1903 года. Оно происходило с участием императора, записавшего в дневнике, что он с великими князьями нес гроб с открытой крышкой на носилках: «*Каждый чувствовал невероятное вдохновение*».[2]

Императрица молила о заступничестве Святого Серафима, и долгожданный наследник престола родился в 1904 году. Она была убеждена: «*Это стало возможно благодаря Серафиму*»[3]. Но рождение мальчика, принятое с огромным облегчением и восторгом, принесло не только счастье. Алексей был болен гемофилией, и его недуг стал причиной появления на исторической сцене Распутина, чье влияние на императрицу и на российскую политику ускорило падение династии Романовых.

1909 год ознаменовался празднованием двухсотлетия Полтавской битвы, в которой 27 июня 1709 года Петр Великий с 42 000 армией и 72-мя пушками нанес поражение Королю Швеции Карлу XII, у которого было лишь 27 000 солдат и четыре пушки. Таким образом, была завершена великая Северная война, которая утвердила позиции России в Европе и позволила ей осуществлять контроль над государствами Прибалтики. Чтобы увековечить событие, огромный каменный крест был водружен над так называемой «шведской могилой», холмом высотой около 20 метров, под которым нашли последний покой 1 345 российских солдат, погибших в битве под Полтавой. На третий день после сражения 16000 шведов сдались в плен. В память о славной победе в 1909 году в Полтаве были устроены торжества.

Рига, расположенная в дельте Даугавы на побережье Балтийского моря, вначале входила в состав Восточной Пруссии, затем Польши и была впоследствии, в 1621 году, захвачена шведским королем Густавом Адольфом. У въезда в Старый город, в конце Александровского бульвара, стоит бронзовый конный памятник Петру Великому работы Шмидта-Касселя, торжественно открытый в 1910 году. Он установлен в честь победы русской армии под командованием фельдмаршала Бориса Шереметева, одержанной 4 июля 1710 года над шведами после восьмимесячной осады города. Вслед за подписанием Ништадтского мирного договора в 1721 году Ливония вместе с ее столицей Ригой была включена в состав

days after the battle. A major celebration was held in Poltava in 1909 to commemorate the event.

Riga, situated at the mouth of the Dvina on the Baltic Sea was originally a German Hanseatic town, then Polish, and was captured by Gustavus Adolphus, King of Sweden, in 1621. In front of the old town at the end of the Alexander Boulevard stands a bronze equestrian statue of Peter the Great by Schmidt-Cassel, which was unveiled in 1910. It commemorates the victory of the Russian armies under General Sheremetiev on July 4, 1710 over the Swedes after an eight-months siege to the city. Following the Peace of Nystadt in 1721, Livonia and its capital, Riga, were incorporated into the Russian empire. In the early twentieth century, Riga was, after St. Petersburg, the most important Russian commercial and industrial town on the Baltic Sea, with a population of half a million inhabitants, exports worth 225 million rubles and imports of 155 million rubles.

Fabergé's egg was kept by the Empress in a corner cabinet of her Palisander Salon at the Alexander Palace (see p. 248, middle shelf, left), together with most of the Imperial eggs made after 1905, when the Imperial family chose the safety of Tsarskoie Selo over the Winter Palace. Little is known of the later fate of the egg.

NOTES
1. Invoice illustrated in Fabergé/Proler/Skulov 1997, p. 200 (GARF, 468, inv. 32, file 1663, p. 83).
2. Diary of Nicholas II GARF; Fond 601, op.1, D 246, L 1-198 (42f). Quoted from Wilmington 1998, p. 292.
3. Recollections of Grand Duchess Olga Alexandrovna. Quoted from Vorres 1985, p. 122.

Император Николай II с цесаревичем Алексеем Николаевичем в младенчестве.
Архивная фотография, 1904 г.
Emperor Nicholas II with infant Tsarevich Alexis Nicholaeivich.
Archival photograph, 1904

Российской империи. В начале двадцатого столетия Рига представляла собой второй по значимости после Петербурга торговый и промышленный город на Балтийском море, с населением в пол-миллиона, экспортом на 225 миллионов рублей в год и импортом на сумму 155 миллионов рублей.

Описываемое яйцо императрица Александра Федоровна хранила в угловом шкафчике Сиреневого будуара в Александровском дворце (с. 248, на средней полке слева) вместе с другими императорскими пасхальными яйцами, которые были изготовлены фирмой Фаберже после 1905 года. Начиная с того времени императорская семья поселилась в Александровском дворце, предпочтя пребыванию в Зимнем дворце Петербурга более безопасную жизнь в Царском Селе. О дальнейшей судьбе яйца «Пятнадцатая годовщина царствования» сохранилось мало сведений.

ПРИМЕЧАНИЯ
1. Счет приведен в книге Фаберже Т., Пролер Л., Скурлов В. *Императорские пасхальные яйца.* Christie's Books, с. 200. (ГАРФ, ф. 468, оп. 32, д. 1663, л. 83). См. также *Столица и усадьба*, апрель 1, 1916, и каталог выставки *Фаберже: Придворный ювелир.* Гос. Эрмитаж, Санкт-Петербург/Музей декоративного искусства, Париж/Музей Виктории и Альберта, Лондон, 1993-94, кат 30.
2. *Дневник Николая Второго*; ГАРФ, ф. 601, оп. 1, д. 246, лл. 1-198.
3. Recollections of Grand Duchess Olga Alexandrovna. Quoted from Vorres 1985, с. 122 Русский перевод: *Ольга Александровна. Мемуары.* М., 2003].

Угловой шкафчик в Палисандровой гостиной императрицы Александры Федоровны в Александровском дворце, на средней полке яйцо "Пятнадцатая годовщина царствования". Архивная фотография, около 1915 г.

Corner cabinet in Empress Alexandra Feodorovna's Palisander Salon at the Alexander Palace with the Fifteenth Anniversary Egg on the middle shelf. Archival photograph c. 1915

Императрица Александра
Федоровна

A La Vieille Russie, Inc., Нью-Йорк

Коллекция семьи Форбс,
Нью-Йорк

ВЫСТАВКИ

Нью-Йорк, Музей искусств
Метрополитен, 1962-1965 г., №
L.67.31.2.

Нью-Йорк, Нью-Йоркский
Культурный центр, *Фаберже из
коллекции журнала «Форбс»*, 11
апреля-22 мая 1973 г., № 4, сс. 3, 32,
34 каталога, 110, илл. на
сс. 33, 35.

Лондон, Музей Виктории и
Альберта, *Фаберже, 1846 – 1920* (по
случаю Серебряного юбилея
королевы), 23 июня-25 сентября
1977 г., № L7, сс. 72, 73 каталога,
илл. на сс. 72, 73.

Бостон, Массачусетс, Музей
изобразительных искусств,
*Императорские пасхальные яйца
дома Фаберже*, 10 апреля-27 мая
1979 г., ненумерованный перечень.

Ричмонд, Виржиния, Музей
изобразительных искусств /
Миннеаполис, Миннесота,
Миннеапольский Институт
искусств / Чикаго, Иллинойс,
Художественный институт Чикаго,
*Фаберже, Избранные экспонаты из
коллекции журнала «Форбс»*, 1983 г.,
№ 97, перечень на с. 16.

Форт-Уорт, Техас, Художественный
музей Кимбелл, *Фаберже, коллекция
журнала «Форбс»*, 25 июня-18
сентября 1983 г., № 193 по списку.

Детройт, Мичиган,
Художественный институт
Детройта, *Фаберже, коллекция
журнала «Форбс»*, 27 июня-12
августа 1984 г., № 136 по списку.

Лугано, Коллекция Тиссен-
Борнемиса, Вилла Фаворита,
*Фантазии Фаберже, из коллекции
журнала «Форбс»*, 14 апреля-7 июня
1987 г., № 120, сс. 11, 14, 115
каталога, илл. на сс. 114, 115.

Париж, Музей Жакмар-Андре,
Фаберже, ювелир царского двора, 17
июня-31 августа 1987 г., № 120, с.
111 каталога, илл. на сс. 110, 111.

Лондон, Королевская Академия
художеств, Ярмарка Дома
Берлингтон, сентябрь 1987 г., (без
каталога).

Лондон, Эрмитаж, *Императорские
подарки Фаберже*, 8-15 сентября
1987 г., (без каталога).

Сан-Диего, Калифорния, Музей
искусств Сан-Диего / Москва,
Оружейная Палата,
Государственные Музеи
Московского Кремля, *Фаберже:
Императорские Пасхальные яйца*,
1989/90 г., № 19, 34 сс. 21, 70, 108,
116 каталога, илл. на сс. 70, 71, 108.

Санкт-Петербург, Государственный
Эрмитаж / Париж, Музей
декоративных искусств / Лондон,
Музей Виктории и Альберта,
1993/94 г., № 30 каталога, сс. 76, 77,
78, 79, 192, илл. на сс. 76, 193.

Вашингтон, Округ Колумбия,
Художественная галерея Коркоран,
*Фаберже и Финляндия: изысканные
вещи*, 17 октября-5 января 1996/97
г.(без каталога).

Лахти, Музей искусств Лахти, 14
марта – 4 мая 1997 г., с. каталога 6-
9, илл. на обложке и на внутренней
стороне обложки.

Стокгольм, Национальный музей,
Фаберже, ювелир царя, 6 июня-19
октября 1997 г., № 6, илл. на сс. 80,
81 каталога.

Эшвилл, Сев. Каролина, *Блеск и
золото: Фаберже в поместье
Билтмор*, 6 февраля-2 мая 1998 г.
(без каталога).

Уилмингтон, Делавер, Центр
искусств «Ферст ЮСЭй
Риверфронт», *Фаберже*, 8 сентября-
18 февраля 2000/01 г., № 547
каталога, илл.

Сингапур, Сингапурский
художественный музей,
*Легендарный Фаберже: предметы
из коллекции журнала «Форбс»*,
Нью-Йорк, 26 сентября-25 ноября
2001 г., с. 22, илл. на с. 23.

PROVENANCE

Empress Alexandra Feodorovna
A La Vieille Russie, Inc., New York
The Forbes Collection, New York

EXHIBITED

New York, Metropolitan Museum of Art, 1962-1965, no. L.67.31.2.

New York, The New York Cultural Center, *Fabergé from the Forbes Magazine Galleries*, April 11-May 22, 1973, no. 4, cat. pp. 3, 32, 34, 110, ill. pp. 33, 35.

London, Victoria and Albert Museum, *Fabergé, 1846-1920* (held on the occasion of the Queen's Silver Jubilee), June 23-September 25, 1977, no. L7, cat. pp. 72-73, ill. pp. 72–73.

Boston, Massachusetts, The Museum of Fine Arts, *Imperial Easter Eggs from the House of Fabergé*, April 10-May 27, 1979, unnumbered checklist.

Richmond, Virginia, Virginia Museum of Fine Arts/Minneapolis, Minnesota, The Minneapolis Institute of Art/Chicago, Illinois, The Art Institute of Chicago, *Fabergé, Selections from the Forbes Magazine Collection*, 1983, no. 97, checklist p. 16.

Fort Worth, Texas, The Kimbell Art Museum, *Fabergé, The Forbes Magazine Collection*, June 25-September 18, 1983, checklist no. 193.

Detroit, Michigan, The Detroit Institute of Arts, *Fabergé, The Forbes Magazine Collection*, June 27-August 12, 1984, checklist no. 136.

Lugano, The Thyssen-Bornemisza Collection, Villa Favorita, *Fabergé Fantasies from the Forbes Magazine Collection*, April 14-June 7, 1987, no. 120, cat. pp. 11, 14, 115, ill. pp. 114, 115.

Paris, Musée Jacquemart-André, *Fabergé, Orfèvre à la Cour des Tsars*, June 17-August 31, 1987, no. 120, cat. p. 111, ill. pp. 110, 111.

London, The Royal Academy of Arts, The Burlington House Fair, September 1987 (no cat.).

London, Ermitage, *Fabergé Imperial Presents*, September 8-15, 1987 (no cat.).

San Diego, California, San Diego Museum of Art/ Moscow, Armory Museum, State Museums of the Moscow Kremlin, *Fabergé: The Imperial Eggs*, 1989/90, nos. 19, 34, cat. pp. 21, 70, 108, 116, ill. pp. 70, 71, 108.

St. Petersburg, State Hermitage Museum/Paris, Musée des Arts Décoratifs/London, Victoria and Albert Museum, 1993/94, no. 30, cat. pp. 76, 77, 78, 79, 192, ill. pp. 76, 193.

Washington, D.C., Corcoran Gallery of Art, *Fabergé and Finland: Exquisite Objects*, October 17, 1996-January 5, 1997 (no cat.).

Lahti, Lahti Art Museum, *Fabergé – Loistavaa Kultasepantaidetta*, March 14-May 4 1997, cat. pp. 6-9, ill. cover, inside cover.

Stockholm, Nationalmuseum, *Carl Fabergé: Goldsmith to the Tsar*, June 6-October 19, 1997, no. 6, cat. pp. 80, 81, ill.

Asheville, North Carolina, *The Glitter and the Gold: Fabergé at Biltmore Estate*, February 6-May 2, 1998 (no cat.).

Wilmington, Delaware, First USA Riverfront Arts Center, *Fabergé*, September 8, 2000-February 18, 2001, cat. no. 547, ill.

Singapore, Singapore Art Museum, *Fabulous Fabergé: Objets d'art from The Forbes Magazine Collection, New York*, September 26-November 25, 2001, p. 22, ill. p. 23.

"Easter Eggs – Gifts of the Sovereign Emperor to the Sovereign Empress Alexandra Feodorovna," *Town and Country: The Journal of Elegant Living. St. Petersburg.* No. 55, April 1, 1916, p. 6, ill.

Bainbridge, H. C. *Twice Seven*, London, 1933, p. 174.

Snowman, A. K. *The Art of Carl Fabergé*, London, 1953/55/62/64/68, p. 101, ill. nos. 365, 366.

Forbes Magazine, May 1967, p. 62, ill.

Snowman, A. K. "Carl Fabergé in London," *Nineteenth Century*, Summer 1977, ill. p. 50.

von Habsburg, G. "Carl Faberge: Die Glanzvolle Welt Eines Koniglichen Juweliers," *Du*, December 1977, p. 82.

Waterfield, H. and Forbes, C. *Fabergé Imperial Eggs and Other Fantasies*, New York, 1978, pp. 8, 24, 26, 112, 125, 130, 132, ill. pp. 24, 25, 125, 140, 141, 142, cover.

Brown, E. "When Easter Time was Fabergé Time," *The New York Times Magazine*, April 15, 1979, p. 64, ill.

Snowman, A. K. *Carl Fabergé, Goldsmith to the Imperial Court of Russia*, London, 1979, p. 113, ill. p. 112.

von Habsburg, G. and von Solodkoff, A. *Fabergé, Court Jeweler to the Tsars*, New York, 1979/84, p. 158, ill. index pl. no. 51.

Forbes, C. "Fabergé Imperial Easter Eggs in American Collections," *Antiques*, Vol. CXV, no. 6, June 1979, pp. 1238, 1239, ill. pl. XVIII.

Banister, J. "Rites of Spring," *Art and Antiques Weekly*, April 5, 1980, p. 38.

Forbes, C. *Fabergé Eggs, Imperial Russian Fantasies*, New York, 1980, pp. 5, 26, 38, ill. p. 39 and an unnumbered page.

Sears, D. "When Fantasy Reigned," *Collector Editions Quarterly*, Spring 1980, pp. 28, 29, ill. p. 29.

Gambaccini, P. "Of Baubles and Flinty-Eyed Braves," *Avenue*, February 1981, p. 88.

Feifer, T. "Fabergé: Jewel Maker of Imperial Russia," *Art & Antiques*, May/June 1983, p. 92, ill.

Sweezy, M. P. "Fabergé and the Coronation of Nicholas and Alexandra" *Antiques Magazine*, June 1983, p. 1212, ill. pp. 1212, 1213.

Kelly, M. *Highlights from the Forbes Magazine Galleries*, New York, 1985, p. 14, ill. opposite title page.

Forbes, C. "Imperial Treasures," *Art & Antiques*, April 1986, p. 54, ill.

Riley, N. "Fabergé for the Favoured," *Blue Chip*, August 1986, p. 27, ill.

von Wurttemberg, A. H. "Fabergé Fantasies," *Weltkunst*, May 15, 1987, pp. 1402, 1403, ill. p. 1403.

de la Brosse, S. "The Czar's Golden Eggs," *Paris Match*, May 1987, p. 92, ill.

Lipmann, E. "Les Oeufs de la Passion," *Expression*, July/August 1987, p. 78, ill. pp. 72, 73.

von Solodkoff, A. *Fabergé*, London, 1988, p. 45, ill.

Morrow, L. "Imperial Splendor," *Designers West*, January 1989, p. 71, ill. pp. 66, 71.

Hill, G. *Fabergé and the Russian Master Goldsmiths*, New York, 1989, pp. 14, 60, ill. pl. nos. 50, 51 and title page.

Cerwinske, L. *Russian Imperial Style*, New York, 1990, pp. 55, 143, ill. table of contents page, pp. 55, 143.

Prat, V. "La Collection d'Oeufs de Paques de l'Excentrique Mr. Forbes," *Le Figaro*, April 13, 1990, p. 79, ill. pp. 78, 79.

Kaonis, D. "The Forbes Legacy: The Empire Without Malcolm," *The Inside Collector*, July/August 1990, p. 36, ill.

Pfeffer, S. *Fabergé Eggs: Masterpieces from Czarist Russia*, New York, 1990, pp. 12, 92, 94, 106, ill. pp. 93, 95.

Booth, J. *The Art of Fabergé*, New Jersey, 1990, pp. 82, 110, ill. pp. 82, 83, 110.

d'Antras, B. "Fabergé, Au Bonheur des Tsars," *Beaux Arts*, no. 116, October 1993, p.77, ill. p.76.

von Habsbug, G. and Lopato, M. *Fabergé: Imperial Jeweller*, New York, 1993, pp. 48, 77, 79, 192, ill. pp. 76, 193.

Polak, M. A. "The Great Fabergé Egg Hunt," *Royalty*, March 1995, Vol. 13, no. 8, p. 36, ill.

Murray, S. "The Forbes Fabergé Egg Collection," *Figurines & Collectibles*, August 1996, pp. 68, 71, ill. p. 68.

Schaffer, P. "The Art of Giving: the Presentation Piece in the Russian Decorative Arts," *The International Fine Art and Antiques Dealers Show*, 1997, p. 21, ill. fig. 11.

Fabergé, T., Proler, L., and Skurlov, V. *The Fabergé Imperial Easter Eggs*, London, no. 40, pp. 11, 49, 50, 68, 69, 90, 200, 235, 248, 254, ill. pp. 50, 68, 201, 235, 248, 254, opp. title page.

Welander-Berggren, E., ed./Nationalmuseum Stockholm, *Carl Fabergé: Goldsmith to the Tsar*, Stockholm, 1997, pp. 16, 67˚-68, 80-81, ill. pp. 80, 81.

Forbes, C. and Tromeur-Brenner, R. *Fabergé: The Forbes Collection*, Southport, 1999, pp. 56, 272, ill. pp. 57, 59.

von Habsburg, G. *Fabergé: Imperial Craftsman and His World*, London, 2000, pp. 18, 221, ill. p. 221.

Lowes, W., and McCanless, C. L. *Fabergé Eggs: A Retrospective Encyclopedia*, London, 2001, pp. 3, 11, 111-114, 118, 257, 258, 259, 260, 261, 262, 263, 265, 268, 270, 271, 277, ill.

Яйцо «Орден Святого Георгия»

The Order of St. George Egg

ЯЙЦО «ОРДЕН СВЯТОГО ГЕОРГИЯ» - ПОДАРОК ИМПЕРАТОРА НИКОЛАЯ II МАТЕРИ, ВДОВСТВУЮЩЕЙ ИМПЕРАТРИЦЕ МАРИИ ФЕДОРОВНЕ, НА ПАСХУ 1916 ГОДА.

Яйцо с гравированной эмалевой трельяжной решеткой из листьев, с маленькими Георгиевскими крестами покрыто прозрачной перламутровой эмалью и драпировано рельефной лентой Императорского Ордена Святого Георгия, выполненной в черной и прозрачной оранжевой эмали. На одной стороне орден белой и красной эмали, подвешен на орденской ленте. Откидывается наверх при помощи маленькой кнопки, открывая под собой миниатюрный портрет Николая II. На обратной стороне помещена серебряная медаль Святого Георгия с профилем Николая II и надписью по краю «Е. В. Николай II, Самод. Всеросс.», также подвешенная на ленте и открывающая под собой миниатюру, на этот раз Цесаревича Алексея Николаевича, на обороте надпись «За храбрость, 4 степ.». На верху яйца – монограмма вдовствующей императрицы, выполненная накладным серебром, окруженная венком из листьев с ягодами прозрачной зеленой и красной эмали с каймой белой эмали. Внизу яйца в аналогичной технике – дата «1916». *По краю медали Св. Георгия снизу выгравировано русскими буквами «Фаберже».* Вместе с яйцом сохранилась и первоначальная, покрытая бархатом яйцеобразная коробка, *на подкладке крышки – золотой штамп фирмы в овале: под двуглавым орлом по-русски: К. Фаберже / Петрград / Москва /Одесса /Лондон.* Яйцо устанавливается на серебряную с позолотой подставку с четырьмя тонкими ножками в виде завитков.

ВЫСОТА 8,4 СМ.

THE ORDER OF ST. GEORGE EGG: A FABERGÉ IMPERIAL EASTER EGG PRESENTED BY EMPEROR NICHOLAS II TO HIS MOTHER THE DOWAGER EMPRESS MARIA FEODOROVNA AT EASTER 1916

The egg engraved and enameled with a trellis of green leaf-tips and with small St. George crosses under a shell of translucent oyster enamel, draped with the ribbon of the Imperial Order of St. George enameled black and translucent orange, one side with the white and red enamel Badge of the Imperial Order of St. George suspended from a ribbon bow of the Order, and opening by means of a small button to reveal a portrait miniature of Tsar Nicholas II, the other side of the egg with a silver St. George medal with the profile of Nicholas II, the border inscribed in Cyrillic, "His Majesty Nicholas II, Autocrat of all Russia" suspended from a similar ribbon bow and opening by means of a small button to reveal a portrait miniature of the Tsarevich Alexei Nikolaievich, the reverse of the medal inscribed in Cyrillic, "For Bravery, 4th Class," the top of the egg applied with the silver Imperial cypher of the Dowager Empress Maria Feodorovna encircled by a wreath of berried leafage enameled translucent green and red between edges of white enamel, the bottom of the egg applied with the silver date 1916 within a similar wreath, *the bottom of edge of the St. George medal engraved Fabergé in Cyrillic.* With original fitted velvet-covered egg-shaped case, *the interior lining gilt-stamped in Cyrillic within an oval and below the Imperial eagle K. Fabergé/Petrograd/Moscow/Odessa/London.* Together with an associated gilded silver wirework stand.

HEIGHT 3⁵⁄₁₆ IN. (8.4 СМ)

Яйцо «Орден Святого Георгия»

The Order of St. George Egg

17 октября 1915 года Николай II получил следующее сообщение:
Телеграмма на имя Государя Императора от Главнокомандующего армиями Юго-западного фронта:

«Всеподданейше ходатайствую о награждении Его Императорского Высочества Наследника-Цесаревича и Великого князя Алексея Николаевича серебряной медалью 4-ой степени на Георгиевской ленте в память о посещении Его Императорским Высочеством вечером 12 сего октября раненых в районе станции Клевань в сфере дальнего огня неприятельской артиллерии, а также пребывания 13 сего октября в районе расположения корпусных резервов 11-й и 9-й армий.   При этом дерзаю всеподданейше доложить Вашему Императорскому Величеству, что таковым награждением Вы соизволите вновь осчастливить армии юго-западного фронта, в сердцах всех сынов коих уже навеки запечатлелись те радостные чувства и те чувства беспредельной преданности своему Верховному Вождю и горячей готовности положить жизнь свою за Царя и Родину, кои они испытывали при Вашем посещении армий.
Генерал-адъютант Иванов»[1].

Получив известие об этой высокой награде, Император испытал чувство гордости за сына и в тот же вечер написал в дневнике:

«Суббота. Генштаб – Могилев. «Встал довольно поздно. Читал

On October 17, 1915, Nicholas received the following telegram:
"Telegram to the Name of His Imperial Majesty from the Commander-in-Chief of the Armies of the Southwest Front:
"I most humbly petition an award decoration for His Imperial Highness, the Heir and Grand Duke Alexei Nikolaievich, of a silver medal of the 4th degree on a St. George ribbon in memory of the visit by His Imperial Highness, on the evening of the 12th of October, to the wounded in the neighborhood of the Klevan Station in a zone of distant enemy artillery fire, and also for his presence on the 13th of October in the encampment area of the Corps Reserves of the 9th and 11th Armies. Apropos of this I most humbly dare to report to Your Imperial Majesty that, by such an award decoration, you will deign again to make the armies of the southwest front happy, in whose hearts these joyful feelings of utmost devotion to their supreme leader and readiness to lay down their lives for Tsar and country have been eternally imprinted, and which sentiments they experienced during your visiting the armies [Signed] General-Adjudant Ivanov."[1]

With reference to this prestigious award, the proud Tsar wrote in his diary that evening:

"Saturday (GHQ-Mogilyov): Got up rather late. Read through papers until 11 a.m. and went to reports with Alexei. Upon the petition of Gen. Adj. Ivanov, I awarded Alexei the Medal of St. George – 4th class in remembrance of his visiting the armies of the SW front, which were close

Император Николай II и цесаревич Алексей Николаевич, оба с орденами Св. Георгия. Архивная фотография, около 1915 г.

Emperor Nicholas II and Tsarevich Alexei Nikolaievich, both wearing their Orders of St. George. Archival photograph ca.1915

бумаги до 11 час. и тогда пошел к докладу с Алексеем. По ходатайству ген.-ад. Иванова пожаловал Алексею Георгиевскую медаль 4-й степ. в память посещения армий Юго-Западного фронта вблизи боевых позиций. Приятно было видеть его радость. После завтрака принял одного из англ. офицеров с Алексеевым и затем ген. фон Роппа. Отправились около 3 ч. по Гомельскому шоссе до второй станции и там погуляли на солнце по местам, напоминающим шхеры. В 6 1/4 поехали ко всенощной. После обеда долго принимал Поливанова. В 10 1/2 поехали с Аликс и дочерьми в поезде. Выпив чаю, вернулся с Воейк(овым) и Сабл(иным) (деж.) в 11 1/2.» [2]

Восемь дней спустя, 25 октября, столь же высокую награду получил и сам император. Во вступительном параграфе к документу о пожаловании ордена, опубликованному в 1916 году, говорится:
«Поднесение Государю Императору Ордена Св. Георгия»

«25 октября в Царскосельском Александровском дворце, в присутствии канцлера Импера-торских и Царских орденов генерала-адъютанта графа Фредерикса, состоялся прием прибывшего из действующей армии Свиты Его Величества генерал-майора князя Барятинского, состоящего в распоряжении главнокомандующего генерал-адъютанта Иванова. При этом князь Барятинский коленопреклоненно имел счастье поднести Его Императорскому Величеству постановление местной Георгиевской Думы и военный орден Святого Великомученика и Победоносца Георгия 4-ой степени.» [3]

В тот же день Николай II передал по телеграфу генералу Иванову теплые слова благодарности:
«Сегодня Свиты Моей генерал-майор князь Барятинский передал Мне орден Св. Великомученика и Победоносца Георгия 4-ой степени и просьбу Георгиевской Думы юго-западного фронта, поддержанную вами, о том, чтобы Я возложил его на Себя. Несказанно тронутый и обрадованный незаслуженным Мною отличием, соглашаюсь носить Наш высший боевой орден и от всего сердца благодарю вас всех георгиевских кавалеров и горячо любимые Мною войска за заработанный Мне их геройством и высокою доблестью белый крест. 25 октября. Николай» [4]

Как обычно, столь значительное событие было отражено в дневнике Государя:
«Воскресенье. Генштаб – Могилев. «Незабвенный для меня день получения Георгиевского Креста 4-й степ. Утром как всегда поехали к обедне и завтракали с Георгием Мих(айловичем). В 2 часа принял Толю Барятинского, приехавшего по поручению Н. И.

to enemy positions. It was good to see his joy. After lunch I received with Alexei one of the English officers and then Gen. von Ropp. We went off around 3 pm. Along Gomelskii Highway to the second station and then took a walk around the sites, which reminded me of the shkerries [in Finland]. At 6.15 we went to vespers. After dinner I received Polianov for a long while. At 10:30 we took a ride in the train with Alix and the daughters. Had tea and returned with Voeikov and Sabin (on duty) at 11:30." [2]

Eight days later, on October 25, the Tsar himself was awarded the same coveted distinction. The introduction to the chapter on the conferring of the Order published in 1916 reads:
"The Conferring on the Sovereign Emperor of the Order of St. George

"On the 25th of October in the Alexander Palace at Tsarskoye Selo, in the presence of the Chancellor of Imperial and Tsarist Orders, General-Adjutant Baron Fredericks, General-Major Prince Baryatinskii of His Majesty's Suite was received, having arrived from the Active Army, and who is attached to Commander-in-Chief General-Adjutant Ivanov.
At this ceremony Prince Baryatinskii had the good fortune to confer on bended knee to His Imperial Majesty the decree of the local Georgievskaya Duma and the Military Order 4th degree of St. George, Great Martyr and Conqueror." [3]

On the same day, Nicholas cabled General Ivanov, thanking him warmly:
"Today General-Major Prince Baryatinskii of My Suite handed over to Me the Order 4th degree of St. George Great Martyr and Conqueror, as well as the request, supported by you, from the Georgievskaya Duma of the Southwest Front that I wear it on Myself. Unspeakably touched and overjoyed with this distinction unmerited by Me, I consent to wear Our high Military Order and with all my heart I thank all of you St. George Knights and troops, whom I deeply love, for the White Cross, earned for Me by their heroism and lofty courage. October 25, 1915. Nicholas" [4]

As usual, such a great event was faithfully recorded by the Tsar in his diary:
"Sunday (GHQ – Mogilyov): An unforgettable day for me receiving the Cross of St. George – 4th class. In the morning we went to Mass as usual and had lunch with [Grand Duke] Georgii Michailovich. At 2 p.m. I received Tolya Baryatinskii, who had arrived on N. I. Ivanov's orders with a written account of the petition of the Georgievskaya Duma of the SW Front that I put the White Cross on myself! After this I walked around the entire day in a daze.... Georgii returned to congratulate me. All of our people were touchingly overjoyed and kissed me on the shoulder. Received Gen. Shuvayev and Ignatyev – the Minister of Education. Petrovskii (on duty) for dinner. Read the whole evening." [5]

Иванова с письменным изложением ходатайства Георгиевской Думы Юго-Западного фронта о том, чтобы я возложил на себя дорогой белый крест! Целый день после этого ходил как в чаду. Погулял с Мари и Анастасией. В 3 ? поехали вдвоем к д. Павлу; пили чай у его постели с княг. Палей. Георгий вернулся, чтобы поздравить меня. Все наши люди трогательно радовались и целовали в плечо. Принял ген. Шуваева и Игнатьева – мин. Нар. Просв. Обедал Петровский (деж.). Весь вечер читал.»[5]

Император Николай II, будучи главнокомандующим действующей армии, был награжден орденом (4 степени) Святого Георгия по представлению генерал-майора князя Анатолия Барятинского 25 октября 1915 года. Императрица Екатерина Великая учредила этот наиболее престижный военный орден 26 ноября 1769 года; он был разделен на четыре класса[6]. Орденами Святого Георгия первой и второй степени, которые могли жаловаться лишь императорами, были награждены, соответственно, 6 и 8 кавалеров, третьей степени – 30, а четвертой – 372 кавалера. Награждение орденами третьей и четвертой степеней производилось по представлению штаба армии за храбрость, проявленную в сражениях, за подвиги в военное время, то есть за отличия, которые формально не были проявлены Николаем II и его сыном. Император гордился этой наградой и взял георгиевский крест в Сибирь в 1917 году. Его нашли спрятанным в ванной комнате Ипатьевского дома, последнего пристанища императорской семьи, где все ее члены были жестоко казнены в ночь с 16 на 17 июля 1918 года. Цесаревич за восемь дней до отца, 17 октября 1915 года, был награжден георгиевской медалью 4-ой степени, которую носили на ленте, состоящей из трех черных и двух оранжевых полос. Поэтому на яйце «Орден Святого Георгия» изображены портреты и отца, и сына в окружении черно-оранжевых лент.

Николай II заказал Фаберже яйцо «Орден Святого Георгия» в подарок матери в конце 1915 года, вскоре после получения им награды. Принимая во внимания трудности военного времени, Фаберже придал яйцу более скромный вид, использовал менее дорогостоящее серебро и не включил в него обычного для других пасхальных яиц сложного в изготовлении и роскошного сюрприза. По тем же причинам для супруги Николая II на пасху 1916 года Фаберже исполнил яйцо из оксидированной стали «Стальное военное» (Оружейная палата Кремля, Москва). Тем не менее, стоимость этих двух яиц не была ничтожно низкой: 5 августа 1916 года Фаберже выставил на них счет в 13 347 рублей. Вдовствующая императрица Мария Федоровна горячо благодарила сына за подарок:

Tsar Nicholas II, in his capacity as Supreme Commander in Chief of the Russian forces, was awarded the Cross of the Imperial Order of St. George (fourth class) on October 25, 1915 upon recommendation of Major General Prince Anatole Bariatinskii. This highest and most desired Imperial military order, created by Empress Catherine the Great on November 26, 1769, had four classes.[6] The first and second, which could only be awarded by the Emperor, had respectively six and eight holders, the third had thirty and the fourth three hundred and seventy-two. The latter was awarded upon recommendation of the army for bravery in battle, or military achievements, distinctions, which, as Nicholas pointed out, did not technically apply to him or his son. The Tsar was proud of this order and took the cross with him to Siberia in 1917. It was found hidden in the bathroom of the Ipatiev House, the Imperial family's last abode at the time of their assassination on the night of July 16/17, 1918. The Tsarevich had been awarded the Medal of St. George (fourth class) to be worn on a ribbon eight days earlier, on October 17, 1915. Hence the inclusion on this egg of both his and his father's portrait, each surrounded by the order's black and orange ribbon.

Nicholas must have commissioned the Order of St. George Egg for his mother in late 1915, shortly after receiving the award. Mindful of wartime austerity, Fabergé gave it a modest design and executed it in the less expensive silver, without the usual intricate surprise. Similarly, his wife's egg, the 1916 Steel Military Egg (Kremlin Armory Museum, Moscow), was made of oxydised steel. Nevertheless, the cost of the two eggs was not inconsiderable: Fabergé's August 5, 1916, invoice for them totaled 13,347 rubles. Maria Feodorovna effusively thanked Nicholas for her egg:
"I kiss you three times and thank you from the bottom of my heart for your dear postcards and the delightful egg with the miniatures that dear Fabergé himself came with. Amazingly beautiful... It is so sad not to be together. I wish you, my dear Nicky with all my heart, all the best things and success in everything. Your warmly loving, old Mama."[7]

The Dowager Empress took the Order of St. George Egg with her when she traveled to Kiev in May 1916, thus escaping from the increasingly unpleasant situation at Court and the turmoil of the February and October 1917 Revolutions in St. Petersburg. In March 1917 she was ordered to take up residence in the Crimea by the Provisional Government. There she lived at the palace of Ai Todor but also at Dulber and Kharaks with her two daughters and their families until she was obliged to flee on March 29, 1919 on board the dreadnought HMS *Marlborough*. In due course, she settled in her house at Hvidore in Denmark, where she died on October 13, 1928. Her collection of jewels was spirited away to England by an emissary of King George V and valued by the jeweler R. G. Hennel & Sons for a total of £100,000. The sale of the jewels, a few of which were acquired

«Целую тебя трижды и благодарю тебя всем сердцем за твою милую карточку и прелестное яйцо с миниатюрами, добрый Фаберже сам привез. Удивительно красиво. Очень грустно не быть вместе. От души желаю тебе, мой дорогой милый Ники, всего лучшего и всего светлого и успех во всем. Горячо тебя любящая твоя старая Мама.»[7]

Вдовствующая императрица взяла с собой яйцо «Орден Святого Георгия» в Киев, куда она переехала в мае 1916 года, избежав, таким образом, все более сгущавшейся грозовой атмосферы в столице и революционных событий февраля и октября 1917 года в Петрограде. В марте 1917 года по решению Временного правительства она была вынуждена поселиться в одной из резиденций Крыма. Там Мария Федоровна жила в имениях Ай-Тодор, Дульбер и Харакс со своими двумя дочерьми и их семьями до апреля 1919 года, когда ей пришлось покинуть Россию на борту крейсера «Мальборо». В конце концов, она поселилась на вилле Видёре в окрестностях Копенгагена, где и скончалась 13 октября 1928 года. Коллекция драгоценностей Марии Федоровны была тайно переправлена в Англию посланцем короля Георга V. Ювелирная фирма «Р. Дж. Хеннел и Сыновья» оценила драгоценности вдовствующей императрицы в 100 тысяч фунтов стерлингов. За проданные сокровища была выручена сумма в 136 тысяч фунтов стерлингов, причем некоторые из ювелирных изделий приобрела королева Мэри. Яйцо «Орден Святого Георгия» не было выставлено на продажу, его унаследовала старшая дочь вдовствующей императрицы великая княгиня Ксения Александровна. После смерти Ксении Александровны в 1960 году яйцо было продано через аукцион «Сотбис» в Лондоне ее сыном князем императорской крови Василием Александровичем за 30 910 долларов Тому Ламли, выступавшему от имени фирмы «Фаберже».

Включение изображения орденской ленты в оформление яйца «Орден Святого Георгия» продолжает русскую традицию, начало которой положила Екатерина Великая, заказав четыре больших фарфоровых сервиза, каждый из которых украшен знаком, звездой и лентой соответствующего ордена. Заказ на сервиз на 60 персон был сделан в 1777 году подмосковному фарфоровому заводу Франца Гарднера. Его выполнили к 1780 году за 6 тысяч рублей[8]. В течение последующих царствований к сервизу изготавливались дополнительные предметы. В Музее Хилвуда в Вашингтоне хранятся 50 тарелок, пара канделябров, девять чашек для мороженого с крышками, 10 больших тарелок в форме листа и более десятка корзиночек и блюд в форме корзиночек из этого сервиза. Яйцо «Орден Святого Георгия» украшено трельяжной сеткой из лавровых листьев и красными ягодами, аналогичные элементы включены и в оформление сервиза.

by Queen Mary, raised £136,624. Not included in this dispersal, the egg was inherited by the Dowager Empress' eldest daughter, Xenia. After her death in 1960 the egg was sold at auction by her son Vassilii at Sotheby's in London for the equivalent of $30,910 to (Tom) Lumley acting on behalf of the Fabergé Company.

Incorporating the ribbon of the Imperial Order of St. George in the egg's design follows a Russian tradition established by Catherine the Great, who ordered four large porcelain services, each painted with the star, badge and ribbon of an order. The Order of St. George service for sixty was ordered in 1777 at the Francis Gardner Porcelain Factory near Moscow and completed in 1780 at a cost of 6,000 rubles.[8] The service was added to during all following reigns. The Hillwood Museum in Washington has fifty plates, a pair of candelabra, nine covered ice-cups, ten leaf-shaped dishes and over ten baskets or basket-shaped dishes from this order. The Order of St. George

Фотография императора Николая II в казачей форме. Царское Село, 1915 г. Архивная фотография
Photo of Emperor Nicholas II in Cossack uniform at Tsarskoie Selo, 1915. Archival photograph

Памятный день Святого Великомученика Георгия, в который использовался описываемый сервиз, отмечался 26 ноября, в воспоминание об освящении церкви Святого Георгия в Киеве. Большой Георгиевский зал Большого Кремлевского дворца длиной 61, шириной 20 и высотой 17 метров оформлен с использованием символики Ордена Святого Георгия, а копия знака этого ордена висит в зале на оранжево-черной ленте.

Оформление «Военного стального» пасхального яйца, подаренного императрице Александре Федоровне в 1916 году, также связано с символикой Ордена Святого Георгия. Его (первоначально оксидированный) стальной корпус установлен на четыре снаряда. На поверхности яйца размещена золотая ромбовидная накладка с изображением Святого Георгия, поражающего змия, герб Российской империи, монограммы Александры Федоровны и даты «1916». Сюрприз описываемого яйца представляет собой прямоугольную рамку с портретами императора и его горячо любимого сына в военной форме в действующей армии. Рамка увенчана миниатюрным крестом ордена с короной наверху и обвита оранжево-черной георгиевской лентой.

ПРИМЕЧАНИЯ

1. «Его Императорское Величество Государь Император в действующей армии» (июль 1915 г –февраль 1916 г). Издание Министерства Императорского Двора, Петроград, 1916. Подлинный русский текст телеграмм любезно предоставил доктор Стивен де Анжелис.
2. «Дневники Императора Николая Второго». Фонд 601, ГАРФ. Орбита, Москва 1992. «Дневники Императора Николая Второго» готовятся к публикации проф. де Анжелисом, который любезно предоставил выдержки из текста.
3. «Его Императорское Величество Государь–Император в действующей армии (июль 1915 г.–февраль 1916 г). Издание Министерства Императорского Двора, Петроград 1916, с. 83. Подлинный русский текст любезно предоставил проф. Стивен де Анжелис.
4. см. Примечание 1.
5. см. Примечание 2.
6. Грицнер М. *Справочная книга по рыцарским и почетным орденам*,1893 (репринт 1962), с. 424.
7. Ульструп П. «Дом Романовых и Дом Фаберже», выставка *Сокровища России и императорские дары*, Королевская Серебряная Палата, 2002], сс. 189-90, цитируется по любезному разрешению автора. (Государственный архив Российской Федерации (ГАРФ), Москва, оп. 601).
8. Росс М . *Русский фарфор*. University of Oklahoma Press, 1968, с. 52.

Egg is decorated with a trellis pattern of green laurel leaves and red berries that also forms part of the decoration of the porcelain service.

The feast of St. George the Martyr, at which the eponymous porcelain service was used, was celebrated on November 26, in commemoration of the consecration of the Church of St. George in Kiev. The Great Hall of St. George in the Great Kremlin Palace measures 61 by 20 by 17 meters and is decorated with the insignia of the Order, with a replica of the badge of the Order suspended there from its orange and black ribbon.

The Military Easter Egg presented to the Empress Alexandra Feodorovna in 1916 also alludes to the Order of St. George. The (originally oxydized) steel body resting on four shell casings is applied on one side with a gold lozenge-shaped openwork plaque representing St. George slaying the dragon. The surprise, a rectangular frame surmounted by a miniature crowned cross of the Order and its entwined orange and black ribbons, contains a miniature of the Tsar and his beloved son in military uniform at the Front.

NOTES

1. "Ego Imperatorskoye Velichistvo Gosudar Imperator v deistvuyoshchei armii" (Iyul' 1915g. – Fevral' 1916g). Izdaniye Ministersva Imperatoskogo Dvora, Petrograd 1916. Original Russian text and translation of the telegrams kindly provided by Dr. Stephen de Angelis.
2. "Dnevniki Imperatora Nikolaya II." Fond 601 GARF; Orbita, Moscow 1992. The Diaries of Tsar Nicholas II are being published by Dr. de Angelis, who has kindly provided the original text and a translation.
3. "Ego Imperatorskoye Velichistvo Gosudar' Imperator v deistvuyoshchei armii" (Iyul' 1915g. – Fevral' 1916g). Izdaniye Ministersva Imperatoskogo Dvora, Petrograd 1916, p. 83. The Russian text and its translation were kindly provided by Dr. Stephen de Angelis.
4. See Note 1.
5. See Note 2.
6. Maximilian Gritzner, *Handbuch der Ritter-und Verdienstorden*, 1893 (Reprint 1962), p. 424.
7. Ulstrup 2002, p. 189-90 (Russian State Archive, Stock 601), quoted by kind permission of the author.
8. Marvin C. Ross, *Russian Porcelains*. University of Oklahoma Press, 1968, pp. 52ff.

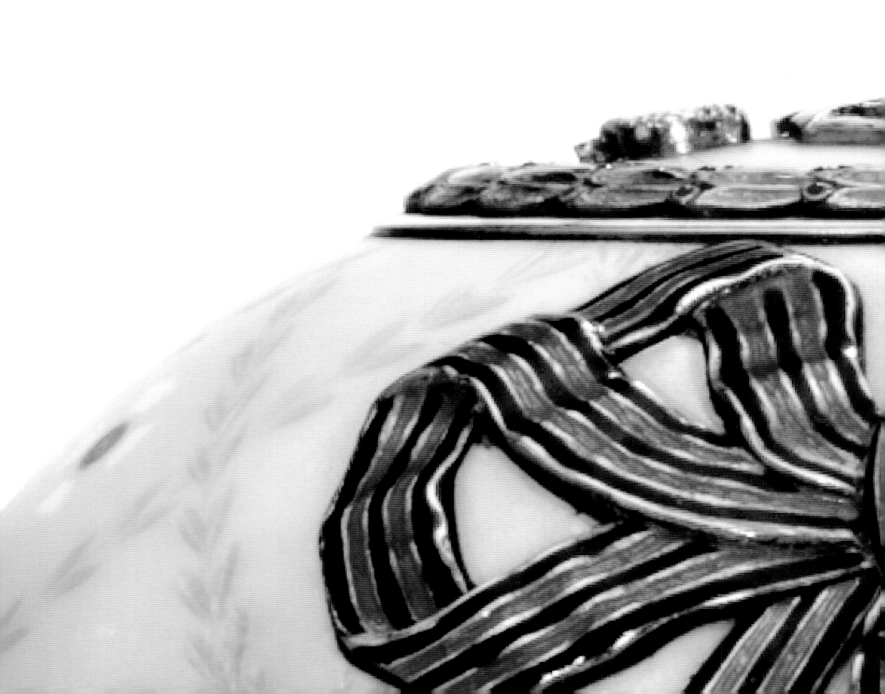

ВЫСТАВКИ

Лондон, Белгрейв-сквер, *Выставка Русского искусства*, 4 июня-13 июля 1935 г., № 560 каталога, илл. на с. 108.

Лондон, Музей Виктории и Альберта, *Фаберже*, 1846-1920 (по случаю Серебряного юбилея королевы), 23 июня-25 сентября 1977 г., № L12, илл. на с. 74.

Бостон, Массачусетс, Музей изобразительных искусств, *Императорские пасхальные яйца дома Фаберже*, 10 апреля-27 мая 1979 г., ненумерованный перечень.

Ричмонд, Виржиния, Музей изобразительных искусств / Миннеаполис, Миннесота, Миннеапольский Институт искусств / Чикаго, Иллинойс, Художественный институт Чикаго, *Фаберже, Избранные экспонаты из коллекции журнала «Форбс»*, 1983, № 98, перечень на с. 17.

Форт-Уорт, Техас, Художественный музей Кимбелл, *Фаберже, коллекция журнала «Форбс»*, 25 июня-18 сентября 1983 г., № 195 по списку.

Детройт, Мичиган, Художественный институт Детройта, *Фаберже, коллекция журнала «Форбс»*, 27 июня-12 августа 1984 г., № 138 по списку.

Сан-Диего, Калифорния, Музей искусств Сан-Диего / Москва, Оружейная Палата, Государственные Музеи Московского Кремля, *Фаберже: Императорские Пасхальные яйца*, 1989/90 г., № 26, 45 сс. 11, 21, 84, 114 каталога, илл. на сс. 85, 114.

Лондон, "Сотбис", *Серебряные изделия Фаберже из коллекции журнала «Форбс»*, 1-28 января 1991 г., № 2 сс. каталога 3, 8, 9, илл. на сс. 8, 9.

Вена, Музей естественной истории, *Сокровища царей*, 12 марта-9 июля 1991 г., илл. на сс. каталога 56, 57.

Хьюстон, Техас, Музей естественных наук Хьюстона, *Мир Фаберже: Русские камни и ювелирные изделия*, 11 февраля-10 июля 1994 г., илл., с. 57.

Гамбург, Музей изобразительного и прикладного искусства, *Фаберже, ювелир царского двора*, 1 апреля-5 июля 1995 г., № 239, илл. на с. каталога 216.

Стокгольм, Национальный музей, *Фаберже, ювелир царя*, 6 июня – 19 октября 1997 г., № 1 сс. 69, 85, каталога, илл. на с. 85.

Уилмингтон, Делавер, Центр искусств «Ферст ЮСЭй Риверфронт», *Фаберже*, 8 сентября-18 февраля 2000/01 г., № каталога 549, илл.

Сингапур, Сингапурский художественный музей, *Легендарный Фаберже: предметы из коллекции журнала «Форбс»*, Нью-Йорк, 26 сентября-25 ноября 2001 г., с. 24, илл. на с. 25.

EXHIBITED

London, Belgrave Square, *The Exhibition of Russian Art*, June 4-July 13, 1935, no. 560, cat. p. 108, ill.

London, Victoria and Albert Museum, *Fabergé, 1846-1920* (held on the occasion of the Queen's Silver Jubilee), June 23-September 23, 1977, no. L12, cat. p. 74, ill.

Boston, Massachusetts, The Museum of Fine Arts, *Imperial Easter Eggs from the House of Fabergé*, April 10-May 27, 1979, unnumbered checklist.

Richmond, Virginia, Virginia Museum of Fine Arts/Minneapolis, Minnesota, The Minneapolis Institute of Art/Chicago, Illinois, The Art Institute of Chicago, *Fabergé, Selections from the Forbes Magazine Collection*, 1983, no. 98, checklist p. 17.

Fort Worth, Texas, The Kimbell Art Museum, *Fabergé, The Forbes Magazine Collection*, June 25-September 18, 1983, checklist no. 195.

Detroit, Michigan, The Detroit Institute of Arts, *Fabergé, The Forbes Magazine Collection*, June 27-August 12, 1984, checklist no. 138.

San Diego, California, San Diego Museum of Art/Moscow, Armory Museum, State Museums of the Moscow Kremlin, *Fabergé: The Imperial Eggs*, 1989/90, nos. 26, 45, cat. pp. 11, 21, 84, 114, ill. pp. 85, 114.

London, Sotheby's, *Fabergé Silver from The Forbes Magazine Collection*, January 1-January 28, 1991, cat. no. 2, pp. 3, 8, 9, ill. pp. 8, 9.

Vienna, The Naturhistorische Museum Wien, *Treasures from the Czars*, March 12-July 9, 1991, cat. pp. 56, 57, ill.

Houston, Texas, Houston Museum of Natural Science, *The World of Fabergé: Russian Gems and Jewels*, February 11-July 10, 1994, p. 57, ill.

Hamburg, Museum Fur Kunst Und Gewerbe, *Fabergé-Juwelier des Zarenhofes*, April 1-July 5, 1995, no. 239, cat. p. 216, ill.

Stockholm, Nationalmuseum, *Carl Faberge: Goldsmith to the Tsar*, June 6-October 19, 1997, no. 9, cat. pp. 69, 85, ill. p. 85.

Wilmington, Delaware, First USA Riverfront Arts Center, *Fabergé*, September 8, 2000-February 18, 2001, cat. no. 549, ill.

Singapore, Singapore Art Museum, *Fabulous Fabergé: Objets d'art from The Forbes Magazine Collection, New York*, September 26-November 25, 2001, p. 24, ill. p. 25.

Bing, E. J., ed. *The Secret Letters of the Last Tsar*, New York, 1938.

Bainbridge, H. C. *Peter Carl Fabergé: Goldsmith and Jeweller to the Russian Imperial Court*, London, 1949/66, p. 73.

Snowman, A. K. *The Art of Carl Fabergé*, 1953/55/62/64/68/74, p. 109, ill. pl. 385.

Watts, W. H. "Peter Carl Fabergé, Jeweler to the Czars," *Palm Beach Life*, March 1978, p. 84.

Waterfield, H. and Forbes, C. *Fabergé Imperial Eggs and Other Fantasies*, New York, 1978, pp. 8, 28, 30, 110, 127, 130, 132, 140, ill. pp. 29, 127, 140, 142.

von Habsburg, G. and von Solodkoff, A. *Fabergé, Court Jeweler to the Tsars*, New York, 1979/84, p. 157, ill. cat. pl. no. 33.

Forbes, C. "Fabergé Imperial Easter Eggs in American Collections," *Antiques*, Vol. CXV, no. 6, June 1979, pp. 1238, 1241, ill. pl. XX.

Snowman, A. K. *Carl Fabergé, Goldsmith to the Imperial Court of Russia*, London, 1979, p. 113, ill. p. 112.

Sears, D. "When Fantasy Reigned," *Collector Editions Quarterly*, Spring 1980, p. 28, ill. p. 28.

Gibney, T. A. "Fabulous Fabergé," *Chubb Circle*, October/November 1980, p. 21, ill.

Forbes, C. *Fabergé Eggs, Imperial Russian Fantasies*, New York, 1980, pp. 5, 26, 58, 68, ill. pp. 27, 58, 59 and an unnumbered page.

A La Vieille Russie, New York, *Fabergé*, 1983, cat. pp. 18, 29.

Coburn, R. S. "Celebrating the Elegant Art of the Master of Eggmanship," *Smithsonian*, April 1983, p. 48.

von Solodkoff, A. " Ostereier von Fabergé" *Kunst & Antiquitaten*, Vol. II, no. 83, March/April 1983, p. 66.

Schaffer, P. "Fabergé," *Smithsonian*, June 1983, pp. 17-18.

von Solodkoff, A. *Masterpieces from the House of Fabergé*, New York, 1984, pp. 12, 13, 48, 84, 94, 187, ill. pp. 108, 109, 187.

Kelly, M. *Highlights from the Forbes Magazine Galleries*, New York, 1985, p. 14.

Forbes, C. "Imperial Treasures," *Art & Antiques*, April 1986, p. 86, p. 57, ill.

Riley, N. "Fabergé for the Favoured," *Blue Chip*, August 1986, p. 27, ill.

von Habsburg, G. *Fabergé* (English edition, Munich 1986/87 catalogue), Geneva, 1987, pp. 98, 104.

Lipmann, E. "Les Oeufs de la Passion," *Expression*, July/August 1987, p. 78, ill. pp. 72, 74.

von Solodkoff, A. *Fabergé*, London, 1988, pp. 36, 42, ill, p. 38.

Morrow, L. "Imperial Splendor," *Designers West*, January 1989, pp. 68, 69, ill. p. 68 and cover.

Forbes, M. *More Than I Dreamed*, New York, 1989, pp. 220, ill.

Hill, G. *Fabergé and the Russian Master Goldsmiths*, New York, 1989, pp. 14, 20, 61, ill. pl. no. 60.

Moore, A. *Theo Fabergé and the St. Petersburg Collection*, London, 1989, pp. 48, 49, 155.

Prat, V. "La Collection d'Oeufs de Paques de l'Excentrique Mr. Forbes," *Le Figaro*, April 13, 1990, p. 87, ill.

Kaonis, D. "The Forbes Legacy: The Empire Without Malcolm," *The Inside Collector*, July/August 1990, p. 36, ill.

Cerwinske, L. *Russian Imperial Style*, New York, 1990, ill. p. 55.

Pfeffer, S. *Fabergé Eggs: Masterpieces from Czarist Russia*, New York, 1990, pp. 13, 110, ill. p. 111.

Booth, J. *The Art of Fabergé*, New Jersey, 1990, pp. 104, 175, ill. p. 104.

d'Antras, B. "Fabergé, Au Bonheur des Tsars," *Beaux Arts*, no. 116, October 1993, p. 78 ill.

von Habsburg, G. and Lopato, M. *Fabergé: Imperial Jeweller*, New York, 1993, pp. 36, 50, 77, 153, 158.

Polak, M. A. "The Great Fabergé Egg Hunt," *Royalty*, March 1995, Vol. 13, no. 8, p. 41, ill. p. 36.

Murray, S. "The Forbes Fabergé Egg Collection," *Figurines & Collectibles*, August 1996, pp. 68, 71, ill. p. 69.

von Habsburg, G. *Fabergé Fantasies and Treasures*, New York, 1996. p. 35.

von Habsburg, G. *Fabergé in America*, San Francisco, 1996, pp. 44, 231.

von Habsburg, G. *Fabergé in America*, 1996, cat. p. 231.

Fabergé, T., Proler, L., and Skurlov, V. *The Fabergé Imperial Easter Eggs*, London, 1997, no. 49, pp. 11, 65, 69, 90, 227, 235, ill. pp. 228, 229, 235.

Welander-Berggren, E., ed./Nationalmuseum Stockholm, *Carl Fabergé: Goldsmith to the Tsar*, Stockholm, 1997, pp. 16, 69, 85, ill. p. 85.

Forbes, C. and Tromeur-Brenner, R. *Fabergé: The Forbes Collection*, Southport, 1999, pp. 62, 272, 273, ill. pp. 63, 273.

von Habsburg, G. *Fabergé: Imperial Craftsman and His World*, London, 2000, p. 223, ill.

Lowes, W., and McCanless, C. L. *Fabergé Eggs: A Retrospective Encyclopedia*, London, 2001, pp. 6-7, 11, 15, 137, 138-141, 249, 252, 258, 259, 260, 261, 262, 265, 266, 268, 269, 271, ill.

Horowitz, D., ed./Walters Art Museum, *The Fabergé Menagerie*, London, 2003, p. 16.

Эмальер Фаберже у печи для обжига.
Архивная фотография
....
*Fabergé enameler at the kiln.
Archival photograph*

ФАБЕРЖЕ

СОКРОВИЩА РОССИЙСКОЙ ИМПЕРИИ

FABERGÉ

TREASURES OF IMPERIAL RUSSIA

Часть вторая: Из частных коллекций
Part Two: From Private Collections

Яйцо «Весенние цветы»

The Spring Flowers Egg

Яйцо «Весенние цветы»
The Spring Flowers Egg

ЯЙЦО «ВЕСЕННИЕ ЦВЕТЫ», ЗОЛОТО, ПЛАТИНА, ЭМАЛЬ, ДРАГОЦЕННЫЕ И ПОЛУДРАГОЦЕННЫЕ КАМНИ; МАСТЕР МИХАИЛ ПЕРХИН, САНКТ-ПЕТЕРБУРГ, ОКОЛО 1899 ГОДА

Яйцо покрыто прозрачной землянично-красной эмалью по гильошированному фону с золотыми накладными завитками в стиле второго рококо. Створки открываются по вертикальному шву, отороченному поясом алмазов. Внутри помещена вынимающаяся корзинка с подснежниками, лепестки которых сделаны из халцедона, а пестики из демантоидов. Яйцо замыкается на вершине алмазной защелкой. Круглый двухступенный постамент выточен из бовенита, обтянут выложенным алмазами пояском и у основания цоколя оформлен золотым орнаментом рокайль. *Клейма: инициалы мастера-исполнителя, «Фаберже» русскими буквами, пробирное клеймо 56 (стандарт 14-каратного золота), а также процарапанный инвентарный номер 44374 или, возможно, 44474.*

ВЫСОТА 8,3 СМ

THE SPRING FLOWERS EGG: A FABERGÉ GOLD, PLATINUM, ENAMEL, HARDSTONE AND JEWELED EASTER EGG, WORKMASTER MICHAEL PERCHIN, ST. PETERSBURG, PRE-1899

Enameled translucent strawberry red over a *guilloché* ground and applied with neorococo gold scrolls and foliage, opening along a vertical diamond-set seam to reveal a removable diamond-set platinum miniature basket of wood anemones, the flowers with chalcedony petals and demantoid pistils, the egg fastening at the top by means of a diamond-set clasp, the lobed bowenite base with a diamond-set girdle and with a gold rim pierced with neorococo shellwork and scrolls, *marked with Cyrillic initials of workmaster, Fabergé in Cyrillic and assay mark of 56 standard for 14 karat gold, also with scratched inventory number 44374 or possibly 44474.*

HEIGHT 3¼ IN. (8.3 CM)

Яйцо «Весенние цветы»

The Spring Flowers Egg

На яйце «Весенние цветы» стоит «раннее» клеймо ведущего мастера фирмы Фаберже Михаила Перхина и пробирное клеймо, которое применялось в Санкт-Петербурге до 1899 года. На поверхности также выгравирован номер 44374 или 44474, который, возможно, является инвентарным номером мастерской Фаберже. На футляре описываемого яйца имеется штамп Фаберже, поставщика императорского двора с адресами санкт-петербургского, московского и лондонского отделений фирмы. Эти данные, на первый взгляд, противоречат друг другу. Клеймо мастера говорит о том, что яйцо было выполнено до 1899 года, однако футляр указывает на то, что оно было создано после 1903 года, когда в Лондоне открылось отделение фирмы. Инвентарные номера на императорских пасхальных яйцах, как правило, не ставились.

В списке предметов вдовствующей императрицы Марии Федоровны, переданных из Аничкова дворца в Оружейную палату Кремля, составленном 14-20 сентября 1917 года и подписанном генерал-майором Ереховым[1], упоминаются «портмоне из позолоченного серебра в форме яйца, покрыт красной эмалью, с сапфиром», и как отдельный предмет – «корзинка с цветами, украшенная бриллиантами». Возможно, эти строчки относятся к данному яйцу и его сюрпризу.

Всесоюзное объединение «Антиквариат», занимавшееся продажей российских императорских сокровищ, в 1933 году продало яйцо «Весенние цветы» неизвестному лицу за 2 000 рублей (1 000 долларов). Позднее оно было продано фирмой А

The Spring Flowers Egg, hallmarked with head workmaster Michael Perchin's "early" mark, is struck with the St. Petersburg's assay mark for before 1899 and appears to bear a scratched number 443 (or 4) 74, which may or may not be Fabergé's inventory number. Its original fitted case is stamped with Fabergé's Imperial Warrant and the addresses of St. Petersburg, Moscow and London. These facts seem to be in apparent contradiction. The hallmark dates the egg to before 1899, the original case to after 1903, after the opening of the London Branch. Inventory numbers do not generally appear on Imperial eggs.

A list of objects dated 14-20 September 1917 transferred from the Dowager Empress's Anichkov Palace to the Kremlin Armory and signed by Major-General Yerechov,[1] mentions a *"purse of gilt silver in the form of an egg covered with red enamel, with a sapphire"* and, separately, *"a basket of flowers with diamonds,"* which probably correspond to this egg and its surprise. It was sold by the State firm Antikvariat in charge of the disposals of Russian Imperial treasure, to an unspecified buyer in 1933 for 2,000 rubles ($1,000), later sold by A La Vieille Russie to the Long Island collector Lansdell Christie, and again by the same New York dealers to Malcolm Forbes as an Imperial egg in 1966. It was exhibited as an Imperial Easter egg twice at the Metropolitan Museum in 1961 and 1996 and at the seminal exhibition at the Victoria and Albert Museum in 1977, and, up to 1993 has been published by all leading specialists, including Bainbridge (1949), Snowman (1962, 1963, 1964, 1972), Habsburg (1979, 1987, 1993, 1996), Solodkoff (1979, 1984, 1988, 1995) and

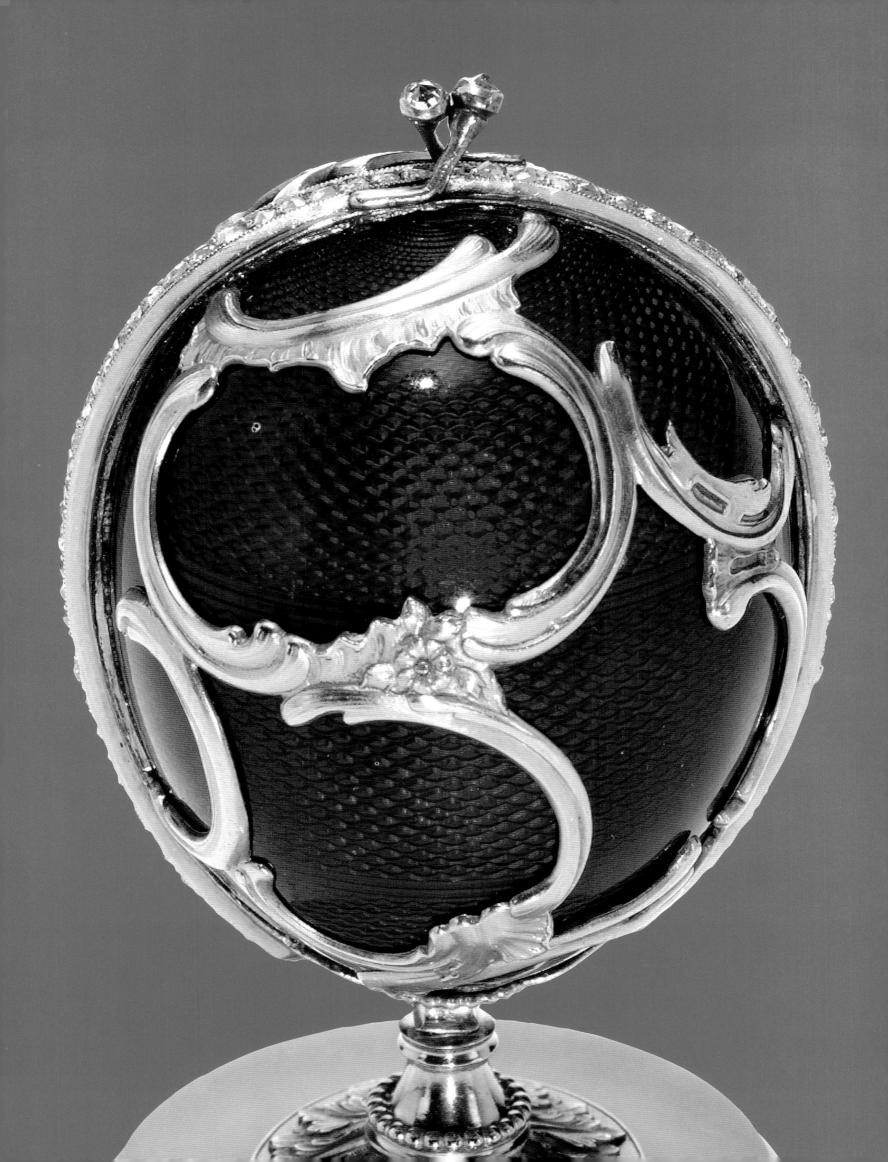

La Vieille Russie коллекционеру из Лонг Айленда Ландсделлу Кристи, а затем, в 1966 году, теми же нью-йоркскими дилерами Малькольму Форбсу как императорское пасхальное яйцо. Описываемое яйцо дважды выставлялось в качестве императорского пасхального яйца в музее Метрополитан в Нью-Йорке – в 1961 и 1996 годах.

Оно также демонстрировалось на известной выставке в Музее Виктории и Альберта в 1977 году. До 1993 года все публикации, посвященные данному пасхальному яйцу, причисляли его к серии императорских пасхальных яиц. Этого мнения придерживались все ведущие специалисты, включая Бэйнбриджа (1949 года), Сноумэна (1962, 1963, 1964 и 1972), доктора фон Габсбурга (1979, 1987, 1993, 1996), Александра фон Солодкова (1979, 1984, 1988, 1995) и Хилла (1989). Недавно Мунтян (1995) и Фаберже/Пролер/Скурлов (1997) исключили пасхальное яйцо «Весенние цветы» из списка подарков, сделанных двумя последними императорами России. Мунтян, опираясь на инвентарную опись Аничкова дворца 1917 года, считает, что яйцо принадлежало вдовствующей императрице и

Hill (1989) as part of the series of Imperial eggs. Recently, Muntian (1995) and Fabergé/Proler/Skurlov (1997) have excluded the Spring Flowers Egg from the list of presents made by the last two Tsars. Muntian, based on the 1917 inventory of the Anichkov Palace, now believes that it belonged to the Dowager Empress and assumes that it was presented to her by a relative or close friend.

With its decoration of scrolls and rocaille, the Spring Flowers Egg is a typical example of Michael Perchin's early Neo-Rococo style, probably dating from the late 1880s or early 1890s. This date is borne out by the early form of Perchin's initials. Inexplicably, the basket of wild anemonies in this early egg is virtually identical to the surprise contained in the Winter Egg designed by Alma Pihl for Albert Holmström in 1913.

NOTES

1. Kremlin Archive, Section Manuscripts, Engravings and Prints, ORGPF, GIKMZ, fond 20, op, 1917 published by Tatiana Muntian, "Fabergé im Kreml" in *Solodkoff 1995*, p. 25.

делает предположение, согласно которому яйцо было подарено императрице кем-либо из родственников или близких друзей.

Яйцо «Весенние цветы», украшенное завитками и рокайлями, является типичным произведением Михаила Перхина в стиле неорококо. Скорее всего, оно датируется концом 1880-х/началом 1890-х годов. Доказательством этому служат инициалы Перхина, характерные для ранних годов его работы. Необъяснимым остается тот факт, что корзинка диких анемонов в этом раннем пасхальном яйце практически идентична сюрпризу «Зимнего» яйца, созданного Альмой Пиль для Альберта Хольмстрема в 1913 году.

ПРИМЕЧАНИЯ

1. Архив Кремля, отдел рукописей, гравюр и эстампов, ОРГПФ, ГИКМЗ, ф. 20, оп. 1917, опубликовано в статье Мунтян Т. «Фаберже в Кремле» в каталоге выставки *Фаберже: Ювелир царского двора*. Kunstgewerbemuseum, Гамбург, 1995, с. 25.

ПРОВЕНАНС

PROVENANCE

Вдовствующая императрица
Мария Федоровна

A La Vieille Russie, Нью-Йорк

Лансделл К. «Кристи», Нью-Йорк

Коллекция семьи Форбс,
Нью-Йорк

Dowager Empress Maria Feodorovna

A La Vieille Russie, New York

Lansdell K. Christie, Long Island,
New York

The Forbes Collection, New York

ВЫСТАВКИ

EXHIBITED

Нью-Йорк, A La Vieille Russie,
Искусство Петера Карла Фаберже,
25 октября-7 ноября 1961 г., № 290,
каталога, с. 91, илл. на с. 89.

Вашингтон, Округ Колумбия,
Художественная галерея Коркоран,
*Пасхальные яйца и другие ценные
изделия Карла Фаберже*, 1961 г., № 1,
с. каталога 25, илл. на с. 24, а также
на суперобложке.

Нью-Йорк, Музей искусств
Метрополитан, 1962 – 65 г., №
L.62.8.1.

Нью-Йорк, Нью-Йоркский
Культурный центр, *Фаберже из
коллекции журнала «Форбс»*, 11
апреля-22 мая 1973 г., № 1, сс. 4, 26,
110 каталога, илл. на с. 27.

Лондон, Музей Виктории и
Альберта, *Фаберже, 1846 – 1920* (по
случаю Серебряного юбилея
королевы), 23 июня-25 сентября
1977 г., № L8, илл. на с. 73.

Бостон, Массачусетс, Музей
изобразительных искусств,
*Императорские пасхальные яйца
от дома Фаберже*, 10 апреля-27 мая
1979 г., ненумерованный список.

Ричмонд, Виржиния, Музей
изобразительных искусств /
Миннеаполис, Миннесота,
Миннеапольский Институт
искусств / Чикаго, Иллинойс,
Художественный институт Чикаго,
*Фаберже, Избранные экспонаты из
коллекции журнала «Форбс»*, 1983 г.,
перечень на с. 187.

Форт-Уорт, Техас, Художественный
музей Кимбелл, *Фаберже, коллекция
журнала «Форбс»*, 25 июня-18
сентября 1983 г., № 187 по списку.

Детройт, Мичиган,
Художественный институт
Детройта, *Фаберже, коллекция
журнала «Форбс»*, 27 июня-12
августа 1984 г., № 132 по списку.

Сан-Диего, Калифорния, Музей
искусств Сан-Диего / Москва,
Оружейная Палата,
Государственные Музеи
Московского Кремля, *Фаберже:
Императорские Пасхальные яйца*,
1989/90 г., № 9, 16, сс. 20, 50, 99,
каталога, илл. на сс. 50, 51, 89, 99.

Нью-Йорк, Музей искусств
Метрополитан / Сан-Франциско,
Калифорния, Мемориальный
музей де Янг / Ричмонд,
Виржиния, Музей
изобразительных искусств / Новый
Орлеан, Луизиана, Музей искусств
Нового Орлеана / Кливленд, Огайо,
Музей искусств Кливленда,
Фаберже в Америке, 1996/97 г., №
209, сс. 215, 228, 230 каталога, илл.
на с. 215.

Чарльстон, Южная Каролина, Фонд
Мидлтон Плэйс, *Шедевры в золоте*,
24 июля-12 ноября 2000 г. (без
каталога).

Нашвилл, Тенесси, Первый Центр
изобразительных искусств,
*Сокровища Дома Фаберже,
избранные экспонаты коллекции
журнала «Форбс», Нью-Йорк и
образцами из собраний Нью-
Орлеанского художественного музея
и Фонда Матильды Геддингс Грей*,
12 апреля-7 июля 2002 г., без
каталога.

New York, A La Vieille Russie,
The Art of Peter Carl Fabergé,
October 25-November 7, 1961,
no. 290, cat. p. 91, ill. p. 89.

Washington, D.C., The Corcoran
Gallery of Art, *Easter Eggs and Other
Precious Objects by Carl Fabergé*, 1961,
no. 1, cat. p. 25, ill. p. 24 and
on dust jacket.

New York, Metropolitan Museum
of Art, 1962-1965, no. L.62.8.1.

New York, The New York Cultural
Center, *Fabergé from the Forbes
Magazine Collection*, April 11-May 22,
1973, no. 1, cat. pp. 4, 26, 110,
ill. p. 27.

London, Victoria and Albert Museum,
Fabergé, 1846-1920 (held on the
occasion of the Queen's Silver
Jubilee), June 23-September 25,
1977, no. L8, cat. p. 73.

Boston, Massachusetts, The Museum
of Fine Arts, *Imperial Easter Eggs from
the House of Fabergé*, April 10-May 27,
1979, unnumbered checklist.

Richmond, Virginia, Virginia
Museum of Fine Arts/Minneapolis,
Minnesota, The Minneapolis Institute
of Art/Chicago, Illinois, The Art
Institute of Chicago, *Fabergé,
Selections from the Forbes Magazine
Collection*, 1983, checklist p. 187.

Fort Worth, Texas, The Kimbell
Art Museum, *Fabergé, The Forbes
Magazine Collection*, June 25-
September 18, 1983, checklist
no. 187.

Detroit, Michigan, The Detroit
Institute of Arts, *Fabergé, The Forbes
Magazine Collection*, June 27-August
12, 1984, checklist no. 132.

San Diego, California, San Diego
Museum of Art/ Moscow, Armory
Museum, State Museums of the
Moscow Kremlin, *Fabergé:
The Imperial Eggs*, 1989/90, nos. 9, 16,
cat. p. 20, 50, 99, ill. pp. 50, 51, 89, 99.

New York, Metropolitan Museum of
Art/San Francisco, California, H. M.
De Young Memorial
Museum/Richmond, Virginia,
Virginia Museum of Fine Arts/New
Orleans, Louisiana, New Orleans
Museum of Art/Cleveland, Ohio, The
Cleveland Museum of Art, *Fabergé in
America*, 1996/7, no. 209, cat. pp. 215,
228, 230, ill. p. 215.

Charleston, South Carolina,
Middleton Place Foundation,
Masterpieces in Gold, July 24-
November 12, 2000 (no cat.).

Nashville, Tennessee, Frist Center for
Visual Arts, *Treasures from the House
of Fabergé from The Forbes Collection,
New York with Highlights from the
New Orleans Museum of Art and the
Matilda Geddings Gray Foundation
Collection, Courtesy of the New
Orleans Museum of Art*, April 12-July
7, 2002 (no cat.).

Невский проспект, Санкт-Петербург.
Архивная фотография

Nevsky Prospekt, St. Petersburg.
Archival photograph

Snowman, A. K. *The Art of Carl Fabergé*, 1953/62/64/68, pp. 81, 82, ill. colorplate LXIX.

Snowman, A. K. "Lansdell K. Christie, New York: Objects d'Art by Fabergé," *Great Private Collections*, ed. D. Cooper, New York, 1963, p. 241, ill.

Dennis, J. M. "Fabergé's Objects of Fantasy," *Metropolitan Museum of Art Bulletin*, Vol. 23, March 1965, pp. 240, 242, ill no. 22.

Bainbridge, H. C. *Peter Carl Fabergé, Goldsmith and Jeweller to the Russian Imperial Court, His Life and Work*, London, 1966, p. 73.

Forbes Magazine, 1967, p. 62.

Forbes Magazine, 1973, p. 96, ill.

Watts, W. H. "Peter Carl Fabergé, Jeweler to the Czars," *Palm Beach Life*, Vol. 71, no. 3, March 1978, p. 36, ill.

Waterfield, H. and Forbes, C. *Fabergé Imperial Eggs and Other Fantasies*, New York, 1978, pp. 8, 19-20, 110, 115, 130, 132, 135, ill. pp. 19, 109, 115, cover.

Poindexter, J. "A Collection of Imperial Splendors," *United Mainliner*, October 1979, p. 69, ill. p. 67.

von Habsburg, G. and von Solodkoff, A. *Fabergé, Court Jeweler to the Tsars*, New York, 1979/84, p. 157, ill. pl. no. 7.

Forbes, C. "Fabergé Imperial Easter Eggs in American Collections," *Antiques*, Vol. 115, no. 6, June 1979, pp. 1235, 1237, ill.

Poindexter, J. "A Collection of Imperial Splendors," *United Mainliner*, October 1979, pp. 69, ill. p. 67.

Banister, J. "Rites of Spring," *Art and Antiques Weekly*, Vol. 40, no. 6, April 5, 1980, p. 38.

Forbes, C. *Fabergé Eggs, Imperial Russian Fantasies*, New York, 1980, pp. 5, 8, 10, 12, 26, ill. pp. 9, 11, 13, 27 and an unnumbered page.

Gibney, T. A. "Fabulous Fabergé," *Chubb Circle*, October/November 1980, p. 20, ill. on cover.

Coburn, R. S. "Celebrating the Elegant Art of the Master of Eggmanship," *Smithsonian*, Vol. 14, pt. 1, April 1983, ill. on cover.

A La Vieille Russie, *Fabergé*, 1983, cat. p. 17.

Feifer, T. "Fabergé: Jewel Maker of Imperial Russia," *Art & Antiques*, Vol. 6, no. 3, May/June 1983, ill. p. 92.

Schaffer, P. "Fabergé," *Smithsonian*, June 1983, p. 17.

von Solodkoff, A. *Masterpieces from the House of Fabergé*, New York, 1984, pp. 12, 38, 187, ill. pp. 58, 59, 187.

Kelly, M. *Highlights from the Forbes Magazine Galleries*, New York, 1985, p. 14.

Forbes, C. "Imperial Treasures," *Art & Antiques*, April 1986, ill. p. 54.

Riley, N. "Fabergé for the Favoured," *Blue Chip*, Vol. I, no. 2, August 1986, ill. p. 26.

James, J. "Fabergé: The Grandest Easter Egg Hunt," *Echelon*, Vol. 8, no. 3, March 1986, ill. p. 14.

von Habsburg, G. *Fabergé* (English edition, Munich 1986/87 catalogue), Geneva, 1987, p. 94.

Lipmann, E. "Les Oeufs de la Passion," *Expression*, No. 6, July/August 1987, p. 78, ill. pp. 72, 74.

Forbes, C. "Forbes' Fabulous Fabergé," *USA Today*, July 1988, pp. 40, 41, ill.

von Solodkoff, A. *Fabergé*, London, 1988, p. 41, ill.

Forbes, M. *More Than I Dreamed*, New York, 1989, pp. 220, ill.

Forrest, M. "The Ultimate Easter Eggs," *Antiques and Collecting Hobbies*, Vol. 94, March 1989, p. 51, ill. p. 44.

Morrow, L. "Imperial Splendor," *Designers West*, January 1989, pp. 69, 70, ill. p. 70.

Hill, G. *Fabergé and the Russian Master Goldsmiths*, New York, 1989, pp. 14, 54, 56, ill. pl. nos. 20, 21 and title page.

Moore, A. *Theo Fabergé and the St. Petersburg Collection*, London, 1989, p. 155.

Reshetnikova, L. "Surprises From Fabergé," *Sputnik*, October 1990, p. 118.

Kaonis, D. "The Forbes Legacy: The Empire Without Malcolm," *The Inside Collector*, Vol. I, no. 2, July/August 1990, p. 36, ill. p. 36 and table of contents page.

Pfeffer, S. *Fabergé Eggs: Masterpieces from Czarist Russia*, New York, 1990, pp. 10, 22, 24, ill. pp. 23, 25.

Cerwinske, L. *Russian Imperial Style*, New York, 1990, ill. p. 54.

Booth, J. *The Art of Fabergé*, New Jersey, 1990, pp. 94, 108, ill. pp. 94, 108.

Lopato, M. "Fabergé Eggs: Re-Dating from New Evidence," *Apollo*, Vol. 133, no. 348, February 1991, p. 91.

Manroe, C. O. *Decorative Eggs*, New York, 1992, p. 85, ill. p. 76.

von Habsburg, G. and Lopato, M. *Fabergé Imperial Jeweller*, New York, 1993, pp. 77, 158.

Kelly, M. *Imperial Surprises: A Pop-up Book of Fabergé Masterpieces*, New York, 1994, two unpaginated pages, ill. front cover.

Polak, M. A. "The Great Fabergé Egg Hunt," *Royalty*, Vol. 13, no. 8, March 1995, no. 8, p. 36, ill.

Murray, S. "The Forbes Fabergé Egg Collection," *Figurines & Collectibles*, Vol. 2, no. 3, August 1996, pp. 68, 71, ill. p. 68.

von Hapsburg, G. *Fabergé Fantasies and Treasures*, New York, 1996, p. 20, ill. pl. 1.

von Habsburg, G. *Fabergé in America*, San Francisco, 1996, pp. 215, 230, ill. p. 215.

Fabergé, T., Proler, L., and Skurlov, V. *The Fabergé Imperial Easter Eggs*, London, 1997, pp. 11, 80, ill. p. 80.

Forbes, C. and Tromeur-Brenner, R. *Fabergé: The Forbes Collection*, Southport, 1999, p. 27, 270, ill. pp. 26, 29.

Lowes, W., and McCanless, C. L. *Fabergé Eggs: A Retrospective Encyclopedia*, London, 2001, pp. 11, 148-151, 256, 258, 259, 260, 261, 262, 265, 270, 273, 274, 278, ill.

Яйцо «Курочка»
из коллекции семьи Кельх
The Kelch Hen Egg

Яйцо «Курочка»
из коллекции семьи Кельх
The Kelch Hen Egg

1898

ЯЙЦО «КУРОЧКА» КОЛЛЕКЦИИ СЕМЬИ КЕЛЬХ, ЗОЛОТО С ЭМАЛЬЮ И ДРАГОЦЕННЫМИ КАМНЯМИ; МАСТЕР МИХАИЛ ПЕРХИН, САНКТ-ПЕТЕРБУРГ, 1898 ГОД

Яйцо покрыто прозрачной землянично-красной эмалью по гильошированному фону, створки открываются по продольной оси кнопкой замка, выполненной из плоского алмаза с видной под ним датой «1898». На одном конце укреплена более поздняя миниатюра царя Николая II под крупным плоским алмазом, окруженным мелкими. Внутри яйца срез белка изображен белой эмалью; в круглой полости помещается матовой эмали «желток», в котором на замшевой подкладке сидит золотая курочка, покрытая прозрачными эмалями разных оттенков оранжевого, желтого, красного и коричневого, перья крыльев частично окрашены белой эмалью, глаза выполнены из алмазов. В хвосте имеется шарнир, внутри открывающейся курочки хранятся миниатюрный мольберт и рама. Ножки мольберта складываются, наверху он увенчан алмазом в форме сердца, из которого исходит рубин, изображающий язык пламени. Рама окантована алмазами, по верху бантом уложена алмазная лента. В раме, под стеклом из горного хрусталя с фацетом – более поздний миниатюрный портрет Цесаревича Алексея Николаевича, на раме *клейма: инициалы мастера-исполнителя, «Фаберже» русскими буквами, пробирное клеймо 56 (стандарт 14-каратного золота), а также французский импортный знак.* Вместе с яйцом сохранилась и первоначальная, сделанная по размеру шкатулка из падуба, *на подкладке крышки – золотой штамп фирмы в овале: под двуглавым орлом по-русски: «К. Фаберже / Санкт-Петербург / Москва».*

ДЛИНА 8,3 см.

THE KELCH HEN EGG: A FABERGÉ GOLD, ENAMEL AND JEWELED EASTER EGG, WORKMASTER MICHAEL PERCHIN, ST. PETERSBURG, 1898

Enameled translucent strawberry red over a *guilloché* ground, opening horizontally, the hinged cover with a diamond-set border, the thumbpiece mounted with a table diamond over the date 1898, one end mounted with a later miniature of Tsar Nicholas II under a diamond encircled by smaller diamonds, the egg opening to reveal a white enameled interior and a hinged matted enamel yellow "yolk" with fitted suede-lined interior containing a gold hen enameled in translucent shades of orange, yellow, red and brown, the feathers with white highlights, the feet naturalistically chased, the eyes set with diamonds, the hen hinged at the tail and enclosing a gold miniature easel and frame, the easel with folding legs and a finial mounted with a heart-shaped diamond and a flame-carved ruby, the beveled rock-crystal frame with diamond-set border beneath a diamond-set ribbon bow containing a later portrait miniature of the Tsarevich Alexei Nikolaievich, *marked with Cyrillic initials of workmaster, Fabergé in Cyrillic and assay mark of 56 standard for 14 karat gold, also with French import mark.* With original fitted holly wood box, *the lining gilt-stamped in Cyrillic below the Imperial eagle, Fabergé/St. Petersburg/Moscow.*

LENGTH 3½ IN. (8.3 CM)

Яйцо «Курочка»
из коллекции семьи Кельх
The Kelch Hen Egg

История семьи Кельх хорошо известна исследователям[1]. Варвара Петровна (Барбара) Базанова происходила из очень богатой семьи московских купцов. Ее дед, Иван Базанов, основал несколько предприятий в Сибири, включая золотые прииски, компанию по строительству железных дорог и пароходство, в которых он был главным акционером вместе с партнерами Яковым Немчиновым и Михаилом Сибиряковым. После смерти отца Варвара и ее мать Юлия унаследовали семейные богатства и основали новую компанию совместно с Константином Сибиряковым. Варвара в 1892 году вышла замуж за Николая Фердинандовича Кельха, сына петербургского потомственного почетного гражданина. Двумя годами позже он скончался, успев передать благотворительный взнос в 250 тысяч рублей из средств своей супруги больнице в Иркутске. Как часто случается в России, брат Николая Александр в том же году женился на богатой молодой вдове, что, возможно, произошло из соображений пользы дела, так как, в соответствии с добрачным контрактом, практически все богатства оставались в руках Варвары. У них было две дочери: одна умерла в 16-летнем возрасте, другая вышла замуж за дипломата и последовала за ним в Японию на место службы супруга. Александр продолжал служить в армии, занимая квартиру на Большой Морской, 53, а Варвара жила на Моховой 60 в Москве.

В 1896 году семья Кельхов приобрела дом в Санкт-Петербурге на Сергиевской, 28 (соврем. адрес Чайковского, 28) за 300 тысяч рублей. Часть интерьеров дома была оформлена в неоготическом стиле с использованием темных дубовых панелей (стр. 294). Архитектор Карл Шмидт, сын двоюродной сестры знаменитого ювелира Карла Фаберже, руководил работами по переустройству помещений. В 1898 году, когда отделка была

The Kelch family history has been well researched.[1] Varvara (Barbara) Petrovna Bazanova came from a very affluent family of Muscovite merchants. Her grandfather, Ivan Bazanov, founded a number of major businesses in Siberia, including a gold mine, a railway and a shipping company, of which he was majority shareholder together with two partners, Yakov Nemchinov and Mikhail Sibiriakov. At her father's death, Varvara and her mother, Julia, inherited the family fortune and founded a new company together with Konstantin Sibiriakov. Varvara married Nikolai Ferdinandovich Kelch, son of a St. Petersburg hereditary nobleman, in 1892; he died two years later, but not before contributing 250,000 rubles of his wife's money to a hospital in Irkutsk. As was often the case in Russia, Nikolai's brother, Alexander, married the rich young widow that same year, in what was probably a marriage of convenience, as the prenuptial agreement apparently left everything in her own name. They had two daughters: one died aged 16, the other married a diplomat and was posted to Japan. While Alexander followed a military career in St. Petersburg, living at 53 Bolshaya Morskaya, Varvara resided at 60 Mokhovaia in Moscow.

In 1896 the Kelchs acquired a mansion in St. Petersburg at 28 Sergeievskaia for 300,000 rubles and redecorated the dining room with dark oak paneling in the Neo-Gothic style (p. 294). The architect Carl Schmid, a cousin of Fabergé, assisted the Kelchs with the remodeling. In 1898, when the refurbishment was complete, Varvara moved into their St. Petersburg home. Around 1900 the couple ordered for their mansion a massive *surtout de table* in the Neo-Gothic style from Fabergé for the astronomic sum of 125,000 rubles.[2] In 1900 Varvara and Alexander both finally lived under the same roof. In 1901 Alexander Kelch retired from the army and was named President of the various Bazanov businesses. Varvara was

Столовая семьи Кельх в неоготическим
стиле. На заднем плане – серебрянный
сервиз Фаберже. Архивная фотография

Kelch Neo-Gothic dining Room showing
Fabergé's silver service in the background.
Archival photograph

завершена, Варвара переехала в свой петербургский особняк. Около 1900 года супружеская пара заказала фирме Фаберже для столовой массивное настольное украшение *surtout de table* из серебра в неоготическом стиле за астрономическую сумму в 125 тысяч рублей². С 1900 года Варвара и Александр стали жить под одной крышей. В следующем году Александр Кельх оставил военную службу и стал управляющим сибирских предприятий Базановых. Варвара занималась благотворительной деятельностью, принимала участие в работе Дамского лазаретного комитета Российского общества Красного Креста и Императорского музыкального общества, августейшими покровительницами которых были две императрицы. Приняв участие в благотворительной акции в пользу школ Императорского женского патриотического общества, Варвара Кельх предоставила принадлежавшее ей настольное украшение для выставки изделий Фаберже, состоявшейся в 1902 году в особняке барона фон Дервиза на Английской набережной. Первая и единственная выставка произведений Фаберже в России проводилась под патронажем императрицы Александры Федоровны и многочисленной группы великих князей и княгинь. Доход от проведенной выставки составил 3 тысячи рублей в пользу школ. Хотя среди предметов, представленных на выставке, в современных газетах не было упомянуто настольное украшение Кельхов (все остальные участники выставки принадлежали к петербургскому высшему свету (*haute société*), это высокохудожественное изделие хорошо видно на памятных фотографиях. Оно было размещено на почетном месте стола (см. илл. с. 319), и под лупой можно рассмотреть выгравированные на серебряных предметах буквы «К» (см. илл. напротив).

Каждый год, с 1898 по 1904 гг., Александр Кельх заказывал фирме Фаберже в подарок своей жене пасхальное яйцо, прототипом каждого из которых служило яйцо из императорской серии. Не вызывает сомнения, что Варвара также платила по этим счетам. Если принять во внимание бережливость Романовых и щедрость нуворишей (*nouveaux riches*), то станет бесспорным и то, что Кельх платил за свои заказы намного большие суммы, чем Государь за пасхальные яйца из императорской серии. По мастерству исполнения пасхальные яйца, выполненные для семьи Кельхов, ничем не уступают императорским, а иногда они еще более великолепны. До 1904 года предприятия Базанова продолжали приносить прибыль, и в том году семья основала промышленную компанию, которую, само собой разумеется, возглавил Александр. Кельхи приобрели также второй дом в Петербурге, на улице Глинки 13. Однако катастрофическая русско-японская война привела к падению империи Базановых, и семье Кельхов пришлось продать один за другим свои предприятия и особняки.

Считается, что первым яйцом, заказанным Александром Кельхом в 1898 году для супруги Варвары, было яйцо «Курочка». ✻

involved with social activities and charities such as the All Russia Red Cross Ladies Committee and the Imperial Musical Society, of which the two Empresses were patrons. It was probably as benefactress of the Imperial Women's Patriotic Society Schools, the beneficiaries of the Fabergé Exhibition held in 1902 at the von Dervis Mansion on the English Embankment, that Vavara lent her Fabergé silver *surtout*. The exhibition, the first and only one dedicated to Fabergé in Russia, was held under the patronage of Empress Alexandra Feodorovna and a bevy of Grand Dukes and Duchesses and realized a profit of 3,000 rubles for the schools. Albeit not mentioned in the list of loans published in the newspapers at the time (all other lenders belonged to the St. Petersburg *haute societé*), the Kelch centerpiece is clearly shown prominently displayed on a table (see ill. p. 319) in the commemorative photographs, and under magnification the initial "K" engraved on the tableware is also apparent. The same service was displayed in their oak-panelled dining room (see ill. opposite).

Every year from 1898 until 1904 Alexander Kelch ordered an Easter egg from Fabergé, modeled on the Imperial series, as a present for his wife, who no doubt also paid for them. No doubt, too, that the Kelch eggs cost them considerably more than those made for the Imperial family, given the parsimony of the Romanovs and the generosity of the *nouveaux riches*. The seven Kelch eggs are as fine, if not even more sumptuous, than those in the Imperial series.

The first egg to have been commissioned in 1898 by Alexander Ferdinandovich Kelch for his wife Varvara (or Barbara) appears to have been a Hen Egg. Its donor and recipient are certain, but its date may be questionable, as it bears the hallmark introduced in St. Petersburg in 1899. With its diamond-set rim and frame, its two table-cut diamonds and its larger size (3½ inches compared to 2½ inches), the Kelch Hen Egg is an enhanced version of the Imperial Hen Egg of 1885. Indeed, all Kelch eggs are on a larger scale than the Imperial eggs. When sold to Malcolm Forbes, the egg was believed to have belonged to the Imperial series due both to the portrait of Tsar Nicholas II shown under one of the portrait diamonds and to the framed portrait of the Tsarevich on an easel, which was the surprise within the hen. Research revealed, however, that the portrait of Nicholas II had replaced the original recipient's monogram (BK) and that his son's portrait had replaced that of Barbara Kelch.[3]

This Hen Egg was first identified as a Kelch egg soon after 1920, when it was acquired by Léon Grinberg of A La Vieille Russie from the jeweler Morgan of rue de la Paix, together with five other eggs with the same provenance. This information, together with a documentary photograph, was published in 1979.[4] The photograph shows two views of the present egg. Originally Grinberg thought it to be part of a group of Imperial eggs. "Morgan himself," Grinberg attested, "did not know to whom these eggs originally belonged. Judging from the exceptional richness, they must be imperial Easter presents. We think they were presented by the Grand Duke Alexei Alexandrovich to the

Нам точно известно, кто являлся заказчиком, и кому оно предназначалось, но дата изготовления яйца вызывает сомнения, так как на изделии имеется клеймо, появившееся в Петербурге в 1899 году. Яйцо «Курочка», выполненное для семейства Кельх, с украшенными алмазами ободком и рамкой, двумя плоскогранными алмазами, большего размера по сравнению с императорскими пасхальными яйцами (8,9 см. вместо обычных 6,35 см.) можно считать усовершенствованной версией яйца «Курочка» 1885 года – первого из заказанных императором Александром III. На самом деле, все пасхальные яйца, выполненные по заказу Александра Кельха, по размерам превышают те, что были сделаны для императриц. Когда яйцо «Курочка» было продано Малькольму Форбсу, все полагали, что оно принадлежит к серии императорских пасхальных яиц, так как под одним из алмазов находился портрет Николая II, а на мольберте, в рамке, был изображен цесаревич Алексей. Этот мольберт служил сюрпризом, запрятанным внутри курочки. Научные исследования позволили установить, что портрет императора Николая II был помещен на место первоначально находившейся там монограммы «ВК», а портрет его сына – вместо портрета Варвары Кельх[3].

Описываемое яйцо «Курочка» было впервые идентифицировано как яйцо, заказанное Кельхом, в начале 1920-х годов, когда оно было приобретено Леоном Гринбергом, представителем фирмы «A La Vieille Russie», у ювелира Моргана с улицы rue de la Paix в Париже вместе с пятью другими пасхальными яйцами того же происхождения. Эта информация вместе с фотографиями, документирующими произведение Фаберже, была опубликована в 1979 году[4]. На фотографиях показаны два вида описываемого яйца. Сначала Гринберг полагал, что оно входит в серию императорских пасхальных яиц. «Морган и сам», – утверждал Гринберг, – «не знал, кто изначально владел этими пасхальными яйцами. Принимая во внимание их роскошное оформление, можно смело предположить, что они предназначались для

ballet dancer Mrs. Balletta"; however, Grinberg later added in a pencil note: "Alexander Fabergé [Carl's third son] told us that these eggs were made for a very rich industrialist as presents for his wife Barbara. Eggs of such richness were only made for K[elch] or the Court."[5]

As of 1904, the Bazanov businesses continued to prosper, and in that year the family formed the Promyshlennosty Company with Alexander, of course, as its President. The Kelchs also purchased a second home in 1904 at 13 Glinka Street in St. Petersburg. However, the disastrous Russo-Japanese War brought about the demise of the Bazanov business empire. One after the other the businesses and the mansions were sold off.

The Kelchs were legally separated in 1905, but as the Boucheron photographic archives show, Barbara continued to make major acquisitions of jewelry, totaling 70,000 rubles in 1906-07 alone, including an elegant emerald and diamond demi-parure and a diamond fringe necklace in 1906, a ruby and diamond lavallière in 1907 and three brooches and a fine diamond tiara in 1912.[6] Barbara moved to Paris with all her belongings, and the couple divorced in 1915. Alexander remained in Russia and remarried, but he did not fare well, eventually becoming a pauper and working as a street vendor after the Revolution, although Barbara had invited him to move to Paris. In 1930 Alexander was arrested and disappeared in Siberia along with millions of Russians during the Stalinist purges.

The Bazanovs' main claim to fame remains their seven glorious Easter eggs, all created by Michael Perchin, Fabergé's second head workmaster. All seven are today in prestigious collections:
1) 1898 The First Egg, was sold by Sotheby's in Cairo (King Farouk Sale) 10 March 1954, to Alexander Schaffer of A La Vieille Russie for $15,225, who sold it to Lansdell Christie in 1961, and, after his death in 1965, to Malcolm Forbes. (*The Link of Times Foundation*).
2) 1899 The Twelve Panel Egg was acquired by Emanuel Snowman,

рис. 1
FIG. 1

рис. 3
FIG. 3

рис. 4
FIG. 4

подарка от члена императорской семьи. Мы думаем, они были подарены великим князем Алексеем Александровичем французской актрисе Элизе Балетта». К этой записи Гринберг позже добавил карандашную пометку: «Александр Фаберже [третий сын Карла] сообщил нам, что эти пасхальные яйца были выполнены для очень богатого промышленника в качестве подарка его супруге Варваре. Столь дорогостоящие пасхальные яйца изготавливались фирмой Фабереже только для Кельха или для Высочайшего Двора»[5].

В 1905 году они официально оформили раздельное проживание, но, как свидетельствуют материалы из фотоархивов фирмы Бушерон, Варвара продолжала делать значительные приобретения ювелирных изделий. Так, только в 1906-1907 годах она заплатила 70 000 рублей за драгоценности, среди которых были элегантная полупарюра (demi-parure) из изумрудов и бриллиантов, бриллиантовое колье с подвесками (1906 г.) и украшение с бантом из рубинов и алмазов (lavalière) (1907 г.), три броши. В 1912 году она купила изысканную бриллиантовую тиару[6]. Варвара переехала в Париж, забрав с собой принадлежавшие ей драгоценности, а в 1915 году Кельхи развелись. Александр остался в России, женился вторично, но дела его шли неважно. В конце концов, он полностью разорился и после революции работал уличным торговцем, хотя Варвара приглашала его переехать в Париж. В 1930 году Александр был арестован и пропал в Сибири вместе с миллионами других жертв сталинских репрессий.

Базановы прославились в основном благодаря тому, что владели семью великолепными пасхальными яйцами, созданными Михаилом Перхиным, одним из двух ведущих мастеров фирмы Фаберже. Тот факт, что сегодня все семь упомянутых пасхальных яиц находятся в престижных коллекциях, свидетельствует об их необычайной красоте и высоком мастерстве исполнения:

probably in Paris, and sold by Wartski to King George V in 1933 (not illustrated).

3) 1900 The Pine Cone Egg, Private Collection USA, was sold at Christie's Geneva, 10 May 1989, to the late Joan Kroc for $3,140,000.

4) 1901 The Apple Blossom Egg (Collection Adulf P. Goop, Liechtenstein) was twice auctioned at Christie's Geneva, May 17, 1994, for $861,585 and November 19, 1996, for $1,128,740.

5) 1902 The Rocaille Egg is privately owned in the United States.

6) 1903 The Bonbonnière Egg is privately owned.

7) 1904 The Chanticleer Egg (*The Link of Times Foundation*) (see following number).

NOTES

1. Fabergé/Proler/Skurlov 1997, pp. 70-77.

2. The three Louis XVI *surtouts* commissioned by the Imperial Cabinet from Fabergé for the weddings of Nicholas II and his two sisters, Xenia and Olga, each cost 50,000 rubles.

3. A 1939 Hammer Galleries catalogue shows the easel without a portrait. According to its description in the March 10, 1954 catalogue of Sotheby's King Farouk sale in Cairo (lot 165), "the top of the egg with a bust portrait of the donor Alexander Ferdinandovitch Kelch below a large brilliant-cut diamond." Here, too, the easel has no portrait. Snowman (1962, 1964, 1972, pp. 55, 111, pl. 82) recalled the original initials BK, from his examination of the egg in 1961. By 1962, when the egg was exhibited at the Metropolitan Museum of Art, the portrait of Nicholas II (and presumably the miniature of the Tsarevich in the easel) had been substituted.

4. Habsburg/Solodkoff 1979, p. 120f.

5. Solodkoff 1984, p. 42f.

6. Munich 2003, pp. 229-30, figs. 10-16.

Документальная фотография шести из семи яиц Кельхов, сделанная после их продажи ювелиром Морганом, ок. 1920 г.
Documentary photographs showing six of the seven Kelch eggs when sold by jeweler Morgan c. 1920.

рис. 5
FIG. 5

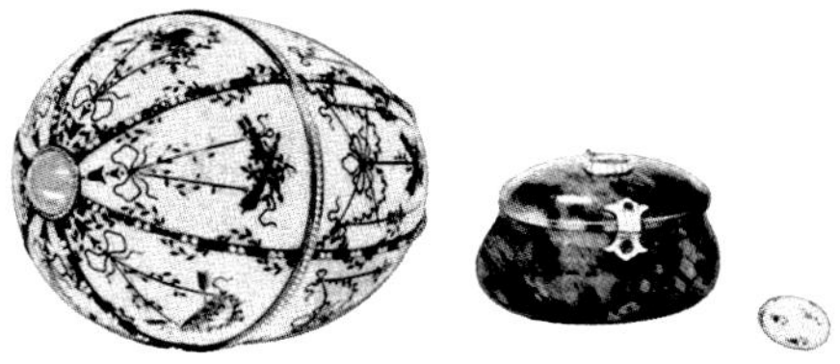

рис. 6
FIG. 6

рис. 7
FIG. 7

1) 1898 год: первое яйцо из принадлежавших семье Кельхов. Оно выполнено по образцу императорского пасхального яйца «Курочка» 1885 года, было продано на аукционе «Сотбис» в Каире по продаже драгоценностей короля Фарука 10 марта 1954 года. Это яйцо купил Александр Шаффер из фирмы «A La Vieille Russie» за 15 225 долларов. В 1961 году оно было продано Лансделлу Кристи, а после его смерти в 1965 году – Малькольму Форбсу.

2) 1899 год: яйцо с двенадцатью миниатюрами, было приобретено Эммануилом Сноумэном, возможно, в Париже, и продано через фирму «Вартски» в 1933 году королю Георгу V (не изображено).

3) 1900 год: яйцо «Сосновая шишка», находится в частной коллекции в США. Оно было продано на аукционе «Кристи» в Женеве 10 мая 1989 года ныне покойной Джоан Крок за 3 140 000 долларов.

4) 1901 год: яйцо «Цветущая яблоня», находится в частной коллекции в США. Оно два раза продавалось на аукционе «Кристи» – в Женеве 7 мая 1994 года за 861 585 долларов и 19 ноября 1996 года за 1 128 740 долларов;

5) 1902 год: яйцо «Рокайль», находится в частной коллекции в США.

6) 1903 год: яйцо «Бонбоньерка», находится в частной коллекции в США.

7) 1904 год: яйцо «Шантеклер» (см. следующее описание).

ПРИМЕЧАНИЯ

1. Fabergé/Proler/Skurlov 1997 [Фаберже Т., Пролер Л., Скурлов В. Императорские пасхальные яйца. Christie's Books, 1997], сс. 70-77.

2. Три настольных украшения (surtouts de table) в стиле Людовика XVI, заказанные Фаберже императорским кабинетом по случаю свадеб Николая II и его двух сестер, Ксении и Ольги, стоили по 50 тыс. руб. каждый.

3. В каталоге 1939 года Галереи Хаммера показан мольберт без портрета. Судя по описанию в каталоге продажи ценностей короля Фарука 10 марта 1954 года на аукционе «Сотбис» в Каире (лот 165), «наверху яйца поясной портрет Александра Фердинандовича Кельха под большим ограненным бриллиантом». В этом каталоге также нет портрета на мольберте. Сноумэн (1962, 1964, 1972, сс. 55, 111, илл. 82) вспоминал, что когда он впервые осматривал яйцо в 1961 году, под бриллиантом были инициалы «ВК». К 1962 году, когда яйцо выставлялось в музее изобразительных искусств Метрополитен, в его оформлении появился миниатюрный портрет Николая II (и, возможно – цесаревича на мольберте).

4. Habsburg/Solodkoff 1979 [фон Габсбург Г, фон Солодкофф А. Фаберже, придворный ювелир царей. Fribourg, 1979], с. 120.

5. Solodkoff 1984. [фон Солодкофф, А. и др. Шедевры Дома Фаберже. Harry N. Abrams, Нью-Йорк, 1984], с. 42 илл.

6. Munich 2003. [Выставка Фаберже/Картье: соперники при царском дворе. Kunsthalle der Hypokulturstiftung, Мюнхен 2003-04], с. 229/30, илл 10-16.

Мастерская Фаберже.
Архивная фотография, ок. 1910 г.

Fabergé workshop.
Archival photograph, c. 1910

Варвара и Александр Кельх	✿	Barbara and Alexander Kelch
Морган и Ко. Париж		Morgan & Cie., Paris
Жак Золотницкий, A La Vieille Russie, Париж, к 1922 году.		Jacques Zolotnitzky, A La Vieille Russie, Paris, by 1922
Галерея Хаммера, Нью-Йорк		Hammer Galleries, New York
Е. В. Король Фарук, Египет (Каирский "Сотбис", 10-13, 17-20 марта 1954 г., лот 165)		H. M. King Farouk, Egypt (Sotheby's Cairo, March 10-13, 17-20, 1954, lot 165, ill. pl. 6)
Лансделл К. "Кристи", Нью-Йорк		Lansdell K. Christie, New York
A La Vieille Russie, Нью-Йорк		A La Vieille Russie, New York
Коллекция семьи Форбс, Нью-Йорк	✿	The Forbes Collection, New York

Нью-Йорк, Галерея Хаммера, *Императорские Русские Пасхальные подарки*, 1939 г., илл. в ненумерованном каталоге.

Вашингтон, Округ Колумбия, Художественная галерея Коркоран, *Пасхальные яйца и другие ценные изделия Карла Фаберже*, 1961 г., № 3, с. каталога 26, илл. на с. 21.

Нью-Йорк, Музей искусств Метрополитан, 1962-65 г., № L.62.8.3.

Нью-Йорк, Нью-Йоркский Культурный центр, *Фаберже из коллекции журнала «Форбс»*, 11 апреля-22 мая 1973 г., № 6, сс. 13, 38, 110 каталога, илл. на с. 39.

Бостон, Массачусетс, Музей изобразительных искусств, *Императорские пасхальные яйца дома Фаберже*, 10 апреля-27 мая 1979 г., ненумерованный перечень.

Ричмонд, Виржиния, Музей изобразительных искусств / Миннеаполис, Миннесота, Миннеапольский Институт искусств /Чикаго, Иллинойс, Художественный институт Чикаго, *Фаберже, Избранные экспонаты из коллекции журнала «Форбс»*, 1983 г., № 92, перечень на сс. 7, 9, 16.

Форт-Уорт, Техас, Художественный музей Кимбелл, *Фаберже, коллекция журнала «Форбс»*, 25 июня-18 сентября 1983 г., № 180 по списку.

Детройт, Мичиган, Художественный институт Детройта, *Фаберже, коллекция журнала «Форбс»*, 27 июня-12 августа 1984 г., № 139 по списку.

Нью-Йорк, Музей искусств Метрополитан / Сан-Франциско, Калифорния, Мемориальный музей де Янг / Ричмонд, Виржиния, Virginia Музей изобразительных искусств / Новый Орлеан, Луизиана, Музей искусств Нового Орлеана / Кливленд, Огайо, Музей искусств Кливленда, *Фаберже в Америке*, 1996/97 г., № 208, сс. 114, 191, 214, 230 каталога, илл. на с. 214.

New York, Hammer Galleries, *Imperial Russian Easter Gifts*, 1939, ill. in an unnumbered catalogue.

Washington, D.C., The Corcoran Gallery of Art, *Easter Eggs and Other Precious Objects by Carl Fabergé*, 1961, no. 3, cat. p. 26, ill. p. 21.

New York, Metropolitan Museum of Art, 1962-65, no. L.62.8.3.

New York, The New York Cultural Center, *Fabergé from the Forbes Magazine Collection*, April 11–May 22, 1973, no. 6, cat. pp. 13, 38, 110, ill. p. 39.

Boston, Massachusetts, The Museum of Fine Arts, *The Imperial Easter Eggs from the House of Fabergé*, April 10-May 27, 1979, unnumbered checklist.

Richmond, Virginia, Virginia Museum of Fine Arts/Minneapolis, Minnesota, The Minneapolis Institute of Art/Chicago, Illinois, The Art Institute of Chicago, *Fabergé, Selections from The Forbes Magazine Collection*, 1983, no. 92, checklist pp. 7, 9, 16.

Fort Worth, Texas, The Kimbell Art Museum, *Fabergé, The Forbes Magazine Collection*, June 25-September 18, 1983, checklist no. 180.

Detroit, Michigan, The Detroit Institute of Arts, *Fabergé, The Forbes Magazine Collection*, June 27–August 12, 1984, checklist no. 139.

New York, Metropolitan Museum of Art/San Francisco, California, H. M. De Young Memorial Museum/ Richmond, Virginia, Virginia Museum of Fine Arts/New Orleans, Louisiana, New Orleans Museum of Art/Cleveland, Ohio, The Cleveland Museum of Art, *Fabergé in America*, 1996/97, no. 208, cat. pp. 114, 191, 214, 230, ill. p. 214.

Snowman, A. K. *The Art of Carl Fabergé*, London, 1953/55, p. 105, ill. no. 357, 1962/64/68/74, ill. pp. 111,114, ill. colorplate LXXXII.

Snowman, A. K. *Lansdell K. Christie, New York: Objects d'Art by Fabergé*, New York, 1963, p. 249, ill. p. 242.

McNab, Dennis J. "Fabergé's Objects of Fantasy," *Metropolitan Museum of Art Bulletin*, Vol. 23, March 1965, p. 242, ill. no. 26.

Forbes Magazine, May 1, 1968, p. 67, ill.

Forbes Magazine, July 15, 1973, p. 76, ill.

"An Easter Fantasy: Fabergé Eggs," *Architectural Digest*, March/April 1973, p. 56, ill. p. 57.

von Habsburg, G. "Carl Fabergé: Die glanzvolle Welt eines Koniglichen Juweliers," *Du*, Vol. 37, no. 442, December 1977, p. 87, ill.

Waterfield, H. and Forbes, C. *Fabergé Imperial Eggs and Other Fantasies*, New York, 1978, no. 10, pp. 32, 130, 133, 135, 138, 142, ill. pp. 33, 138, 142.

Brown, E. "When Easter Time was Fabergé Time," *The New York Times Magazine*, April 15, 1979, p. 68, ill. p. 65.

von Habsburg, G. and von Solodkoff, A. *Fabergé, Court Jeweler to the Tsars*, New York, 1979/84, pp. 108, 120, 139, 158, ill. pl. no. 141, index pl. no. 58.

Amaya, M. "The Forbes Magazine Collection," *The Connoisseur*, Vol. 203, no. 818, April 1980, p. 266, ill. p. 269.

Forbes, C. *Fabergé Eggs, Imperial Russian Fantasies*, New York, 1980, pp. 5, 7, 24, 26, ill. pp. 25, 27.

Hess, A. "Forbes's Fabulous Fabergé," *Saturday Review*, August 1980, p. 44.

Schaffer, P., et. al. (A La Vieille Russie). *Fabergé*, New York, 1983, p. 17.

von Solodkoff, A. *Masterpieces from the House of Fabergé*, New York, 1984, p.185, ill.

von Habsburg, G. *Fabergé* (English edition, Munich 1986/87 catalogue), Geneva/New York, 1987/88, p. 99.

von Solodkoff, A. *Fabergé*, London, 1988, pp. 39, 40, 47.

Forbes, C. "Forbes' Fabulous Fabergé," *USA Today*, Vol. 117, July 1988, p. 38, ill.

Hill, G. *Fabergé and the Russian Master Goldsmiths*, New York, 1989, p. 62, ill. pl. no. 65.

Moore, A. *Theo Fabergé and the St. Petersburg Collection*, London, 1989, p. 51.

Pfeffer, S. *Fabergé Eggs: Masterpieces from Czarist Russia*, New York, 1990, pp. 16, 52, 86, ill. p. 53.

Booth, J. *The Art of Fabergé*, New Jersey, 1990, pp. 101, 102, 111, 175, ill. pp. 102, 103, 111.

Manroe, C. O. *Decorative Eggs*, New York, 1992, pp. 82, 84, 93, ill. p. 83.

von Habsburg, G. and Lopato, M. *Fabergé: Imperial Jeweller*, New York, 1993, pp. 44, 163, 307.

Kelly, M. *Imperial Surprises: A Pop-up Book of Fabergé Masterpieces*, New York, 1994, p. 2, ill.

Polak, M. A. "The Great Fabergé Egg Hunt," *Royalty*, March 1995, Vol. 13, no. 8, p. 36, ill.

von Habsburg, G. *Fabergé in America*, San Francisco, 1996, pp. 114, 191, 214, 230, ill. p. 214.

von Habsburg, G. *Fabergé Fantasies and Treasures*, 1996, p.37, ill. pl. 14.

Fabergé, T., Proler, L., and Skurlov, V. *The Fabergé Imperial Easter Eggs*, London, 1997, pp. 71, 72, 77, ill. pp. 71, 72.

Forbes, C. and Tromeur-Brenner, R. *Fabergé: The Forbes Collection*, Southport, 1999, pp. 65, 273, ill. p. 64.

von Habsburg, G. *Fabergé: Imperial Craftsman and His World*, London, 2000, p. 16.

Lowes, W., and McCanless, C. L. *Fabergé Eggs: A Retrospective Encyclopedia*, London, 2001, pp. 15, 152-154, 247, 253, 256, 257, 258, 259, 260, 261, 262, 270, ill.

Яйцо «Шантеклер» из коллекции семьи Кельх

The Kelch Chanticleer Egg

Яйцо «Шантеклер» из коллекции семьи Кельх

The Kelch Chanticleer Egg

ЯЙЦО «ШАНТЕКЛЕР» ИЗ КОЛЛЕКЦИИ СЕМЬИ КЕЛЬХ, ДВУЦВЕТНОГО ЗОЛОТА С ЭМАЛЬЮ И ДРАГОЦЕННЫМИ КАМНЯМИ; МАСТЕР МИХАИЛ ПЕРХИН, САНКТ-ПЕТЕРБУРГ, ОКОЛО 1904 ГОДА

Часы в форме пасхального яйца, покрытые ярко-синей, прозрачной эмалью поверх зигзагообразного гильоше, увенчанного провисающими лавровыми гирляндами, перевитыми лентами красного золота. Яйцо опоясано фризом, выложенным жемчугом. Циферблат белой эмали расписан замкнутым, огибающим каждую цифру красно-зеленым орнаментом из листьев и ягод. Яйцо завершено плоской, ажурно орнаментированной розеткой, под которой скрывается «сюрприз» – петушок- шантеклер пестрой и яркой эмали, усыпанный алмазами. Каждый час розетка откидывается и из-под нее поднимается шантеклер, который поет, взмахивая крыльями и открывая клюв. На оборотной стороне яйца имеется круглая ажурная дверка к сложному часовому механизму. Яйцо поставлено на ножку, опирающуюся на пьедестал четырехугольного сечения со срезанными углами. Его вогнутые боковые плоскости покрыты такой же, как и яйцо, синей эмалью с накладными эмблематическими мотивами цветного золота, изображающими, с лицевой стороны – атрибуты Амура – стрелы и колчан в венке, с одной боковой стороны – рог изобилия, с другой и с оборотной стороны – символы наук и искусств. Плоскости срезанных углов, цоколя и фриза пьедестала покрыты прозрачной перламутровой эмалью по гильошированному фону; по углам рельефно выступает золотой лист аканта, с которого свисает гирлянда, перехваченная витым шнуром с кистями. На цоколе и фризе – накладной орнамент из патер (тарелок) красного золота, от которых отходят гирлянды колокольчиков зеленого золота. Над выступающей частью цоколя уложен золотой лавровый жгут, перевитый лентами. Пьедестал слегка приподнят над поверхностью с помощью небольших расплющенных по углам ножек. *Клейма: подпись по-русски Якова Ляпунова (1899-1904), 59 стандарт золота 14-карат.*

ВЫСОТА 32 СМ В РАСКРЫТОМ ВИДЕ.

THE KELCH CHANTICLEER EGG: A FABERGÉ TWO-COLOR GOLD, ENAMEL AND JEWELED EASTER EGG, WORKMASTER MICHAEL PERCHIN, ST. PETERSBURG, 1904

A clock in the form of an Easter egg enameled translucent brilliant royal blue over a *guilloché* ground, applied with green gold swags of laurel tied with red gold ribbons and with a pearl-set girdle, the white enamel dial painted with green and red garlands of berried foliage, the border set with seed pearls, the top of the egg with a roseate pierced gold rondel hinged to reveal the "surprise" which is an automated brightly enameled gold chanticleer profusely set with diamonds, its articulated head, wings and beak moving when the hour is crowed, the back of the egg with an intricately pierced round gold door providing access to the complex mechanism, the socle enameled translucent oyster over a *guilloché* ground between gold flutes and applied with bellflowers, the lower edge chased with a ribbon-tied laurel wreath, the square plinth with incurved sides also enameled translucent royal blue, the front applied with a varicolor gold love trophy, one side with a cornucopia, the other side and the back with music trophies, the corners enameled translucent oyster over a *guilloché* ground, hung with laurel swags and with tasseled cords pendent from boldly chased acanthus leaves, the borders of the plinth also enameled translucent oyster over a *guilloché* ground and applied with green gold bellflowers and red gold paterae, each corner of the base raised on two compressed bun feet, *marked with Cyrillic initials of workmaster, Fabergé in Cyrillic and assay mark of Yakov Lyapunov (1899-1904), 56 standard for 14 karat gold.*

HEIGHT 12⅝ IN. (32 CM) WITH RAISED LID

Яйцо «Шантеклер», наряду с яйцом «Успенский собор» (Оружейная палата Кремля, Москва) – это одно из самых крупных пасхальных яиц, выполненных фирмой Фаберже. В течение долгого времени считалось, что оно входит в серию императорских пасхальных яиц. Это мнение высказывал и один из самых известных исследователей творчества Фаберже Кеннет Сноумэн в многочисленных публикациях (1953, 1962, 1963, 1964, 1972). Описываемое яйцо выставлялось как принадлежащее императорской серии в нескольких знаменитых художественных музеях: галерея Коркоран, Вашингтон, 1961; художественный музей Метрополитан, Нью-Йорк, 1962; Музей Виктории и Альберта, Лондон, 1977; Музей естествознания, Вена, 1991. В 1966 году Малькольм Форбс приобрел его в нью-йоркской фирме «A La Vieille Russie», будучи уверенным, что это одно из императорских пасхальных яиц, и впоследствии директора и хранители музея Форбсов неизменно придерживались того же мнения. В довершение всего яйцо «Шантеклер» изображено на фотографии, документирующей деятельность фирмы Фаберже. Оно находится на рабочем столе в мастерской Вигстрема, рядом со шлемом, который по заказу Николая II был изготовлен мастером в подарок Кайзеру Вильгельму.

Первые сомнения в том, что яйцо «Шантеклер» принадлежит императору, появились в 1979 году[1], когда был окончательно

The Chanticleer Egg is, together with the Uspensky Cathedral Egg (Kremlin Armory Museum, Moscow), one of Fabergé's largest Easter eggs. It was long believed to be an Imperial egg and was credited as such by the doyen of Fabergé scholars, Kenneth Snowman, in various publications (1953, 1962, 1963, 1964, 1972). It was also exhibited as an Imperial egg in several major museums (Corcoran Gallery, Washington, D.C., 1961; Metropolitan Museum of Art, New York, 1962; Victoria and Albert Museum, London, 1977; and Naturhistorische Museum, Vienna, 1991). In 1966 Malcolm Forbes acquired it from it A La Vieille Russie, New York, believing it to be an Imperial egg, and thereafter the directors and curators of the Forbes Collection staunchly defended it as such. To further support that contention, the Chanticleer Egg is shown in a Fabergé documentary photograph on a workbench of the Wigström workshop (fig. 1) alongside a helmet presented by Tsar Nicholas II to Kaiser Wilhelm II.

Doubts were first raised as to its Imperial status in 1979,[1] when the ownership of six eggs illustrated in a 1920 photograph was attributed to a certain Alexander Ferdinandovich Kelch. These included several eggs which had hitherto been considered Imperial (for example, the Pine Cone Egg and the Chanticleer Egg) as well as three others bearing the initials BK of Barbara Kelch (the Hen Egg, Bonbonnière Egg and Rocaille Egg). Léon Grinberg of A La Vieille Russie, Paris, together

Интерьер мастерской главного мастера
фирмы Фаберже. На рабочем столе – яйцо
«Шантеклер» и шлем Кайзера Вильгельма II.
Архианая фотография, 1903 г.

Interior of the Fabergé head workmaster's
workshop, with the Chanticleer Egg and the Kaiser
Wilhelm II Helmet visible on the workbenches.
Archival photograph, 1903

установлен владелец шести яиц, изображенных на фотографии 1920 года – Александр Фердинандович Кельх. В этот набор пасхальных яиц входили те, которые до того времени считались принадлежавшими к императорской серии (например, «Сосновая шишка» и «Шантеклер»), а также три других, на которых имелись инициалы «ВК» Варвары Кельх («Курочка», «Бонбоньерка» и «Рокайль»). Леон Гринберг из фирмы «A La Vieille Russie» (Париж) вместе со своим дядей Жаком Золотницким, приобрели упомянутый набор яиц у ювелира Моргана на улице rue de la Paix за 40 000 франков (3 000 долларов), полагая, что они, *«несомненно, были императорскими пасхальными подарками»*, как Гринберг писал в своих заметках в то время, которые впоследствии опубликовал Александр фон Солодков². Однако, такое заключение было подвергнуто сомнению со стороны Александра Фаберже, утверждавшего, что они были заказаны фирме Александром Кельхом для супруги Варвары. Гринберг продал эти шесть яиц из коллекции Кельха американскому коллекционеру в 1928 году за 200 000 франков (7 800 долларов).

Яйцо «Шантеклер» является одним из трех пасхальных яиц, выполненных фирмой Фаберже, с использованием механизма заводной певчей птички, в конструкцию двух из них были включены и часы: «Голубое яйцо-часы со змеей» (находится в коллекции Его Императорского Высочества Принца Монако Ренье) и яйцо «Петушок» (с. 198). По сравнению с перечисленными пасхальными яйцами, яйцо «Шантеклер» имеет более сложный механизм. Он изображен на трех иллюстрациях в монографии 1958 года, посвященной автоматическим устройствам³ и детально там описан:
«Каждый час в верхней части яйца открывается маленькая дверка из червонного золота, украшенная орнаментальной гравировкой и заключенная в оправу, и золотой петушок, покрытый эмалью и отделанный бриллиантами, выскакивает из «скорлупы» (рис. 1). Он хлопает крыльями, кукарекает и исчезает в своем укрытии, после чего раздается бой часов, а затем дверка опять захлопывается… Механизм часов весьма сложен. Он состоит из трех отдельных кинематических цепочек,

with his uncle Jacques Zolotnitzky, had acquired the eggs from the jeweler Morgan in rue de la Paix for 40,000 Francs ($3,000) believing "they must be Imperial Easter presents" as Grinberg wrote in his notes at the time, later published by Alexander von Solodkoff. However, this conclusion was cast into doubt by Alexander Fabergé, who asserted that they had been commissioned by Alexander Kelch for his wife, Barbara. Grinberg sold the six Kelch eggs to an American collector in 1928 for 200,000 Francs ($7,800).

The Chanticleer Egg is one of three Fabergé Easter eggs with singing-bird mechanisms, of which two also incorporate clocks. The others are the Blue Serpent Clock Egg (now in the collection of H.S.H. Prince Rainier III of Monaco) and the Cockerel Egg (p. 198). Of the above eggs, the Chanticleer egg has by far the most sophisticated mechanism. It is illustrated three times in a 1958 monograph on automata,⁵ which describes the mechanism in great detail as follows: "At each hour a little door made of red gold, engraved and chased, opens in the upper part, and a golden cock decorated with diamonds and enamels comes out of the shell (fig. 1). It flaps its wings, crows and then disappears, whereupon the strokes of the hour are heard and the cover shuts again…. The mechanism is very complicated. It consists of three separate trains, two of which are further subdivided. Three independent barrels actuate the five following mechanisms, here considered in three groups.

"1.a) The clock movement itself with a platform escapement, this can be seen in the left-hand part of fig. 3. b) The mechanism for raising the cock, to be seen in the right-hand part of fig. 3. "2.a) The mechanism with a camshaft producing the movements of the cock and controlling its crowing, and the left-hand part of fig. 2 and b) the clockwork for the striking mechanism, the right-hand part of fig. 4. "3.) The mechanism working the bellows which produce compressed air for the cock's crow. This piece is situated in the base of the clock.

"All these mechanisms come into action one after the other, each performing its own task, then releasing the next train and stopping itself automatically.

рис. 1 *Золотой петушок*
FIG. 1 *Crowing chanticleer*

рис. 2 *Вид внутреннего механизма*
FIG. 2 *Interior view of mechanism*

рис. 3 *Вид внутреннего механизма*
FIG. 3 *Interior view of mechanism*

две из которых, в свою очередь, подразделяются на другие цепочки. Три независимых барабана приводят в действие пять механизмов, которые мы рассмотрим, объединив их в три группы.

«1.а) Собственно привод часов с регулятором хода. Его можно увидеть в левой части рисунка 2 б) Механизм для подъема петушка, он изображен в правой части рисунка 3. «2.а) Механизм с кулачковым валом, осуществляющий движения петушка и управляющий кукареканием, левая часть рисунка 2, и б) привод механизма боя часов, правая часть рисунка 4. «3.) Механизм, приводящий в действие мехи (сильфоны), сжатый воздух из которых заставляет петушка кукарекать. Эта часть размещается в основании часов.

Все три механизма приводятся в действие один за другим, каждый выполняет назначенную ему задачу, запускает следующую кинематическую цепочку и автоматически останавливается.

Часовой механизм работает непрерывно. На оси минутного колесика есть спиральный кулачок, который постепенно поднимает деблокирующий молоточек, рис. 2. За три минуты до каждого часа, высвобождается часовой храповик, падая в выемку плоской спирали, что определяет количество будущих ударов боя часов. Одновременно освобождается механизм подъема петушка, видимый в правой части рисунка 4, теперь он удерживается только маленьким штырьком, нажимающим на рычаг большего размера, соединенный с деблокирующим молоточком. Каждый раз, когда минутная стрелка подходит к 12, молоточек падает в выемку плоской спирали и ударяет по стопорному рычагу; это запускает подъемный механизм, петушок поднимается вверх и выскакивает из яйца. Рабочее колесико устроено таким образом, что один его оборот поднимает петушка на нужную высоту. В конце подъема нижняя часть подъемной рейки надавливает на рычаг, запускающий механизм движений петушка, рис. 4. Птичка хлопает крыльями четыре раза, управление крыльями

"The clock mechanism runs continuously. On the arbor of the minute wheel is a spiral cam, which gradually raises the release hammer, fig. 2. Three minutes before the hour, the hour ratchet is released, falls into a notch in the snail and determines the number of strokes to be sounded. At the same time, the mechanism for raising the cock, seen in the right portion of fig. 3, is freed, now held only by a light pin pressing against a large lever connected to the release hammer. At the exact hour, the hammer falls into the notch on the spiral cam and strikes the stop lever; the raising mechanism is now released, the cock rises up and comes out of the egg. The wheel-work is so arranged that one turn of the wheel lifts the bird to the exact level required. At the end of its journey, the lower part of the lifting rack meets a lever releasing the mechanism, fig. 4, for producing movements of the cock; the bird flaps its wings four times, the wings are controlled by a draw-rod passing up the cock's left leg. This rod connects with a lever resting on a cam, whose arbor has just been set in motion. At the same time, the wheelwork in the base starts up. The bellows come into action, and the cock crows. On the same arbor, are two cams which raise in required rhythm, the keys of two reed pipes attached to the air distributor – all this can be clearly seen in fig. 5.

"At the same time the cock pushes forward his head with a natural movement, and opens his beak. These movements are synchronized with the crowing; they are produced by a rod passing up the right leg of the bird, and this rod is moved by an appropriate cam on the main camshaft.

"After the cock has crowed three times, a stud on a special cam releases the striking mechanism, while the movement of the bellows is stopped. An instant later, when the camshaft has made a complete turn, the brake lever drops into a notch and arrests it. The striking takes place and the rack, seen on the right in fig. 4, is lifted tooth by tooth. At the last stroke, it pushes an arbor with a free endways movement, which in turn disengages a pinion in the train of the raising mechanism. The last wheels of this train are thus freed, and the weight of the cock is enough to make it descend into its nest, drawing down with it the top or cover of the egg. The engagement of the

рис. 4 *Вид внутреннего механизма*
FIG. 4 *Interior view of mechanism*

рис. 5 *Вид внутреннего механизма*
FIG. 5 *Interior view of mechanism*

происходит с помощью тягового штока, проходящего над левой ногой петушка. Этот шток соединен с рычагом, лежащем на кулачке, чья ось только что была приведена в движение. Одновременно начинает вращаться рабочее колесико в основании. Начинают работать мехи, и петушок кукарекает. На той же самой оси расположены два кулачка, которые задают требуемый ритм, и клавиши двух язычковых трубок, соединенных с распределителем воздуха, – все это хорошо видно на рисунке 5.

«В то же самое время петушок вполне натурально вытягивает шею и открывает клюв. Эти движения синхронизированы с кукареканием; они производятся с помощью тягового штока, проходящего над правой ногой петушка и приводящегося в движение соответствующим кулачком на основном валу.

После того, как петушок прокричит три раза, штифт на специальном кулачке освобождает ударный механизм, и в это время мехи заканчивают движение. Через короткий промежуток времени, когда кулачковый вал совершит полный оборот, стопорный рычаг упадет в выемку и застопорит вал. Начинается бой часов, и рейка, зуб за зубом, спускается вниз (это видно на рисунке 4 справа). С последним ударом рейка толкает штырь свободным концом вперед, а штырь, в свою очередь, выводит из зацепления шестерню в цепочке подъемного механизма. Таким образом, освобождается последнее колесико кинематического механизма, после чего веса петушка оказывается достаточно, чтобы он опустился в гнездо, утягивая за собой крышку, закрывающую яйцо. Следующее зацепление шестерни произойдет лишь после очередного падения рейки на плоскую спираль за три минуты до начала боя очередного часа.

«Среди бумаг, принадлежавших Евгению Фаберже, сыну Карла, есть фотография другого яйца с кукарекающим петушком, выполненного по заказу Высочайшего Двора яйцо [см. яйцо «Петушок» (с. 198)], но его оформление существенно отличается от описываемого.»

Варвара Петровна Базанова, для которой было изготовлено это яйцо, происходит из чрезвычайно богатой семьи московских купцов. Сведения о ней приведены в описании яйца «Курочка», выполненного первым для семьи Кельх (см. с. 288).

ПРИМЕЧАНИЯ

1. фон Габсбург Г, фон Солодкофф А. *Фаберже, придворный ювелир царей.* Fribourg, 1979, с. 120.

2. фон Солодкофф, А. и др. *Шедевры Дома Фаберже.* Harry N. Abrams, Нью-Йорк, 1984, с. 42.

3. Чапуи А., Дроз Е. Автоматы. Исторический и технологический обзор. Перевод на англ. Central Book Company, Нью-Йорк, 1958, с. 230-232.

pinion takes place only when the rack again falls on its snail, three minutes before the clock strikes the next hour.

"Among the papers in the possession of Eugène Fabergé, Carl's son, is a photograph of another egg, with a crowing cock, also made for the Russian court [*sic*, the Cockerel Egg (p. 198)], but the decoration is quite different."

Varvara, or Barbara, Petrovna Bazanova, the recipient of this egg, descended from a very affluent family of Muscovite merchants. Her story is told in the notes accompanying the First Kelch Hen Egg (see page 288).

NOTES
1. Habsburg/Solodkoff 1979, p. 120f.
2. Solodkoff 1984, p. 42f.
3. Alfred Chapuis and Edmond Droz, *Automata. A Historical and Technological Survey.* English translation Central Book Company, New York, 1958, pp. 230-232.

Архивная фотография интерьера в особняке Кельхов. На заднем плане – сервис в неоготическом стиле, выполненный Фаберже, ок. 1905 г.
Interior of Kelch Mansion in St. Petersburg with Neo-Gothic service by Fabergé in the background. Documentary photograph c. 1905

ПРОВЕНАНС

Варвара и Александр Кельх

Жак Золотницкий, A La Vieille Russie, Париж, к 1922 году.

Галерея Хаммера, Нью-Йорк

Морис Сандоз, Швейцария

A La Vieille Russie, Inc., Нью-Йорк

Лансделл К. «Кристи», Нью-Йорк

Коллекция семьи Форбс, Нью-Йорк

PROVENANCE

Barbara and Alexander Kelch

Jacques Zolotnitzky, A La Vieille Russie, Paris, by 1922

Hammer Galleries, New York

Maurice Sandoz, Switzerland

A La Vieille Russie, Inc., New York

Lansdell K. Christie, New York

The Forbes Collection, New York

ВЫСТАВКИ

Нью-Йорк, Галерея Хаммера, *Императорские Русские Пасхальные подарки*, 1939 г., илл. в ненумерованном каталоге.

Нью-Йорк, A La Vieille Russie, *Искусство Петера Карла Фаберже*, 25 октября-7 ноября 1961 г., № 295, каталога, сс. 16, 94, илл. на с. 95.

Вашингтон, Округ Колумбия, Художественная галерея Коркоран, *Пасхальные яйца и другие ценные изделия Карла Фаберже*, 1961 г., № 2, сс. каталога 14, 25, илл. на с. 8.

Нью-Йорк, Нью-Йоркский Культурный центр, *Фаберже из коллекции журнала «Форбс»*, 11 апреля-22 мая 1973 г., № 3, сс. 4, 30 каталога, илл. на сс. 30, 31.

Лондон, Музей Виктории и Альберта, *Фаберже, 1846-1920 (по случаю Серебряного юбилея королевы)*, 23 июня-25 сентября 1977 г., № L2, с. 71 каталога, илл. на сс. 71, 78.

Форт-Уорт, Техас, Художественный музей Кимбелл, *Фаберже, коллекция журнала «Форбс»*, 25 июня-18 сентября 1983 г., № 192 по списку.

Детройт, Мичиган, Художественный институт Детройта, *Фаберже, коллекция журнала «Форбс»*, 27 июня-12 августа 1984 г., № 135 по списку.

Ричмонд, Виржиния, Музей изобразительных искусств / Миннеаполис, Миннесота, Миннеапольский Институт искусств / Чикаго, Иллинойс, Художественный институт Чикаго, *Фаберже, избранные экспонаты из коллекции журнала «Форбс»*, 1983 г., № 96, перечень на с. 16.

Лондон, "Сотбис", *Серебряные изделия Фаберже из коллекции журнала «Форбс»*, 1-28 января 1991 г., № 1 сс. каталога 5, 6, илл. на сс. 5, 7.

Вена, Музей естественной истории, *Сокровища царей*, 13 марта-9 июля 1991 г., сс. каталога 54, 55, илл. на сс. 54, 55.

Нью-Йорк, Музей искусств Метрополитан / Сан-Франциско, Калифорния, Мемориальный музей де Янг / Ричмонд, Виржиния, Музей изобразительных искусств / Новый Орлеан, Луизиана, Музей искусств Нового Орлеана / Кливленд, Огайо, Музей искусств Кливленда, *Фаберже в Америке*, 1996/97 г., № 210, сс. 191, 217, 230 каталога, илл. на с. 216.

Лас-Вегас, Невада, Отель и казино Rio All-Suites, *Петергоф: Сокровища России*, 7 ноября-15 апреля 1998-99 г., сс. 8, 102 каталога, илл.

EXHIBITED

New York, Hammer Galleries, *Imperial Russian Easter Gifts*, 1939, ill. in unnumbered catalogue.

New York, A La Vieille Russie, *The Art of Peter Carl Fabergé*, October 25-November 7, 1961, no. 295, cat. pp. 16, 94, ill. p. 95.

Washington, D.C., The Corcoran Gallery of Art, *Easter Eggs and Other Precious Objects by Carl Fabergé*, 1961, no. 2, cat. pp. 14, 25, ill. p. 8.

New York, The New York Cultural Center, *Fabergé from the Forbes Magazine Collection*, April 11-May 22, 1973, no. 3, cat. pp. 4, 30, ill. cat. pp. 30, 31.

London, Victoria and Albert Museum, *Fabergé, 1846-1920* (held on the occasion of the Queen's Silver Jubilee), June 23-September 25, 1977, no. L2, cat. p. 71, ill. pp. 71, 81.

Fort Worth, Texas, The Kimbell Art Museum, *Fabergé, The Forbes Magazine Collection*, June 25-September 18, 1983, checklist no. 192.

Detroit, Michigan, The Detroit Institute of Arts, *Fabergé, The Forbes Magazine Collection*, June 27-August 12, 1984, checklist no. 135.

Richmond, Virginia, Virginia Museum of Fine Arts/Minneapolis, Minnesota, The Minneapolis Institute of Art/Chicago, Illinois, The Art Institute of Chicago, *Fabergé, Selections from the Forbes Magazine Collection*, 1983, no. 96, checklist p. 16.

London, Sotheby's, *Fabergé Silver from The Forbes Magazine Collection*, January 1-January 28, 1991, cat. no. 1, pp. 5-6, ill. pp. 5, 7.

Vienna, The Naturhistorische Museum Wien, *Treasures of the Czars*, March 13-July 9, 1991, cat. pp. 54, 55, ill. pp. 54, 55.

New York, Metropolitan Museum of Art/San Francisco, California, H. M. De Young Memorial Museum/Richmond, Virginia, Virginia Museum of Fine Arts/New Orleans, Louisiana, New Orleans Museum of Art/Cleveland, Ohio, The Cleveland Museum of Art, *Fabergé in America*, 1996/7, no. 210, cat. pp. 191, 217, 230, ill. p. 216.

Las Vegas, Nevada, Rio All-Suites Hotel & Casino, *Peterhof: Treasures of Russia*, November 7, 1998-April 15, 1999, cat. pp. 8, 102, ill.

Snowman, A. K. *The Art of Carl Fabergé*, 1953/62/64/68, pp. 94, 95, ill. nos. 343, 344, 345, ill. plate LXXVI.

Pavlovna, M. "The Russian Easter Egg," *Harpers Bazaar*, April 1938, p. 183.

Snowman, A. K. "Lansdell K. Christie, New York: Objects d'Art by Fabergé," *Great Private Collections*, ed. D. Cooper, New York, 1963, p. 249, ill. p. 241.

Dennis, J. M. "Fabergé's Objects of Fantasy," *Metropolitan Museum of Art Bulletin*, Vol. 23, March 1965, p. 241, ill.

Forbes Magazine, 1967, p. 40.

Snowman, A. K. "Carl Fabergé in London," *Nineteenth Century*, Summer 1977, p. 55, ill. p. 52.

Watts, W. H. "Peter Carl Fabergé, Jeweler to the Czars," *Palm Beach Life*, Vol. 71, no. 3, March 1978, p. 84.

Waterfield, H. and Forbes, C. *Fabergé Imperial Eggs and Other Fantasies*, New York, 1978, pp. 8, 22, 24, 121, 130, 132, 135, 138, ill. pp. 23, 121, 138, back cover.

Forbes, C. "Fabergé Imperial Easter Eggs in American Collections," *Antiques*, Vol. CXV, no. 6, June 1979, pp. 1238, 1241, ill. plate XVII.

Poindexter, J. "A Collection of Imperial Splendors," *United Mainliner*, October 1979, pp. 65, ill.

von Habsburg, G. and von Solodkoff, A. *Fabergé, Court Jeweler to the Tsars*, New York, 1979/84, pp. 108, 120, 158, ill. pl. nos. 141 and 143, index pl. no. 64.

Banister, J. "Rites of Spring," *Art and Antiques Weekly*, Vol. 40, no. 6, April 5, 1980, p. 38.

Forbes, C. *Fabergé Eggs, Imperial Russian Fantasies*, New York, 1980, pp. 5, 16, ill. p. 17 and an unnumbered page.

Gibney, T. A. "Fabulous Fabergé," *Chubb Circle*, October/November 1980, pp. 20-21, ill. p. 21.

Sears, D. "When Fantasy Reigned," *Collector Editions Quarterly*, Spring 1980, p. 29, ill.

A La Vieille Russie, *Fabergé*, New York, 1983, cat. p. 17.

Schaffer, P. "Fabergé," *Smithsonian*, June 1983, p. 17.

Snowman, A. K. "Fabergé from Great Britain and New York," *Antiques*, April 1983, p. 815.

von Solodkoff, A. *Masterpieces from the House of Fabergé*, New York, 1984, p. 187, ill.

Kelly, M. *Highlights from the Forbes Magazine Galleries*, New York, 1985, p. 14, ill. on cover.

Forbes, C. "Imperial Treasures," *Art & Antiques*, April 1986, p. 86, ill. p. 57.

von Solodkoff, A. *Fabergé Clocks*, London, 1986, p. 3.

James, J. "Fabergé: The Grandest Easter Egg Hunt," *Echelon*, March 1986, ill. p. 15 and table of contents page.

Riley, N. "Fabergé for the Favoured," *Blue Chip*, August 1986, ill. p. 27.

von Habsburg, G. *Fabergé* (English edition, Munich 1986/87 catalogue), Geneva, 1987, pp. 99, 103.

Forbes, C. "A Letter on Collecting Fabergé," *The Burlington Magazine*, September 1987, p. 12.

Lipmann, E. "Les Oeufs de la Passion," *Expression*, July/August 1987, p. 78, ill. pp. 71, 72, 78.

Forbes, C. "Forbes' Fabulous Fabergé," *USA Today*, July 1988, p. 43, ill. p. 40.

von Solodkoff, A. *Fabergé*, London, 1988, pp. 28, 39, 40, 47.

Hill, G. *Fabergé and the Russian Master Goldsmiths*, New York, 1989, p. 22.

Forbes, M. *More Than I Dreamed*, New York, 1989, pp. 220, ill.

Moore, A. *Theo Fabergé and the St. Petersburg Collection*, London, 1989, p. 51.

Kaonis, D. "The Forbes Legacy: The Empire Without Malcolm," *The Inside Collector*, July/August 1990, pp. 35, 36, ill.

Cerwinske, L. *Russian Imperial Style*, New York, 1990, ill. p. 55.

Booth, J. *The Art of Fabergé*, New Jersey, 1990, pp. 101, 103, 111, ill. pp. 105, 111.

von Habsburg, G. and Lopato, M. *Fabergé: Imperial Jeweller*, New York, 1993, pp. 47, 83, 153, 164, 307.

Polak, M. A. "The Great Fabergé Egg Hunt," *Royalty*, March 1995, Vol. 13, p. 26, ill.

Kelly, M. "Clocks Fit for a Czarina" *Chronos*, Summer/Fall 1995, pp. 50, 52, ill.

Murray, S. "The Forbes Fabergé Egg Collection," *Figurines & Collectibles*, August 1996, pp. 68, 71, ill. p. 68.

von Habsburg, G. *Fabergé in America*, San Francisco, 1996, pp. 191, 217, 230, ill. p. 216.

Fabergé, T., Proler, L., and Skurlov, V. *The Fabergé Imperial Easter Eggs*, London, 1997, pp. 71, 77, ill. pp. 71, 76.

Forbes, C. and Tromeur-Brenner, R. *Fabergé: The Forbes Collection*, Southport, 1999, pp. 55, 272, ill. pp. 54, 272.

von Habsburg, G. *Fabergé: Imperial Craftsman and His World*, London, 2000, p. 17.

Lowes, W., and McCanless, C. L. *Fabergé Eggs: A Retrospective Encyclopedia*, London, 2001, pp. 68, 151-152, 162-165, 253, 256, 258, 259, 260, 261, 262, 266, 270.

Яйцо-часы герцогини Мальборо

The Duchess of Marlborough Egg

ЯЙЦО-ЧАСЫ ГЕРЦОГИНИ МАЛЬБОРО, ЦВЕТНОЕ ЗОЛОТО С ЭМАЛЬЮ И ДРАГОЦЕННЫМИ КАМНЯМИ; МАСТЕР МИХАИЛ ПЕРХИН, САНКТ-ПЕТЕРБУРГ, 1902 ГОДА

Яйцо розовой прозрачной эмали по гильошированному фону представляет собой часы с опоясывающим кольцевым циферблатом, вращающимся горизонтально мимо неподвижной стрелки. Пояс циферблата, сверху и снизу окаймленный бордюром из мелкого жемчуга, покрыт белой эмалью, римские цифры выложены алмазами. Верх яйца украшен гирляндами цветного золота, свисающими с завязанными бантом лентами, выложенными алмазами. Навершие выполнено в виде желудя, покрытого алмазами; по бокам – из золотых бараньих масок поднимаются завитки ручек, декорированные акантовым листом. Снизу яйцо обвивает выложенная алмазами змея, чье жало заканчивается часовой стрелкой. Трехсторонний постамент покрыт прозрачной перламутровой эмалью по гильошированному фону с розовой прозрачной эмалью пилястр, цоколей и фриза, украшенными золотым растительным орнаментом. Одна сторона постамента несет на себе увенчанную диадемой, выложенную алмазами монограмму Консуэло, герцогини Мальборо, на другой – цветного золота рог изобилия, на третьей – цветного золота аллегория любви. Верхняя часть цоколя выложена золотым акантом, ножки, поверх розовой прозрачной эмали, декорированы золотыми патерами. *Клейма: русские инициалы мастера-исполнителя, «Фаберже» по-русски, пробирное клеймо Якова Ляпунова (1899-1904), 56 проба (стандарт 14-каратного золота); под одной из ножек также имеется надпись «K. Fabergé» рукописным латинским шрифтом и дата «1902».* Вместе с яйцом сохранилась сделанная по размеру шкатулка из падуба, *на шелковой подкладке крышки – черный штамп фирмы в овале: под двуглавым орлом по-русски: «К. Фаберже / Санкт-Петербург / Москва / Одесса».*

ВЫСОТА 23,5 СМ.

⚜ **THE DUCHESS OF MARLBOROUGH EGG: A FABERGÉ VARICOLOR GOLD, ENAMEL AND JEWELED EASTER EGG, WORKMASTER MICHAEL PERCHIN, ST. PETERSBURG, 1902**

An annular clock in the form of an Easter egg enameled translucent rose pink over a *guilloché* ground, the white enamel chapter ring with diamond-set Roman numerals between borders of seed pearls, the top of the egg applied with varicolor gold floral swags pendent from diamond-set ribbon bows, the finial in the form of a diamond-encrusted acorn, the C-scroll handles rising from rams' head masks and topped with acanthus leaves, a diamond-encrusted serpent encircles the egg, its arrow-form tongue indicating the hour, each side of the trilateral pedestal enameled translucent oyster over a *guilloché* ground, one side applied with the diamond-set monogram of Consuelo, Duchess of Marlborough, below a diamond-set ducal coronet, the second side applied with a varicolor gold cornucopia and the third side with a varicolor gold love trophy, the top of the pedestal enameled translucent oyster with rose pink reserves at the corners, the pilaster corners and the top border of the pedestal enameled translucent rose pink and applied with gold bellflowers, the lower gold border chased with acanthus leaves, each foot enameled translucent rose pink and applied with a chased gold pattera, *marked with Cyrillic initials of workmaster, Fabergé in Cyrillic and assay mark of Yakov Lyapunov (1899-1904), 56 standard for 14 karat gold, also with engraved signature under one foot in script Roman letters, K. Fabergé, and date 1902.* With original fitted holly wood case, *the interior silk lining black-stamped in Cyrillic below the Imperial eagle, Fabergé/St. Petersburg/Moscow/Odessa.*

HEIGHT 9¼ IN. (23.5 CM)

Яйцо-часы герцогини Мальборо
The Duchess of Marlborough Egg

Яйцо-часы герцогини Мальборо – единственное большое пасхальное яйцо, выполненное Фаберже по заказу гражданина Америки. Образцом для данного яйца послужили часы-ротатор Людовика XVI. В мастерской Михаила Перхина было создано несколько похожих моделей, самой известной из которых является покрытое голубой эмалью «Яйцо-часы со змеей», датируемое 1887 годом. Считается, что император Александр III подарил его своей супруге, императрице Марии Федоровне (находится в коллекции Его Императорского Высочества Принца Монако Ренье III). (стр. 330)[1].

Инициалы CM под герцогской короной, набранные из бриллиантов, позволяют заключить, что данное яйцо было изготовлено для Консуэло Мальборо, внучки американского железнодорожного магната Корнелиуса Вандербильта, которую против ее воли выдали замуж за Ричарда Джона Спенсера-Черчилля, IX Герцога Мальборо, в 1894 году.

В 1902 году, незадолго до коронации Эдуарда VII, на которой королева Александра попросила герцогиню нести ее балдахин, она вместе с мужем посетила Россию. Во время визита в эту страну супружеская чета приняла участие в Пальмовом бале в Зимнем дворце, где за обедом герцогиня сидела рядом с императором Николаем II. Консуэло, следующий брак которой с г-ном Жаком Бальсаном оказался счастливым, так описала этот бал: «*Императорская чета вошла в зал под торжественные звуки российского гимна. Шла целая процессия, в которой были великие князья в роскошной парадной форме, сверкающие драгоценностями очаровательные великие княгини, и возвышенно прекрасные царь и царица – бал превратился в волшебную сказку*».[2] Герцогиня вспоминала, что блюда подавались на «*золотой и серебряной посуде, изготовленной в Германии, гравированной, самых изысканных форм и оттенков*». После обеда с великим князем Владимиром и его супругой герцогине показали знаменитые драгоценности великой княгини Марии Павловны, «*которые находились в витринах в ее Туалетной*». Она также нанесла визит вдовствующей императрице в Аничков дворец, где, должно быть, познакомилась с коллекцией изделий Фаберже и увидела покрытое голубой эмалью «Яйцо-часы со змеей», которое, скорее всего, и послужило моделью для яйца, заказанного ею у Фаберже.

This egg, the only large Easter egg to have been commissioned from Fabergé by an American, is inspired by a Louis XVI clock with revolving dial. The workshop of Michael Perchin created several versions of this model, of which the best known is the blue enamel Serpent Clock egg traditionally dated 1887 and thought to have been presented by Tsar Alexander III to his wife Tsarina Maria Feodorovna (now in the Collection of H.S.H. Prince Rainier III of Monaco) (p. 330).[1]

As attested by the diamond-set initials CM under a ducal crown, the present egg was made for Consuelo Marlborough, granddaughter of the American railroad magnate Cornelius Vanderbilt, who was married off against her will to Richard John Spencer-Churchill, 9th Duke of Marlborough, in 1894.

In 1902, prior to the coronation of Edward VII at which she had been asked by Queen Alexandra to be a canopy bearer, the Duchess traveled to Russia with her husband, where they attended the Bal des Palmiers, where the Duchess was the dinner companion of Tsar Nicholas. Consuelo, who was later happily married to a Monsieur Jacques Balsan, recalled the occasion: "*With the entrance of the Imperial family to the inspiring air of the Russian anthem – the procession of grand dukes in splendid uniforms, the grand duchesses, lovely and bejeweled, the beautiful remote Tsarina and the Tsar – the ball took on the aspect of a fairy tale.*"[2] She remembered to have dined on "*gold and silver plate fashioned by Germain, chased and beautiful in shape and color.*" After a dinner with Grand Duke and Grand Duchess Vladimir, she was shown the celebrated jewels of the Grand Duchess "*set out in glass cases in her dressing room.*" She also visited the Dowager Empress at Anichkov Palace and must have seen her Fabergé collection, including the Blue Serpent Clock Egg, which probably served as model for the egg which she ordered from Fabergé.

After her divorce from Marlborough, Consuelo Vanderbilt Balsan donated the egg to a charity auction in 1926: "*an auction of gifts, including a Fabergé clock I brought back from Russia and an automobile brought lively bidding.*" The successful bidder was Polish soprano Ganna Walska, second wife of the president and chairman of the board of the International Harvester Company of Chicago, Harold Fowler McCormick. It was later acquired by Malcolm Forbes as his first Easter egg at an auction of her property in 1965 at Parke-Bernet in New York.

После развода с герцогом Мальборо герцогиня Консуэло Вандербильт Бальсан пожертвовала это яйцо на благотворительный аукцион 1926 года: «*аукцион, на котором с молотка продавались подарки, включая часы Фаберже и автомобиль, которые я привезла из России, вызвавшие оживленные торги*». Наивысшую цену предложила польская певица-сопрано Ганна Вальска, вторая жена президента и председателя правления чикагской компании «International Harvester» Гарольда Фоулера МакКормика. Позже Малькольм Форбс приобрел это яйцо, ставшее первым пасхальным яйцом в его коллекции, на аукционе в Parke-Bernet в Нью-Йорке в 1965 году, где распродавалось имущество певицы.

Михаил Перхин, невероятно одаренный и один из ведущих мастеров фирмы Фаберже, прославился своими изделиями в стиле неорококо и барокко, самыми известными из которых являются пасхальное яйцо «Весенние цветы» (с. 376), шкатулка с орнаментом «рокайль»[3] и бинокль с орнаментом «рокайль»[4]. В конце XIX века в Париже получил распространение более строгий неоклассический стиль. Во главе этого направления стояли такие великие ювелиры, как Картье и Шоме, которые не выносили сладострастные волнистые формы стиля *Art Nouveau*. Фаберже, всегда восприимчивый к новым тенденциям, с готовностью перенял и эту моду. В случае с часами герцогини Мальборо неоклассический стиль ярче всего проявился в дизайне пьедестала с основанием треугольной формы, рифленой подставки для яйца, в использовании лиственного орнамента из аканта, лавровых венков и гирлянд. Все эти элементы восходят к классицизму античности. В качестве других примеров произведений Перхина в новом стиле можно назвать яйцо «Бутон розы» (с. 128), яйцо «Шантеклер» (с. 306), императорский письменный прибор[5] и портсигар в стиле Людовика XVI[6].

ПРИМЕЧАНИЯ

1. Ранняя датировка яйца, предложенная Фаберже/Пролером/Скурловым, противоречит техническому совершенству, с которым оно выполнено. Существуют также противоречия в описании яйца 1887 года, где оно описывается как «*Пасхальное яйцо с часами, украшенное бриллиантами, сапфирами и алмазами огранки «роза» (2160 рублей)*», и затем ниже - «*золотое яйцо с часами, окруженными бриллиантами, золотая подставка с тремя сапфирами и алмазами огранки «роза»*». Ни упомянутые сапфиры, ни низкая стоимость не соотносятся с данным яйцом, стоимость которого должна составлять примерно 5000 рублей.
2. Бальсан, Консуэло Вандербильт. Блеск и золото. Нью-Йорк, 1952 с. 252.
3. Forbes/Tromeur 1999. [Форбс К., Тромер-Бреннер Р. Фаберже. Коллекция Форбса. Hugh Lauter Levin Associates, Inc., 1999], стр. 136-137.
4. Там же, с. 148-149.
5. Там же, с. 184-185.
6. Там же, с. 168-169.

Michael Perchin, Fabergé's superbly gifted second head workmaster, is best known for his objects designed in the Neo-Rococo or Baroque style, of which the Spring Flowers Egg (p. 376), the Rocaille Box[3] and Rocaille Opera Glasses[4] are prime examples. Towards the last years of the nineteenth century, a more sober Neo-Classical style made its appearance in Paris. This movement was spearheaded by such great *joailliers* as Cartier and Chaumet, who abhorred the lascivious, sinuous forms of Art Nouveau. Fabergé, forever open-minded towards new trends, readily adopted this fashion. In the case of the 1902 Marlborough Egg, Fabergé's Neo-Classical idiom is best seen in the design of the triangular pedestal, the fluted base of the egg and his use of acanthus foliage, husks, laurel wreaths and flower swags, all derived from Classical Antiquity. Further examples of this new style in Perchin's oeuvre are the Rosebud Egg (p. 128), the Chanticleer Egg (p. 306), the Imperial Writing Portfolio[5] and the Louis XVI–style cigarette case.[6]

NOTES

1. The early date attributed to this egg by Fabergé/Proler/Skurlov (1997) stands in contrast to its technical perfection. There is also an inconsistency in the description of the 1887 egg, listed as "Easter egg with a clock decorated with brilliants, sapphires and rose diamonds (2,160 roubles)" and again as "gold egg with clock, with a circle of brilliants, gold stand with three sapphires and diamond roses." Neither the mention of the sapphires, nor its low price, corresponds to the mentioned egg, which should have cost over 5,000 rubles.
2. Consuelo Vanderbilt Balsan, *Glitter and the Gold*. New York, 1952, p. 252.
3. Forbes/Tromeur 1999, pp. 136-137.
4. Op. cit., pp. 148-149.
5. Op. cit., pp. 184-185.
6. Op. cit., pp. 168-169.

Голубое «Яйцо-часы со змеей» 1887 года, из коллекции Его Высочества Принца Монако Ренье
The Blue Serpent Clock Egg of 1887, in the collection of H.S.H. Prince Rainier III of Monaco

*Консуэло Вандербильт,
герцогиня Мальборо.
Архивная фотография, 1902 г.*

....

*Consuelo Vanderbilt,
the Duchess of Marlborough.
Archival photograph, 1902*

Консуэло Бальзан,
бывшая герцогиня Мальборо.
Архивная фотография, 1919 г.

Consuelo Balsan,
former Duchess of Marlborough.
Archival photograph, 1919

ПРОВЕНАНС

Герцогиня Мальборо, 1902 г.

Продано в пользу больницы в Вансанн в 1926 г., Серкль Энтералли, Париж

Мадам Ганна Вальска «Сотбис», Нью-Йорк, 14-15 мая 1965 г., лот 326

Коллекция семьи Форбс, Нью-Йорк

PROVENANCE

Purchased in 1902 by the Duchess of Marlborough

Sold to aid a hospital in Vincennes, "Grand Prix Day" 1926, the Cercle Interallie, Paris

Madame Ganna Walska (Parke-Bernet New York, May 14-15, 1965, lot 326)

The Forbes Collection, New York

Нью-Йорк, Нью-Йоркский Культурный центр, *Фаберже из коллекции журнала «Форбс»*, 11 апреля-22 мая 1973 г., № 7, сс. 3, 8, 40 каталога, илл. на с. 41.

Нью-Йорк, A La Vieille Russie, *Фаберже*, 22 апреля-21 мая 1983 г., № 552, сс. 16, 140 каталога, илл. на с. 141.

Форт-Уэрт, Техас, Художественный музей Кимбелл, *Фаберже, коллекция журнала «Форбс»*, 25 июня-18 сентября 1983 г., № 179 по списку.

Балтимор, Мэриленд, Балтиморский музей изобразительных искусств, *Фаберже, коллекция журнала «Форбс»*, 22 ноября-15 апреля 1983/84 г., № 71 по списку.

Детройт, Мичиган, Художественный институт Детройта, *Фаберже, коллекция журнала «Форбс»*, 27 июня-12 августа 1984 г., № 140 по списку.

Ст. Петербург, Флорида, Музей изобразительных искусств, *Сокровища царей*, 11 января-11 июня 1995 г., с. 3, илл. на с. 3, а также на обложке.

Нью-Йорк, Музей искусств Метрополитан / Сан-Франциско, Калифорния, Мемориальный музей де Янг / Ричмонд, Виржиния, Virginia Музей изобразительных искусств / Новый Орлеан, Луизиана, Музей искусств Нового Орлеана / Кливленд, Огайо, Музей искусств Кливленда, *Фаберже в Америке*, 1996/97 г., № 8, сс. 29, 37, 230, 350 каталога, илл. на с. 37.

Ашвилл, Сев. Каролина, *Блеск и золото: Фаберже в поместье Билтмор*, 6 февраля-2 мая 1998 г. (без каталога).

Нашвилл, Тенесси, Первый Центр изобразительных искусств, *Сокровища Дома Фаберже, избранные экспонаты коллекции журнала «Форбс», Нью-Йорк и образцами из собраний Нью-Орлеанского художественного музея и Фонда Матильды Геддингс Грей*, 12 апреля-7 июля 2002 г. (без каталога).

New York, The New York Cultural Center, *Fabergé from the Forbes Magazine Collection*, April 11-May 22, 1973, no. 7, cat. pp. 3, 8, 40, ill. p. 41.

New York, A La Vieille Russie, *Fabergé*, April 22-May 21, 1983, no. 552, cat. pp. 16, 140, ill. p. 141.

Fort Worth, Texas, The Kimbell Art Museum, *Fabergé, The Forbes Magazine Collection*, June 25-September 18, 1983, checklist no. 179.

Baltimore, Maryland, The Baltimore Museum of Fine Art, *Fabergé, The Forbes Magazine Collection*, November 22, 1983-January 15, 1984, checklist no. 71.

Detroit, Michigan, The Detroit Institute of Arts, *Fabergé, The Forbes Magazine Collection*, June 27-August 12, 1984, checklist no. 140.

St. Petersburg, Florida, Museum of Fine Arts, *Treasures of the Czars*, January 11-June 11, 1995, p. 3, ill. p. 3 and cover.

New York, Metropolitan Museum of Art/San Francisco, California, H. M. De Young Memorial Museum/Richmond, Virginia, Virginia Museum of Fine Arts/New Orleans, Louisiana, New Orleans Museum of Art/Cleveland, Ohio, The Cleveland Museum of Art, *Fabergé in America*, 1996/97, no. 8, cat. pp. 29, 37, 230, 350, ill. p. 37.

Asheville, North Carolina, *The Glitter and the Gold: Fabergé at Biltmore Estate*, February 6-May 2, 1998 (no cat.).

Nashville, Tennessee, Frist Center for Visual Arts, *Treasures from the House of Fabergé: Selections from The Forbes Magazine Collection, New York with Highlights from the New Orleans Museum of Art and the Matilda Geddings Gray Foundation Collection, Courtesy of the New Orleans Museum of Art*, April 12-July 7, 2002 (no cat.).

Balsan, C.V. *The Glitter and the Gold*, New York, 1952, p. 252.

Forbes Magazine, March 1, 1968, p. 37, ill.

Waterfield, H. and Forbes, C. *Fabergé Imperial Eggs and Other Fantasies*, New York, 1978, pp. 8, 11, 30, 32, 133, 135, 139, ill. pp. 31, 139.

von Habsburg, G. and von Solodkoff, A. *Fabergé, Court Jeweler to the Tsars*, New York, 1979/1984, pp. 118, 120, 126, 158, ill. pl. no. 142, index pl. no. 68.

Poindexter, J. "Collection of Imperial Splendors," *United Mainliner*, October 1979, p. 68, ill.

Amaya, M. "The Forbes Magazine Collection," *The Connoisseur*, April 1980, p. 266, ill. p. 268.

Forbes, C. *Fabergé Eggs, Imperial Russian Fantasies*, New York, 1980, pp. 5, 26, 42, ill. p. 43.

Hess, A. "Forbes's Fabulous Fabergé," *Saturday Review*, August 1980, p. 44, ill. p. 45.

Gambaccini, P. "Of Baubles and Flinty-Eyed Braves," *Avenue*, Vol. 5, no. 5, February 1981, p. 88.

von Solodkoff, A. "Fabergé's London Branch," *The Connoisseur*, Vol. 209, no. 840, February 1982, p. 102.

von Solodkoff, A. "Ostereier von Fabergé," *Kunst & Antiquitaten*, Vol. II, no. 83, March/April 1983, p. 67, ill. p. 62.

von Solodkoff, A. *Masterpieces from the House of Fabergé*, New York, 1984, p. 185, ill.

Forbes, C. "Imperial Treasure: A Modern Czar's Son Tells of the Great Easter Egg Hunt," *Art & Antiques*, April 1986, p. 53

James, J. "Fabergé: The Grandest Easter Egg Hunt," *Echelon*, Vol. 8, no. 3, March 1986, p. 12.

von Solodkoff, A. *Fabergé Clocks*, London, 1986, p. 3, ill. p. 36.

Riley, N. "Fabergé for the Favoured," *Blue Chip, the Magazine for Clients of Kleinwort Grieveson*, Vol. 1, no. 2, August 1986, p. 27.

Forbes, C. "Letter on Collecting Fabergé," *Burlington Magazine*, Vol. 129, no. 1014, September 1987, p. 11.

von Habsburg, G. *Fabergé* (English edition, Munich 1986/87 catalogue), Geneva/New York, 1987/1988, pp. 41, 99-100, 103.

Greenspan, S. "Le collectionneur," *Vogue Decoration*, no. 9, April 1987, p. 160.

Collection Thyssen-Bornemisza, *Fabergé Fantasies from the Forbes Magazine Collection*, Lugano, 1987, pp. 16, 18; *Fabergé Fantasies from the Forbes Magazine Collection*, Paris, 1987, pp. 12, 14.

von Solodkoff, A. *Fabergé*, London, 1988, pp. 40, 47, ill. on frontispiece.

Forbes, M. *More Than I Dreamed*, New York, 1989, p. 221.

Hill, G. *Fabergé and the Russian Master Goldsmiths*, New York, 1989, pp. 14, 21, ill. pl. no. 4.

Morrow, L. "Imperial Splendor Inspired by Malcolm Forbes," *Designers West*, January 1989, p. 66, ill. p. 67.

Moore, A. *Theo Fabergé and the St. Petersburg Collection*, London, 1989, pp. 23, 51.

Bowater, M. "Imperial Russian Easter Eggs," *The Antique Collector*, Vol. 60, no. 3, March 1989, p. 67.

Prat, V. "La collection d'oeufs de Pâques de l'excentrique Mr. Forbes," *Figaro Magazine*, no. 48 (n.s.), April 13, 1990, p. 85, ill.

Booth, J. *The Art of Fabergé*, New Jersey, 1990, pp. 84, 107, 111, 168, ill. pp. 82, 83, 110.

Manroe, C. O. *Decorative Eggs*, New York, 1992, pp. 91, 93, ill. p. 92.

von Habsburg, G. and Lopato, M. *Fabergé: Imperial Jeweller*, New York, 1993, pp. 44, 77, 83, 127, 160.

Polak, M. A. "The Great Fabergé Egg Hunt," *Royalty*, March 1995, Vol. 13, no. 8, p. 40, ill. p. 36.

Kelly, M. "Clocks Fit for a Czarina," *Chronos*, Summer/Fall 1995, pp. 50, 52, ill. p. 51.

Outerbridge, L. "Fabled Fabergé Facture," *The Washington Times*, Sunday, August 25, 1996, p. D5.

Decker, A. "Still Fabulous Fabergé," *Art & Antiques*, Vol. 19, no. 2, February 1996, p. 56.

von Habsburg, G. *Fabergé in America*, San Francisco, 1996, pp. 29, 37, 230, 350, ill. p. 37.

von Habsburg, G. *Fabergé Fantasies and Treasures*, New York, 1996, p. 37, ill. pl. 16.

Fabergé, T., Proler, L., and Skurlov, V. *The Fabergé Imperial Easter Eggs*, London, 1997, p. 81, ill.

Forbes, C. and Tromeur-Brenner, R. *Fabergé: The Forbes Collection*, Southport, 1999, pp. 66, 273, ill. p. 67.

von Habsburg, G. *Fabergé: Imperial Craftsman and His World*, London, 2000, p. 17.

Lowes, W., and McCanless, C. L. *Fabergé Eggs: A Retrospective Encyclopedia*, London, 2001, pp. 23, 166-168, 248, 257, 258, 261, 262, 269, 270, ill.

de Guitaut, C. *Fabergé in The Royal Collection*, London, 2003, p. 34.

Яйцо «Скандинавское»

The Scandinavian Egg

Яйцо «Скандинавское»
The Scandinavian Egg

ЯЙЦО «СКАНДИНАВСКОЕ», ЦВЕТНОЕ ЗОЛОТО С ПРОЗРАЧНОЙ ЭМАЛЬЮ; МАСТЕР МИХАИЛ ПЕРХИН, САНКТ-ПЕТЕРБУРГ, 1899 – 1903

Яйцо, открывающееся по горизонтали, покрыто прозрачной землянично-красной эмалью по гильошированному фону; створки разделены поясом красного золота, декорированного резным лавровым мотивом зеленого золота. Внутри яйца, где срез белка изображен белой эмалью, на шарнире помещается матовой эмали «желток», в котором на замшевой подкладке хранится золотая курочка, пестро окрашенная эмалями, преимущественно оттенками коричневого, с отбликами белого и серого цвета.

Верхняя половина корпуса, которая крепится на шарнире, спрятанном в хвосте, поднимается за клюв. *Клейма: русские инициалы мастера-исполнителя, пробирное клеймо 56 (стандарт 14-каратного золота), гравированный инвентарный номер 5356.*

ВЫСОТА 7,5 см.

✱ **THE SCANDINAVIAN EGG: A FABERGÉ VARICOLOR GOLD AND TRANSLUCENT ENAMEL EASTER EGG, WORKMASTER MICHAEL PERCHIN, ST. PETERSBURG, 1899-1903**

Enameled translucent strawberry red over a *guilloché* ground, bisected by a red gold band applied with a chased green gold border of laurel, the egg opening horizontally to reveal a white enamel interior resembling the white of an egg and a matte yellow enameled "yolk," the yolk hinged and opening to reveal a suede fitted compartment holding a naturalistically enameled gold hen painted primarily in shades of brown with touches of gray and white, when lifted at the beak the hen opens horizontally, the hinge concealed in the tail feathers, *marked with Cyrillic initials of workmaster and 56 standard for 14 karat gold, also with scratched inventory number 5356.*

HEIGHT 2⅞ IN. (7.5 CM)

340

Фаберже: Сокровища Российской Империи
Fabergé: Treasures of Imperial Russia

Яйцо «Скандинавское»

The Scandinavian Egg

1899
1903

Данное пасхальное яйцо является одним из серии яиц с курочкой, созданных фирмой Фаберже, из которых только незначительное количество сохранилось до наших дней. Больше всего оно напоминает еще более роскошное по оформлению яйцо с курочкой, изготовленное для Варвары Кельх (с. 288), и отличается от него только тем, что лежит на боку и не украшено бриллиантами. В остальном оба пасхальных яйца практически одинаковы. Оба яйца имеют скорлупу красного цвета и покрыты эмалью по гильошированному фону, их «белки» покрыты опаковой белой эмалью, а «желтки» – опаковой желтой эмалью. К ним прилагаются курочки-пеструшки с глазками из алмазов огранки «роза». Оба пасхальных яйца выполнены Михаилом Перхиным в период с 1899 по 1903 годы. К пасхальным яйцам естественной овальной формы относятся также первое яйцо «Курочка» 1885 года (с. 74) – первое яйцо из императорской серии, а также 2 яйца без клейма, одно из ляпис-лазури с короной внутри «желтка» (Музей изобразительных искусств в Кливленде)[1] и яйцо из платины с курочкой, короной и кольцом, приписываемое Эрику Коллину (Музей изобразительных искусств, Новый Орлеан)[2], которое, без всяких сомнений, не принадлежит руке русского мастера.

Скандинавское яйцо было обнаружено автором данного каталога в сейфе банка в Осло среди имущества Марии Квизлинг (1900-1980), вдовы Видкуна Квизлинга (1887-1945), который жил в особняке в квартале Bygdøy в Осло. Видкун называл свой особняк Гимле в честь *Hall of Gimle*, считавшимся в скандинавской мифологии самым прекрасным местом на земле.

Видкун Квизлинг был сыном Джона Квизлинга, лютеранского священника и известного специалиста по генеалогии. Будучи майором в норвежской армии, Квизлинг состоял на службе военного атташе в Петрограде в 1918-1919 годах (где он, вероятнее всего, и приобрел данное пасхальное яйцо) и в Хельсинки в 1919-1920 годах. Позже он работал вместе с Фритьофом Нансеном в СССР в голодное время 1930-х годов. С 1931 по 1933 годы Квизлинг был министром обороны, а в 1933 году вместе с государственным прокурором Йоханном Бернардом Хьортом основал фашистскую норвежскую

The present Easter egg is one of a series of hen-and-egg creations by Fabergé, of which a small number have survived. The nearest parallel is the more lavish Kelch Hen Egg (p. 288), which closely resembles the present example but for the fact that it lies on its side and is not embellished with diamonds. Both eggs are otherwise virtually identical with their red *guilloché* enamel exteriors, their opaque white enamel "whites," their opaque yellow enamel "yolks" and their varicolored painted hens with rose-cut diamond eyes. Both are by Michael Perchin and date from between 1899 and 1903. Other naturally shaped Easter eggs include the First Hen Egg of 1885 (p. 74), the first of the Imperial series and two unmarked eggs, one of lapis lazuli containing a crown in its yolk (Cleveland Museum of Art)[1] and an egg with platinum shell, hen, crown and ring, attributed to Erik Kollin (Fine Arts Museum, New Orleans),[2] which is undoubtedly not Russian.

The present egg was discovered in an Oslo bank safe by the present author in 1980 among the effects of Maria Quisling (1900-1980), the widow of Vidkun Quisling (1887-1945). They lived in a mansion at Bygdøy in Olso, which he called Gimle after the Hall of Gimle, the most beautiful place on earth according to Norse mythology.

Vidkun Quisling was the son of Jon Quisling, a Lutheran priest and well-known genealogist. A major in the Norwegian army, Quisling served as Military Attaché in Petrograd in 1918-1919, where he probably acquired the present egg, and in Helsinki in 1919-1920. He later worked with Fridtjof Nansen in the Soviet Union during the famine in the 1930s. Quisling served as Minister of Defence in 1931-1933 and founded the fascist Norwegian Socialist party, the *Nasjonal Samling*, in 1933 together with State Attorney Johann Bernhard Hjort. He became the leader of this originally religiously rooted party, which became outspokenly pro-German and anti-Semitic from 1935 onward. When Hitler's armies invaded Norway on April 9, 1940, Quisling supported the Führer's new *Reichskommissar* Joseph Terboven and became Prime Minister in 1942. After the German surrender in 1945, he was tried as a traitor and executed by firing squad.

The origin of the hen-in-an-egg Easter present harks back to the beginning of the eighteenth century. Three very similar jewelled eggs have survived, each formerly in a royal treasury. The best known, due

социалистическую партию, *Nasjonal Samling*. Он стал лидером этой партии, изначально созданной на религиозной основе, которая с 1935 года взяла откровенно пронемецкий и антисемитский курс. Когда 9 апреля 1940 года войска Гитлера захватили Норвегию, Квизлинг помогал новому рейхскомиссару фюрера Джозефу Тербовену и стал премьер-министром в 1942 году. После капитуляции Германии в 1945 году Квизлинг был обвинен в измене и расстрелян.

Происхождение курочки как сюрприза пасхального яйца восходит к началу XVIII века. До нас дошли три очень похожих яйца, украшенных драгоценными камнями, каждое из которых раньше находилось в королевской сокровищнице. Самое известное из них, так как оно традиционно ассоциируется с первым яйцом «Курочка» фирмы Фаберже, – яйцо в Хронологической коллекции королевы Дании в замке Розенборг (с. 84) в Копенгагене. Второе пасхальное яйцо хранится в Музее истории искусства в Вене как часть коллекции Габсбургов, а третье числится в списках сокровищ галереи «Зеленые своды» в замке королей Саксонии (частная коллекция, см. илл. с. 84). Внутри яиц скрываются курочки, каждая из которых содержит корону, а та, в свою очередь, открывает глазам посетителей кольцо с бриллиантом. Считается, что все три пасхальных яйца были созданы в Париже и датируются 1720-ми годами³. Идея курочки внутри яйца была популярна на протяжении всего XIX века.

Так как данное яйцо не числится в списках императорских подарков, оно, вероятно, было выполнено по заказу частного лица в Санкт-Петербурге. К другим пасхальным яйцам фирмы Фаберже, заказанным частными лицами и подробно описанным в литературе, относится серия из 7 пасхальных яиц семьи Кельх. Первым из них было яйцо «Курочка» (с. 288), выполненное в 1898 году, а последним – яйцо «Шантеклер» (с. 306), выполненное в 1904 году. К ним также относятся «Ледяное яйцо» Нобеля⁴; яйцо-часы Герцогини Мальборо, выполненное в 1902 году, и яйцо, заказанное Юсуповым в 1907 году (коллекция господина Сандоз)⁵.

ПРИМЕЧАНИЯ

1. Хаули Г. Фаберже и его современники. Коллекция Индии Миншелл, Музей искусств Кливленда. Кливленд, Огайо, 1967, кат. 32.

2. Киф Дж. Шедевры Фаберже. Коллекция Фонда Матильды Гендингс Грей. Музей изобразительных искусств Нового Орлеана, 1993, кат. LI.

3. Все три яйца XVIII века показаны на иллюстрациях в книге: Бенкар М. *Курица в яйце. Датские королевские коллекции*, Amalienborg, 1999].

4. Форбс К., Тромер-Бреннер Р. Фаберже. Коллекция Форбса. Hugh Lauter Levin Associates, Inc., 1999, сс. 70-71.

5. Выставка *Фаберже: Придворный ювелир*. Kunsthalle der Hypokulturstiftung, Мюнхен, 1986-87, кат. 543.

to its traditional association with Fabergé's First Hen Egg, is an egg in the Chronological Collection of the Queen of Denmark at Rosenborg Castle (p. 84), Copenhagen; another is in the Kunsthistorische Museum, Vienna, as part of the Habsburg Collections; yet another is listed among the treasures of the *Grünes Gewölbe*, the Green Vaults in the Castle of the Elector-Kings of Saxony (Private Collection, both illustrated on p. 84). All three have yolks containing hens, which open to reveal a crown within which nestles a diamond-set ring. All three are thought to have originated in Paris, dating from the 1720s.³ The theme remained popular throughout the nineteenth century.

As the present egg is not listed among the Imperial presents, it was probably privately commissioned in St. Petersburg. Other documented, privately owned eggs by Fabergé include the series of seven Kelch eggs, of which the 1898 Kelch Hen Egg (p. 288) was the first and the 1904 Kelch Chanticleer Egg (p. 306) the last; the Nobel Ice Egg⁴ circa 1914; the 1902 Duchess of Marlborough Egg; and the 1907 Sandoz Youssoupov Egg⁵.

NOTES

1. Hawley 1967, cat. 32.
2. Keefe1993, cat. LI.
3. For illustrations of all three, see Mogens Bencard, *The Hen in the Egg*, Amalienborg, 1999.
4. Forbes/Tromeur 1999, pp. 70-71.
5. Munich 1986/7, cat. 543.

Видкун Квизлинг. Архивная фотография, около 1945 г.
Vidkun Quisling. Archival photograph, circa 1945

ПРОВЕНАНС

Видкун Квизлинг, Осло

«Сотбис», Женева, 12 ноября 1980 г., лот 339

«Кристи», Нью-Йорк, 23 октября 2000 г., лот 66

Коллекция семьи Форбс, Нью-Йорк

ВЫСТАВКИ

Сингапур, Сингапурский художественный музей, *Легендарный Фаберже: предметы из коллекции журнала «Форбс»*, Нью-Йорк, 26 сентября-25 ноября 2001 г., с. 73.

Нашвилл, Тенесси, Первый Центр изобразительных искусств, *Сокровища Дома Фаберже, избранные экспонаты коллекции журнала «Форбс»*, Нью-Йорк и образцами из собраний Нью-Орлеанского художественного музея и Фонда Матильды Геддингс Грей, 12 апреля-7 июля 2002 г. (без каталога).

PROVENANCE

Vidkun Quisling, Oslo

Sotheby's, Geneva, November 12, 1980, Lot 399

Christie's, New York, October 23, 2000, Lot 66

The Forbes Collection, New York

EXHIBITED

Singapore, Singapore Art Museum, *Fabulous Fabergé: Objets d'art from The Forbes Magazine Collection, New York*, September 26-November 25, 2001, p. 73.

Nashville, Tennessee, Frist Center for Visual Arts, *Treasures from the House of Fabergé: Selections from The Forbes Magazine Collection, New York with Highlights from the New Orleans Museum of Art and the Matilda Geddings Gray Foundation Collection, Courtesy of the New Orleans Museum of Art*, April 12-July 7, 2002 (no cat.).

ЛИТЕРАТУРА / LITERATURE

Lowes, W., and McCanless, C. L. *Fabergé Eggs: A Retrospective Encyclopedia*, London, 2001, p. 165.

ЛИТЕРАТУРА / SELECT LITERATURE

BAINBRIDGE 1933
Bainbridge, H. C. *Twice Seven*,
London, 1933.

BAINBRIDGE 1949/66/74
Bainbridge, H. C. *Peter Carl Fabergé*,
Batsford, 1949
(revised editions 1966, 1974).

BOOTH 1990
Booth, J. *The Art of Fabergé*,
Secaucus, New Jersey, 1990.

CERWINSKE 1990
Cerwinske, L. *Russian Imperial Style*,
New York, 1990.

CURRY 1995
Curry, D. P. *Fabergé*, Virginia
Museum of Fine Arts, 1995.

FABERGÉ/SKURLOV 1992
Fabergé, T. and Skurlov, V.
The History of the House of Fabergé,
St. Petersburg, 1992.

FABERGÉ/SKURLOV 1993
Fabergé, T. and Skurlov, V. *The
History of the Fabergé Firm* (in
Russian), St. Petersburg, 1993.

FABERGÉ/PROLER/SKURLOV 1997
Fabergé, T., Proler, L. and Skurlov, V.
The Fabergé Imperial Easter Eggs,
London, 1997.

FABERGÉ/GORDINIA 1997
Fabergé, T., Gordinia, A. S., and
Skurlov, V. *Fabergé and the St.
Petersburg Jewelers*, in Russian, St.
Petersburg, 1997.

FORBES 1980
Forbes, C. *Fabergé Eggs, Imperial
Russian Fantasies*, New York, 1980.

FORBES ET AL 1989/1990
Forbes, C., Prinz von Hohenzollern,
J. G., and Rodimtseva, I. *Fabergé. Die
kaiserlichen Prunkeier*, Munich, 1989
(see also San Diego, 1989/90).

FORBES/TROMEUR 2000
Forbes, C., and Tromeur-Brenner, R.
Fabergé. The Forbes Collection, Lauter
Levin, 2000.

GHOSN 1996
Ghosn, M.Y. Collection Willam
Kazan. *Objets de Vertu par Fabergé*,
Editions Dar An-Nahar, 1996.

GUITAUT 2003
de Guitaut, C. *Fabergé in the Royal
Collection*, Royal Collection
Enterprises, 2003.

HABSBURG/SOLODKOFF 1979
von Habsburg, G., and von
Solodkoff, A. *Fabergé, Court Jeweler
to the Tsars*, Fribourg, 1979.

HABSBURG 1988
von Habsburg, G. (et al.). *Fabergé*,
New York, 1988 (see also Munich,
1986/7).

HABSBURG/LOPATO 1993/94
von Habsburg, G., and Lopato, M.
(et al.) *Fabergé: Imperial Jeweller*,
New York, 1994 (see also St.
Petersburg/ Paris/London, 1993/4).

HABSBURG 1996/97
von Habsburg, G. (et al.). *Fabergé in
America, San Francisco, California*,
1996 (see also St. Petersburg/Paris/
London 1996/7).

HABSBURG 1997
von Habsburg, G. *Princely Treasures*.
The Vendome Press, New York, 1997.

HABSBURG 2000
von Habsburg, G. (et al.). *Fabergé,
Imperial Craftsman and His World*,
Booth Clibborn Editions, 2000.

HABSBURG 2003
von Habsburg, G. *Fabergé/Cartier
Rivalen am Zarenhof*, Hirmer Verlag,
Munich, 2003.
see also MUNICH 2003

HAWLEY 1967
Hawley, H. *Fabergé and his
Contemporaries. The India Minshall
Collection of the Cleveland Museum
of Art*, Cleveland, Ohio, 1967.

HILL 1989
Hill, G. (et al.). *Fabergé and
the Russian Master Goldsmiths*,
New York, 1989.

KEEFE 1993
Keefe, J. W. *Masterpieces of Fabergé.
The Matilda Geddings Gray
Foundation Collection*, New Orleans
Museum of Art, 1993.

KELLY 1985
Kelly, M. *Highlights from the Forbes
Magazine Galleries*, New York, 1985.

KOHLER 1997
Kohler, E.-A. *François Birbaum
Premier Maître du joaillier Fabergé*.
Fribourg-Saint Pétersbourg – Aigle,
Fribourg, 1997.

LOWES/MCCANLESS 2001
Lowes, W., and McCanless, C. L.
*Fabergé Eggs. A Retrospective
Encyclopedia*, The Scarecrow
Press, Lanham, Maryland (USA) and
Folkstone, Kent (UK), 2001.

MCCANLESS 1994
McCanless, C. L. *Fabergé and His
Works. An Annotated Bibliography of
the First Century of His Art*,
Metuchen, New Jersey, 1994.

PFEFFER 1990
Pfeffer, S. *Fabergé Eggs: Masterpieces
from Czarist Russia*, New York, 1990.

RODIMTSEVA 2000
Rodimtseva, I. *The Art of Fabergé*,
The Moscow Kremlin, 2000.

ROSS 1952
Ross, M. *Fabergé*, Walters Art Gallery,
Baltimore, 1952.

ROSS 1965
Ross, M. *The Art of Carl Fabergé and
his Contemporaries (The Collection of
Marjorie Merriweather Post, Hillwood,
Washington, D.C.)*, Norman,
Oklahoma, 1965.

Общая библиография
BIBLIOGRAPHY

SKURLOV/SMORODINOVA 1992
Skurlov, V., and Smorodinova, G.
Fabergé: Russian Imperial Jeweler,
in Russian, Moscow, 1992.

SNOWMAN 1953/62/64/68
Snowman, A.K. *The Art of Fabergé*,
London, 1953. American edition:
Boston Book and Art Shop
(Revised and enlarged editions 1962,
1964, 1968).

SNOWMAN 1979
Snowman, A. K. *Carl Fabergé,
Goldsmith to the Imperial Court
of Russia*, London, 1979.

SNOWMAN 1993
Snowman, A. K. *Fabergé: Lost and
Found. The Recently Discovered
Jewelry Designs from the St. Petersburg
Archives*, New York, 1993.

SNOWMAN 1990
Snowman, A. K. *Eighteenth Century
Gold Boxes of Europe*, Antique Book
Collectors Club, London, 1990.

SOLODKOFF 1984
von Solodkoff, A. (et al.).
*Masterpieces from the House
of Fabergé*, New York, 1984.

SOLODKOFF 1986
von Solodkoff, A. *Fabergé Clocks*,
London, 1986.

SOLODKOFF 1988
von Solodkoff, A. *Fabergé*,
London, 1988.

SOLODKOFF 1995
von Solodkoff, A. (et al.). *Fabergé.
Juwelier des Zarenhofes*, Heidelberg,
1995 (see also Hamburg, 1995).

SOLODKOFF 1997
von Solodkoff, A. *The Jewels Album
of Tsar Nicholas II*, London, 1997.

TAYLOR 1988
Taylor, K. V. H. *Russian Art at
Hillwood*, Hillwood Museum, 1988.

TILLANDER-GODENHIELM ET AL. 2000
Tillander-Godenhielm, U., Schaffer,
P., Ilich, A., Schaffer, M. *Golden Years
of Fabergé. Drawings from the
Wigström Workshop*, A La Vieille
Russie/Alain de Gourcuff, 2000 (see
also New York/New Orleans, 2000).

WATERFIELD 1973
Waterfield, H. *Fabergé from the Forbes
Magazine Collection*, New York, 1973.

WATERFIELD/FORBES 1978
Waterfield, H., and Forbes, C. C.
*Fabergé: Imperial Easter Eggs and
Other Fantasies*, New York, 1978.

С Т А Т Ь И / A R T I C L E S

BAINBRIDGE 1934
Bainbridge, H. C. "Russian Imperial
Gifts: The Work of Carl Fabergé,"
Connoisseur, May/June 1934,
pp. 299-348.

BAINBRIDGE 1935
Bainbridge, H. C. "The Workmasters
of Fabergé," *Connoisseur*, August
1935, pp. 85ff.

DONOVA 1973
Donova, K. V. "Works of the Artist
M. E. Perkhin," *Material and Research*
(in Russian), Moscow, 1973.

FORBES 1979
Forbes, C. "Fabergé Imperial Easter
Eggs in American Collections,"
Antiques, June 1979, pp. 1228-42.

FORBES 1986
Forbes, C. "Imperial Treasures," *Art &
Antiques*, April 1986, pp. 52-57, 86.

HABSBURG 1977
von Habsburg, G. "Carl Fabergé. Die
glanzvolle Welt eines königlichen
Juweliers," *Du Atlantis*, December
1977, pp. 48-88.

HABSBURG 1981
von Habsburg, G. "Die Uhren des
Peter Carl Fabergé," *Alte Uhren*,
January 1981, pp. 12-26.

HABSBURG 1994 (1)
von Habsburg, G. "Fauxbergé,"
Art & Auction, February 1994,
pp. 76-79.

HABSBURG 1994 (2)
von Habsburg, G. "Les Débuts de
Fabergé," *Estampille/Objet d' Art*,
Hors Série no. 7, pp. 14-19; "Fabergé
contre Fauxbergé," Ibid., pp. 54-61.

HABSBURG 1994 (3)
von Habsburg, G. "Fabergé, Un
Orfèvre d'Exception," *Connaissance
des Arts*, Hors Série no. 45, pp. 4-31.

HABSBURG 1994 (4)
von Habsburg, G. "Fabergé
Fournisseur des Tsars," *Beaux Arts*,
Hors Série 55, pp. 34-49.
HABSBURG 1995
von Habsburg, G. "When Russia Sold
its Past," *Art & Auction*, March 1995,
pp. 94-97, 128.

KELLY 1982/83
Kelly, M. "Frames by Fabergé in the
Forbes Magazine Collection," *Arts in
Virginia*, 1982/3, pp. 2-13.

LOPATO 1984
Lopato, M. "New Light on Fabergé,"
Apollo, 1984, n.s. 119, no. 263,
pp. 43-49.

LOPATO 1991
Lopato, M. "Fabergé Egg. Re-dating
from new evidence," *Apollo*, February
1991, pp. 91-94.

MCNAB DENNIS 1965
McNab Dennis, J. "Fabergé's Objects
of Fantasy," *Metropolitan Museum
of Art Bulletin*, n.s. 23, March 1965,
pp. 229ff.

MUNTIAN/CHISTYAKOVA 2003
Muntian, T., and Chistyakova, M.
"A symbol of a disappearing empire.
The rediscovery of the Fabergé
Constellation Easter Egg," *Apollo*,
January 2003, pp. 10-13.

SOLODKOFF 1994
von Solodkoff, A. "Fabergé, Ateliers,
Art et Styles," *Beaux Arts*, Hors Série,
pp. 16-33.

Coronati

Прощание с коллекцией в Америке: перед возвращением в Россию, пасхальные яйца Фаберже экспонировались в аукционном доме «Сотбис». Посмотреть на эти уникальные произведения искусства пришли более 10 тысяч человек

Farewell to America – Prior to their return to Russia, the Fabergé eggs were placed on exhibition at Sotheby's New York, where more than 10,000 visitors came to view these treasures of Imperial Russia.

BALTIMORE/PORTLAND
/INDIANA 2003/4
The Fabergé Menagerie, Walters Art
Museum, Baltimore, Maryland, 2003;
Columbus Museum of Art,
Columbus, Ohio; Portland Art
Museum, Portland, Oregon.

EDINBURGH/LONDON 2003/4
Fabergé in the Royal Collection,
Royal Collection Enterprises, 2003
(see also de Guitaut 2003).

HAMBURG 1995
Fabergé. Juwelier des Zarenhofes,
Kunstgewerbemuseum, Hamburg,
1995 (see also Solodkoff 1995).

HELSINKI 1980
Fabergé and his Contemporaries,
The Museum of Applied Arts,
Helsinki, 1980.

LAHTI 1997
Fabergé. A Private Collection (A
Selection from the Woolf Dfamily
Collection), Lahti (Finland), 1997.

LAS VEGAS 2002
Fabergé. Treasures from the Kremlin,
Bellagio Gallery of Fine Art, Las
Vegas, 2002.

LONDON 1935
Exhibition of Russian Art, One
Belgrave Square, London, 1935.

LONDON 1977
Fabergé 1984-1920, Victoria and
Albert Museum, London, 1977.

LONDON 1996
The Maurice Mizzi Collection of Carl
Fabergé Fragrance Bottles, Design
Museum, London, 1996.

MOSCOW 1992
Muntian, T. N., Nikitina, V.M.,
and Goncharova, I. I. The World
of Fabergé (in Russian), Moscow-
Vienna, 1992.

LUGANO 1987
Fabergé Fantasies. The Forbes
Magazine Collection, Collection
Thyssen-Bornemisza, Lugano-
Castagnola, 1987.

MUNICH 1986/7
Fabergé, Hofjuwelier der Zaren,
Kunsthalle der Hypokulturstiftung,
Munich, 1986/7 (see also Habsburg
1986/7).

MUNICH 2003/4
Fabergé/Cartier. Rivalen am
Zarenhof, Kunsthalle der
Hypokulturstiftung, Munich, 2003/4
(see also Habsburg 2003/4).

NEW YORK 1937
Fabergé: His Works, Hammer
Galleries, New York, 1937.

NEW YORK 1939
Presentation of Imperial Russian
Gifts by Carl Fabergé, Hammer
Galleries, New York, 1939.

NEW YORK 1943
500 Years of Russian Art, Hammer
Galleries, New York, 1943.

NEW YORK 1949
Peter Carl Fabergé: An Exhibition of
His Works, A La Vieille Russie, New
York, 1949.

NEW YORK 1951
A Loan Exhibition of the Art of Peter
Carl Fabergé, Hammer Galleries, New
York, 1951.

NEW YORK 1961
The Art of Peter Carl Fabergé, A La
Vieille Russie, New York, 1961.

NEW YORK 1962/65
Metropolitan Museum of Art, New
York, 1962/65.

NEW YORK 1973
Fabergé from the Forbes Magazine
Collection, New York Cultural Center,
New York, 1973.

NEW YORK (ALVR) 1983
Fabergé. A Loan Exhibition, A La
Vieille Russie, New York, 1983.

NEW YORK (COOPER-HEWITT)
1983
Fabergé, Jeweler to Royalty, Cooper-
Hewitt Museum, New York, 1983.

NEW YORK 1989
The Josiane Woolf Fabergé
Collection, Habsburg, Feldman, New
York, 1989.

NEW YORK (et. al). 1996/7
Fabergé in America, Metropolitan
Museum of Art, New York; Fine Arts
Museum, San Francisco; Fine Arts
Museum, Richmond, Virginia; Fine
Arts Museum, New Orleans; Fine
Arts Museum, Cleveland, Ohio,
1996/7 (see also Habsburg 1996/7).

NEW YORK/NEW ORLEANS 2000
The Golden Years of Fabergé, A La
Vieille Russie, New York, New
Orleans Museum of Art, 2000.
(see also Tillander-Godenhielm (et.
al.) 2000)

PARIS 1987
Fabergé Orfèvre à la Cours des Tsars:
The Forbes Magazine Collection,
Musée Jacquemart-André, Paris,
1987.

PARIS 1994
Quarante Flacons à Parfum de Carl
Fabergé, Musée des Arts Décoratifs,
Paris, 1994.

ROME 2003/4
Fabergé, Palazzo del Corso,
Fondazione Cassa del Risparmio,
2003/4.

SAN DIEGO/MOSCOW 1989/90
Fabergé. The Imperial Eggs, San
Diego Museum of Art/Armory
Museum; State Museums of the
Moscow Kremlin, 1989/1990 (see also
Forbes/von
Hohenzollern/Rodimtseva 1989/90).

SINGAPORE 2001
Fabulous Fabergé: Objets d'Art from
the Forbes Magazine Collection,
New York, Singapore Art Museum,
September 26-November 25, 2001.

ST. PETERSBURG 1989
The Great Fabergé. The Art of the
Jewellers of the Court Firm, Elagin
Palace, St. Petersburg, 1989.

ST. PETERSBURG 1992
The Fabulous Epoch of Fabergé,
Catherine Palace, Tsarskoie Selo,
1992.

ST. PETERSBURG/PARIS/LONDON
1993/4
Fabergé: Imperial Jeweler, State
Hermitage Museum, St. Petersburg;
Musée des Arts Décoratifs, Paris;
Victoria and Albert Museum,
London, 1993/4 (see also
Habsburg/Lopato 1993/4).

WASHINGTON 1961
Easter Eggs and Other Precious
Objects by Carl Fabergé, Corcoran
Gallery of Art, Washington, D.C.,
1961.

WILMINGTON 1999
Nicholas & Alexandra, Riverfront
Arts Center, Wilmington, Delaware,
1999.

WILMINGTON 2000/1
Fabergé. Imperial Craftsman and His
World, River Front Arts Center,
Wilmington, 2000 (see also Habsburg
2000).

ZURICH 1989
Carl Fabergé. Kostbarkeiten
Russischer Godschmiedekunst der
Jahrhundertwende, Museum
Bellerive, Zurich, 1989.